I Classici Universale Economica Feltrinelli

NICCOLÒ MACHIAVELLI
Mandragola. Clizia

Prefazione di Riccardo Bacchelli
Introduzione e cura di Ettore Mazzali

Feltrinelli

© Giangiacomo Feltrinelli Editore Milano
Prima edizione nell'"Universale Economica" – I CLASSICI
gennaio 1995
Quinta edizione ottobre 2010

Stampa Nuovo Istituto Italiano d'Arti Grafiche - BG

ISBN 978-88-07-82112-7

Il testo di Riccardo Bacchelli è stato pubblicato in: Riccardo Bacchelli,
Saggi critici, Mondadori, Milano 1962; pp. 678-702.
Si ringrazia l'Editore per il permesso di riproduzione

www.feltrinellieditore.it
Libri in uscita, interviste, reading,
commenti e percorsi di lettura.
Aggiornamenti quotidiani

IL RAZZISMO
È UNA
BRUTTA STORIA.

razzismobruttastoria.net

Ettore Mazzali è morto nel dicembre del 1993 mentre attendeva le bozze di questo suo ultimo libro e di un altro sul Petrarca. Sul suo tavolo si trovano ancora due suoi lavori incompiuti su Francesco Flora e sull'epistolario di Isabella Teotochi Albrizzi.

Mazzali è stato a lungo fra i pochi, appartati ma fermi, testimoni di un'Italia minoritaria che si usa dire civile, seria ed onesta, purtroppo sempre meno attuale. Con un agio svagato, ironico e divertito, mai prendendosi sul serio, ma anche mai rinunciando alla petizione di principio, con una umorosa, saporosa, e quasi festevole serenità e disponibilità di spirito, a dispetto di luoghi, tempi e circostanze, è stato infatti un maestro di stile che, non si dimentichi, come afferma Buffon , è sempre tutt'uno con l'uomo.

"Istorico, comico e tragico"
ovvero
Machiavelli artista

di Riccardo Bacchelli

Prender l'avvio da un ricordo e da un fatto personale, non mi sembra disdicevole, in grazia di due motivi.

Il primo, che il fatto riverbera un barlume, in qualche modo simpatico con un certo carattere del Segretario Fiorentino e del suo ragionare e della sua sorte.

Il secondo, che rifarmi da un fatto personale sgombra, dall'esordio, ogni apparenza di solennità, storna il sospetto che io voglia prender di petto ed esaurientemente un argomento inesauribile e sfuggente com'è il pensiero del Machiavelli: insomma: è un modo d'alleggerir l'impegno. Del resto, più che del pensiero, mi avventuro a discorrere dell'arte di colui che sottoscrive una sua lettera degli anni ultimi al Guicciardini, "istorico, comico e tragico" facetamente. Facetamente, ma commettendo a noi la cura di comprendere, non pure in che senso sia da intender la facezia, ma in che senso la intendesse lui.

Infatti, innanzi tutto, che significa l'omissione della qualifica di trattatista dello stato e dell'arte di governo? Era, si sa bene, la qualifica che il Machiavelli, pur fallitegli le speranze e le ambizioni di politico attivo e di consigliere influente, stimava la sua propria e vera e sola, la dignità a cui ultima e unicamente ambiva.

Dunque l'omissione implica l'amarezza di un orgoglio sarcastico, ovvero di una sfiduciata rinuncia? È la disperazione di una ormai lunga stanchezza dei suoi propri pensieri e di tanti pronostici, e tanti di essi falliti? Era, nei giorni ormai non lontani dalla fine, angosciosi e scorati, quando scriveva quella lettera, scoramento d'inascoltato da governanti e repubblicani e principeschi, di escluso dagli affari, di disgraziato e sfortunato, di contraddetto e deriso dalla fortuna; oppure è una bizzarria dell'umore, un ghiribizzo, un badalucco, dei tanti in cui egli si compiacque sempre di svagare il malumore e di divertir la noia? Ma, di fatto, badalucco egli chiama anche un capolavoro artistico come la *Mandragola*, e ghiribizzo un'animosa e vigorosa dichiarazione di profonda, virile, consumata sapienza "effettuale", come la lettera al Soderini dopo la caduta della repubblica.

Come che sia, la qualifica di "comico" s'intende semplicemente, poiché la lettera propone e parla all'amico Guicciardini di rappresentare la *Mandragola*: "Facciamo una volta un lieto carnevale," in quel 1526. Che letizia potesse essere, si desume dalla lettera stessa: "Il Morone ne andò perso, e il ducato di Milano è spacciato... e così tutti gli altri principi, né ci è più rimedio. *Sic datum desuper*". E citando i versi di Dante sull'oltraggio d'Anagni a Bonifazio VIII, li volge a profezia di ciò che fra poco avvenne a Clemente VII, con la catastrofica conclusione di quella politica dei potentati italiani nelle competizioni fra gli stati d'Europa, che ebbe il suo esito più sciagurato nel Sacco di Roma. Tragico pronostico, e, fra poco, tragicamente avverato; tragico profeta lui, che vi scorge una irrimediabile fatalità: *Sic datum desuper*. D'altronde, la particolare disgrazia di lui privata e pubblica s'involgeva, in quel tempo, nella ormai inevitabile e compiuta rovina di quella politica italiana, nella sventura d'Italia. "Tragico" dunque ben significa l'animo invitto, la coscienza lucida, la disperazione indomita d'un sopraffatto dall'avversità della sorte, alla quale non cede, irriducibile, renitente, con l'animo, al fato. E nel fato, e di Firenze e d'Italia e non pur della politica ma del mondo rinascimentale italiano, il Machiavelli esortatore disperatamente ingegnoso a una grandezza, a una virtù d'azioni politiche e militari, cui non poteva più attingere non pur forza d'armi e d'ingegno, ma nemmen quella della disperazione da lui invocata, magnificata, gridata; in quel fato, il Machiavelli è pensatore eroico e strenuo, veramente "tragico", senza tema né speranza. Non men vero, per altro, nella sottoscrizione, tanto alta e giustificata e verace qualifica si introduce per un giuoco di parole, in antitesi con quella di "comico": un ghiribizzo.

"Istorico", si riferisce ovviamente alle *Istorie Fiorentine*, alle quali attendeva e al proposito, dice la lettera terminando, di *sfogarsi* "accusando i principi che hanno fatto, tutti, ogni cosa per condurci qui". Non è, sfogarsi, un proposito di "istorico", rigorosamente parlando; e del resto, a lume di storia, l'accusa alle città e signorie italiane riesce, anziché storica, polemica e passionata; ma non c'è o non ci dovrebb'essere bisogno di dire che il Machiavelli concepiva ed esercitava la storiografia come un'arte non intesa a scoprire e accertare e a descrivere la realtà storica di fatti accaduti, ma informata a principii, a leggi della storia e della politica, dalle quali egli desume, con una lucidità di visionario logico e con una potenza d'espressione empirica che appartengono più a fantasia poetica che a mente storica, precetti, ammonizioni, ammaestramenti, esortazioni, figurazioni esemplari. E per renderle tali ed efficaci, si sa ch'egli, non che rifuggire, anzi cerca e inventa esemplari invenzioni, con un procedimento che negli storiografi retorici produceva adulazioni o calunnie, a seconda dell'intento celebrativo o polemico, mentre in lui è riscattato e sollevato a vera potenza da una passione, che supera, non che la retorica e la precettistica, se stessa, in quanto consegue espressione e definizione e stile di valore e qualità poetica. È una poesia di suo genere, ma che da ciò appunto trae accento, natura, potenza tutta sua.

Per tanto, se l'aggettivo "tragico", anziché ad un'antitesi ghiribizzosa, si attribuisca al sostantivo "istorico", e vi si legga una definizione di sé quale storico tragico, ossia poetico di tal particolar poesia, tale definizione è vera e profonda, definitoria. E adombra anche una verità critica: che in lui la cognizione e l'esperienza e la riflessione e la passione si consumano e si avverano trascendendosi in una lucida e ferma, catartica contemplazione poetica. Del resto, non pure il suo pensiero, ma il moto e la vita stessa del suo discorso sono di natura lirica: precisamente al contrario di ciò che s'avvera nel gran consorte di lui nell'esperienza politica di quegli anni, nel Guicciardini, che trascende essa esperienza, e la passione e la vicenda personale, nella contemplazione e rappresentazione storica. E anche il loro carteggio è l'incontro di due forme, di due vocazioni esemplari: d'una fantasia e d'una mente, oppostamente geniali. Che nel carnevale del 1526, in quelle distrette, in quella imminente catastrofe, pensassero a una commedia ed alla sua rappresentazione, significa nel Guicciardini uno spasso, un alleviamento dello spirito, una libertà vigorosa e strenua e dello storico e del politico e dell'uomo che non accettava di lasciarsi vincere e intristire dalla costernazione. In Machiavelli significa invece la natural vigoria d'un genio fantastico, che dalla nativa e fiorentina disposizione a trarre "il cervello di muffa", a sfogar l'uggia, a svagar la noia con ghiribizzi buffi e burleschi, è condotto, per geniale sopraffazione d'una vocazione originaria e nativa, a creare un capolavoro, la *Mandragola* appunto, in cui quella disposizione, e il bisogno di una rivalsa, di una vendetta sarcastica contro la disdetta personale e contro la disgrazia della malasorte generale, e l'amaro giudizio sul prossimo, e la ribellione al destino, tanto più lucida quanto più disperata, si trascendono in una liberazione poetica dalla contenzione della propria passione e del proprio stesso pensiero. Da che la comicità di quel capolavoro comico riceve forma e carattere e stile tutto suo, e singolare, ed essenzialmente machiavellesco.

Ma, intanto, è ora di venire al ricordo del fatto personale.

Erano gli anni della guerra, e stavo commentando il *Principe*, la *Vita di Castruccio*, la *Descrizione*, la *Mandragola*, il *Dialogo intorno alla nostra lingua*.

A rincalzare la tesi critica della natura essenzialmente artistica della personalità del Machiavelli, oltre le osservazioni strettamente estetiche, avevo raccolto e ordinato buon numero di minute notizie documentarie, a dimostrazione di quanto poco egli tema, non solo di "esaltare" o di "abbassare le cose", ma di mettersi in flagrante contraddizione, in patente contrasto con se stesso, e con quanto, a volte, ha detto e scritto, e anche pubblicato.

Infatti, egli non solo esalta od abbassa "cose", ossia

fatti e uomini storici, ma inventa la storia. E quando lo faccia per Castruccio Castracani e in materia meramente storica, si comprende che questa gli importasse in quanto ridotta ad esempio ed esortazione e regola dell'agire: ma in fatto di materia contemporanea, presente nei ricordi e nell'esperienza sua e dei viventi, è scabroso vedere come non tenesse conto e quanto appaia ancor più ignaro che noncurante della smentita che la memoria, l'esperienza, la notorietà dei fatti, la contraddizione con precedenti sue stesse versioni e interpretazioni, davano alle sue invenzioni, sfatandole e distruggendone ogni efficacia esemplaristica, esortativa e precettistica.

È che tali invenzioni machiavelliane non si spiegano ricorrendo a giustificazioni moralistiche e a scusanti sentimentali, invocando il fine e la passione che gliela dettava. È bensì vero che a volte non hanno altra giustificazione e scusante, ma in questi casi la polemica spunta se stessa, e la pedagogia del precettista fallisce appunto il suo fine, e le contraddizioni teoriche e storiche rimangono, non che insanabili e inconciliabili, anche fallaci ed arbitrarie. Ma altre volte, quelle in cui si spiega e si esprime la grandezza verace e nativa, la virtù dello scrittore, è l'invenzione stessa che lo giustifica e si giustifica, è la forza, non persuasiva, non retorica, non moralistica, ma estetica, di tali invenzioni, delle immagini e figure, che s'esprime, si afferma, si definisce, vince.

Ciò significa, prescindendo da ciò che il pensiero del Machiavelli politico e teorico dell'arte politica ha significato e prodotto nella speculazione politica ed etica e filosofica, che quella era potenza, in sé, poetica.

Seguendo cotale concetto critico, lungi da scusare o diminuire o giustificare contraddizioni ed arbitrii di tali invenzioni, m'ero ingegnato di illuminarle e di definirle, in tutto il loro più vigoroso e geniale risalto, con riferimenti testuali e biografici e storici, per dimostrare la grandezza del Machiavelli dov'è, ossia nelle contraddizioni teoriche, nelle invenzioni storiografiche, in un magnanimo e profetistico rifiuto e della realtà storica, e del proprio pensiero teorico, anzi, del fato presente e incombente e inevitabile. E avevo così raccolto un buon numero di note e di schede, a tracciare un disegno biografico del Machiavelli vittima eroica e tragica di una realtà contingente e di un fato trascendente: un disegno, per tanto, in cui il giudizio storico non fosse influito e soggetto e infiziato dai giudizi del Machiavelli stesso, e in cui questi risultassero nel pieno e irrimediabile risalto della contraddizione di essi con la storia; contraddizione che fa, di essi e di se stessa, la condizione necessaria della grandezza del Machiavelli, irriducibile, irrimediabile; non pur tragica ma tragicomica, secondo quel ghiribizzo della sottoscrizione, che insomma, ci pensasse o no, esprime una verità e un'intuizione e una definizione imperiosa e profonda: "comico e tragico".

Fatto sta che questo materiale di spogli testuali; e si sa quanto i termini stessi concettuali e i giudizi del Machiavelli diversifichino da luogo a luogo, secondo il colore, il tono, la passione, l'argomento del discorso; fatto sta che questo materiale di annotazioni storiche e di indicazioni di ricerche e indagini da compiere anche negli archivi; fatto sta che questo materiale stava, l'anno 1943, mese di luglio, sul mio tavolo da lavoro, non sufficiente ma non piccola mole, quando mi presi qualche giorno di vacanza in montagna, e non mi curai, anzi esclusi, ragionando, che valesse la pena di ricoverare appunti e schede in cantina e nel ricovero antiaereo. In forza e a forza d'argomentare, stimavo che incursioni aeree sull'Italia stremata non fossero più da prevedere; e il 25 luglio mi confermò nella previsione, dato che mi pareva delle due l'una: o, continuando la guerra, non ci fosse necessità militare né convenienza politica, da parte delle nazioni unite, di infierire sulle città italiane; o, uscendo noi dalla guerra e capitolando, non avessero i tedeschi più forze aeree da sprecare in rappresaglie. Insomma, non prevedevo i bombardamenti intimidatorii dell'agosto del '43, in uno dei quali i miei ragionamenti esposero quel materiale di studio machiavelliano a una bomba incendiaria, che infilò la finestra del mio studio, e bruciò tutto quanto, a torto o a ragione.

Posso aggiungere, come ufficiale d'artiglieria nell'altra guerra, che la traiettoria seguita dalla bomba per poter infilarsi nella finestra "defilata" tra i casamenti circostanti, fu singolare ed ebbe dello straordinario. Ma quanto alla mia neghittosa decisione, può darsi che a farmela adottare avesse operato in segreto l'influsso amaro d'un sarcastico fatalismo della disperazione, simile a quella di cui il Machiavelli dà tante e tanto forti ed amare espressioni. E veramente, in quei giorni del 1943, non più l'Italia, come ai tempi di lui, ma l'Europa di questi nostri stava soggiacendo alla consumazione d'una catastrofe e d'un fato simile e peggiore di quello a cui soggiacque l'Italia dalla Calata di Carlo VIII al Sacco di Roma. Ma questo condurrebbe il discorso in troppo più largo e dolente ed ansioso argomentare. Vuol dire, che fra quelle tante espressioni forti ed amare di Niccolò, ne sceglierò una fra le più umili e fuggiasche: quando, scrivendo dei suoi "castellucci" argomentativi e congetturali a un altro fra quegli sconfortati e angosciati prudenti e savi, all'amico Francesco Vettori, nel 1513, il "quondam Segretario" gli diceva: "Se vi è venuto a noia il discorrere le cose, per vedere molte volte succedere e' casi fuora de' discorsi e concetti che si fanno, avete ragione, perché il simile è intervenuto a me". Benché subito soggiungesse che "la fortuna ha fatto" che, a lui, conviene "ragionare dello stato", sicché: "mi bisogna o botarmi di stare cheto, o ragionare di questo". Tant'è: nell'atto stesso che si protesta "acconcio a non desiderare più cosa alcuna con passione", non solo la contraddizione seguente, ma la protesta stessa palesa e dichiara ed esprime che la passione è legge e vocazione e vita del suo spirito, che ripete sempre e ultimamente un grido, quel grido, senza speranza, audace, che impone e chiede, a "campare o morir giustificato" di "far cosa onorevole o gagliarda", nulla escludendo e condannando al mondo salvo la paura e il perire vilmente, poiché, com'egli scrive ancor poche settimane prima di morire, "la disperazione trova de' rimedi che la electione non ha saputi trovare".

Come sentenza, è contraddetta dalla storia e dalla politica, che mostrano quanto la realtà finisca col cedere alla necessità e con l'accogliere gli accomodamenti da essa imposti; tanto che, al vecchio motto fiorentino e suo, ripetuto in cotesta lettera dell'aprile 1527: "amo la patria più dell'anima", verrebbe fatto d'opporre che ciò ch'egli ama più dell'anima, non è tanto la patria, ovvero lo stato, quanto la passione, l'audacia, il pericolo sfidato grandemente, il coraggio della disperazione, ciò ch'egli chiama virtù e ferocia.

Fino a che punto proponesse ai governanti di Firenze repubblicana, e poi ai principi di Firenze e d'Italia, e ai papi, anziché consigli politici concreti e razionali, le figure immaginose di un'utopia passionale, è da illustrare sgombrando, come ho detto, e, credo, più risolutamente di quanto non si sia fatto, il giudizio storico, di quelle prevenzioni che il suo genio di scrittore e di visionario vi impone, a scapito del giudizio storico concreto e spassionato, e perfino a scapito di lui Machiavelli. Infatti, s'è ben anche dato il caso che la scoperta o il sospetto di quella sua vera e più intima ed essenziale natura e vocazione, abbia prodotto per reazione giudizi negativi indispettiti. Tanto è difficile che a leggerlo non s'apprenda, in favore o contro di lui, l'animo della passione. Non mi riferisco, ciò dicendo, alle secolari reazioni favorevoli o contrarie al teorico originario della ragion di stato e dello storicismo filosofico, ma proprio al Machiavelli uomo e scrittore, e al Segretario della repubblica fiorentina e consigliere dei signori medicei e dell'ultima, fatiscente repubblica, di cui la morte gli risparmiò di veder la caduta.

Ciò che avevo, per mio conto, raccolto e ordinato, bastava appena a un primo disegno e a indicarne qualche particolareggiata esistenza concreta, ma era già una mole non piccola. Il falò in cui bruciarono quelle carte venne ad impedire che tornassi ad imbarcarmi in un'impresa che esigeva più tempo e più dedizione di quella che potevo dedicarvi.

Per tanto, il mio discorso sul Machiavelli può svolgersi soltanto per cenni e suggestioni, che rischiano di comparire audaci ed avventate, certamente parziali. Per tali le do, quali che siano.

Chi poteva credere, in Firenze e in Italia, quando il Machiavelli tracciava, in pochi tratti di stupenda vigoria stilistica, il ritratto di Cesare Borgia, nel VII del *Principe*; chi poteva crederci, che questi "aveva pensato a ciò che potessi nascere morendo el padre, e a tutto aveva trovato remedio, eccetto che non pensò mai in su la sua morte di stare ancora lui per morire?" Chi poteva credere che se "fussi stato sano, avrebbe retto a ogni difficultà?" Nessuno, e meno d'ogni altro il Machiavelli stesso, che dieci anni innanzi, nel 1503, mandato dalla repubblica in legazione a Roma, ne' dì che fu creato Julio II", aveva notomizzato sul vivo e sul vero la confusione e lo smarrimento del Borgia vaneggiante, che non aveva a che appigliarsi e a tutto s'appigliava vanamente. E il Machiavelli facendone relazione a Firenze, aveva irriso l'uomo che in disgrazia sperava non fosse fatto a lui quel ch'egli in fortuna aveva fatto agli altri, spietato maestro d'inganni, che sperava d'esser creduto; peggio: "in altrui trovar credette Quella pietà che non conobbe mai". Questo sta scritto, con lucido e impietoso sprezzo, nel *Decennale primo* di lui, Machiavelli: scritto e pubblicato, sia detto tanto per dissipare quel che potrebbe venir pensato, ossia che l'autor del *Principe* fidasse che le relazioni del Segretario legato a Roma presso il Borgia caduto, zimbello della disgrazia e delle illusioni anziché eroico e lucido oppugnatore della sorte avversa, avessero a restar sepolte negli archivi di Palazzo Vecchio. Sarebbe un piccolo calcolo, di quelli che il Machiavelli, non che fare, nemmen sapeva concepire.

Al Borgia egli era stato spedito prima, si sa, nel 1502, e a Sinigaglia l'aveva visto ordire e terminare l'inganno in cui spense i suoi nemici coperti ed infidi alleati: nei documenti diplomatici stessi del Machiavelli si legge il progresso, che culmina nella famosa *Descrizione*, di un processo loico e immaginativo, per cui l'ammirazione per Cesare Borgia perfeziona il suo operato, lo fa più perfetto del vero, vi esalta un esemplare di lucido e spietato e perfido e perfetto animo politico. È un procedimento che risulterebbe e rimarrebbe nei limiti e caratteri di un'alterazione della verità storica e del fatto reale, se nella *Descrizione*, capolavoro di uno stile drammatico e funereo, l'amor dell'arte politica non si identificasse con l'amor dell'arte letteraria. Di là dalla precettistica, di là dalla stessa ammirazione per il Borgia reale e ideale, c'è il senso dominante e ineluttabile di una fatale e naturale perfezione: di quella che la fantasia di un poeta sente e figura in un Jago o in un Riccardo III, in un Ser Ciappelletto, in un Arpagone, o nei Malebranche danteschi o nel Mefistofele goethiano. Semmai, poiché il Machiavelli poeta non vuol essere, ed è soltanto per forza nativa e suo malgrado e perché ce lo costringono e la natura e la disdetta, il suo stile, nella sua impassibile ed impossibile freddezza, nella spietata affettazione di un'empietà e d'un'immoralità paradossali, nell'invenzione di quella perfezione più vera e più atroce del vero, cela ed esprime una pallida e crudele ironia.

È quella ch'egli esprime per chi, appunto come il Borgia caduto, dopo essersi esonerato, in fortuna, d'ogni pietà cristiana ed umana, vorrebbe che gli fosse usata in disgrazia: e il Machiavelli per costui non ha disprezzo che gli basti; dal disprezzo trascorre all'avversione e ad una sorta d'odio. Precisamente, il disprezzo e l'odio, verso il Borgia, delle relazioni da Roma nel 1503, e dei versi del *Decennale*. È che la delusione datagli dal Borgia querulo, invilito, incerto, egli non sa perdonare, non che a lui, a sé medesimo, specialmente a sé medesimo.

"E lui mi disse che a tutto aveva trovato remedio..." Come ha da intendersi questo superbo stacco di un periodo famoso?

L'aveva deluso l'uomo, che la disgrazia mostrava troppo inferiore non che a quello esaltato dal Machiavelli, anche a quell'audace ed astuto e spregiudicato venturiero politico che nell'impresa di farsi uno stato all'ombra e a spese delle Sante Chiavi, aveva dato per un momento una grande idea di sé e il sospetto o la speranza che fosse uomo da fondare un potente stato unitario d'Italia, o in Italia. L'avevan, lui Machiavelli, contraddetto i fatti, ossia quel che sarebbe occorso al fondamento e alla durata di uno stato borgiano: che il papato si riducesse a diventare una specie di califfato ereditario e sottomesso alla dinastia borgiana: dopo dieci anni di storia e d'un'esperienza in cui s'era compiuto il pontificato di Giulio II, ciò che il Machiavelli crede o vuol credere nel VII del *Principe*, ossia che soltanto l'errore d'aver lasciato eleggere il Della Rovere e la disavventura della morte prematura di papa Alessandro abbiano impedito a Cesare di fondare e solidificare uno stato dell'Italia centrale, o anche un più vasto quanto meno indeterminabile "imperio", è, con gli argomenti del Machiavelli a sostener l'ipotesi, un esempio di perfetta e arbitraria e utopistica storia di un non accaduto e non accadibile.

Tanto più caratteristica e significativa la reazione, la rivalsa, sto per dire il riscatto e la vendetta che si prende il Machiavelli, e della realtà storica, che tanto contraddice e contraria la sua utopia, e della delusione che gli ebbe prodotto il Borgia in disgrazia, e della propria.

È una reazione tutta inventiva e fantastica: l'invenzione, l'esaltazione di un Cesare indomito e tetragono al colpo della fortuna, irriducibile, eroico: "E lui mi disse, ne' dì che fu creato Julio II, che aveva pensato a ciò che potessi nascere morendo el padre, e a tutto aveva trovato remedio, eccetto che non pensò mai, in su la sua morte, di stare ancora lui per morire". Ci avesse anche pensato, si potrebbe obiettare, sarebbe stato inutile, perché l'evento sarebbe rimasto, come fu, senza "remedio". Ma: "lui mi disse", da parte che non risulta dalle relazioni del Machiavelli coeve ai "dì che fu creato Julio II", e che contrasta con esse, potrebbe anche essere vero, senza significar di fatto null'altro e nulla più che un detto, un grido di disperazione. Il quale, reale o inventato, è nel discorso del Machiavelli un tratto, una mossa, un ritmo stilistico credibile soltanto della credibilità poetica, ed in questa imperioso e indiscutibile. È la credulità della machiavelliana figura del Borgia eroico e tragico, ultimo: tutto d'invenzione, e in ciò vero, poeticamente.

Si può, si deve non crederci, o certo non nel senso che v'annette lo scrittore storicheggiando per funzione precettistica: non si può dimenticare, né si può negare, leggendo, all'animo, di consentire alla virtù dello scrittore storicheggiante per entusiasmo poetico.

Similmente, l'altro possente e rapinoso stacco di periodo: "Ed era nel duca tanta ferocità e tanta virtù..." che se "fussi stato sano, avrebbe retto a ogni difficultà". Ipotesi arbitraria o assurdità storiografica, falsità riguardo al Borgia storico, è verità del Borgia creato da Machiavelli, di quel Cesare postumo, che nell'ispirata e rapita passione e fantasia dello scrittore sorge idealmente a tale statura e vigoria, che il fato, per poterlo abbattere, è costretto a colpirlo alle spalle e a dargli alle gambe, con una "estraordinaria ed estrema malignità di fortuna" che abbassa il fato stesso e l'invilisce, che ingrandisce, innalza, esalta l'incrollabile, l'indomita, la vittima eroica.

Le invenzioni, sorrette ed esplicate con tal forza stilistica e poetica, del Machiavelli, e quando ce l'hanno, da una parte adempiono alla funzione di induzioni ed ipotesi conoscitive, d'altra parte, operano, ed operarono infatti, a creazione di eventi futuri, come le profezie dei profeti. Quel ch'egli ha prodotto nell'ordine del pensiero politico e filosofico, non è tanto dovuto al suo pensiero logico, quanto alla forza cruda e dura, spietata, della sua rappresentazione della realtà "effettuale" delle cose politiche. Anche ad essa forza espressiva è dovuto ciò ch'egli ha potuto nella storia italiana. Ed a chiarirne il modo e a definirlo, giova indagare la natura, l'ispirazione della più celebre e, nella storia d'Italia, più efficace sua pagina: l'ultimo capitolo del *Principe*, l'esortazione a liberare e unificare l'Italia.

Mera oratoria, utopia antistorica, a considerarla genericamente, appare particolarmente, in quanto indirizzata al Signore mediceo della Firenze del 1513, retorica e adulatoria, tanto fuori di proporzione, da aver suggerita l'ipotesi che si celi, in cotesto indirizzo, un sarcasmo, o che esso risponda a un misero interesse pratico personale.

Ipotesi e suggestioni, e anche ingiurie, che si riducono all'assurdo indagando come nasce l'*Esortazione*.

Nasce d'impeto e di sorpresa dal ravvisare nell'Italia di quegli anni catastrofici le condizioni necessarie e propizie all'avvento di un liberatore e rigeneratore provvidenziale. Condizioni di estrema rovina e miseria e avvilimento: quelle, com'egli dice nel VI, degli ebrei prima di Mosè, dei persiani prima di Ciro, degli ateniesi prima di Teseo, e dei compagni di Romolo. È una materia questa degli eroi suscitati dalla sorte e da Dio a salvezza di genti oppresse ed invilite, ch'egli in quel capitolo sfiora, quasi a sbrigarsene, e come tale che non riguarda la politica effettuale. Infatti, è provvidenza o sorte, Dio o fato, storia o natura, ciò che li elegge e li suscita, li illumina e li conduce, essi e le loro virtù. Semmai, insiste su quelle particolarmente militari e belliche, per ammonire sardonicamente che ai "profeti disarmati" tocca la sorte del Savonarola. Nell'insieme, il capitolo è reticente ed evasivo, salvo in cotesta avvertenza ai mandati da Dio o a chi si crede tale, di provvedere alle armi per non fare la fine dei "profeti disarmati". Anche della necessità finalistica che tali grandi uomini provvidenziali abbian l'occasione alla loro grandezza da condizioni misere e rovinose dei loro popoli, il Machiavelli si spaccia affermandola senza spiegarla e senza insistervi. Non riconoscerne nessuno fuor che Romolo o Teseo, e Mosè e Ciro, "e simili", è significativo. E il fatto del Savonarola, unico contemporaneo, anzi unico non remoto della più remota antichità, e rovinato per non aver provveduto ad *ordinarsi* in modo da "fare credere per forza" quel che il popolo non gli voleva più credere per persuasione, viene implicitamente a dichiarare che i tempi moderni al Machiavelli non parevano propri né opportuni al sorgere e alla rivelazione di condottieri profetici, miracolosi, preordinati. Anche se, letteralmente, li ritiene storicamente reali, li sente e ne tratta come se mitici e mitologici, estranei al suo tempo e interesse: superiori bensì, ma fuori della storia: portenti provvidenziali e teologali, o mostri naturali.

Ed ecco, nel fine del trattato, "considerato tutte le cose di sopra discorse", si vorrebbe dire nel rileggere, quasi a caso, quel freddo e straniato capitolo VI, esso gli accende nell'animo e vi s'accende d'un inaspettato e imprevedibile lume ed ardore. Gli appar come ispirato e profetico, non per lume teologale, da cui egli si tiene ed è estraneo, ma per verità reale e di fatto, evidente, imperiosa. L'Italia "effettuale" è nelle condizioni che richiedono e sono richieste a suscitare un eroe di quel genere.

Non è un pretesto di retorica esortativa, che sarebbe del tutto vana e inefficiente s'egli non credesse a quel che dice, se ne dubitasse. In tal caso, perché esorterebbe il "principe nuovo" a un'impresa, che in luogo di riscatto e salute sarebbe disastro e perdizione? D'altronde, come argomento di retorica, in luogo di persuadere ed animare, è tale da spaventare, disanimare, render dubbioso e confuso lo spirito di colui che vi ambisse. Sarebbe, come esortazione, disperante, e, come profezia, troppo involuta.

Ma è ch'egli non pensa né bada all'efficacia pratica dell'*Esortazione*. Parla perché è percosso da una rivelazione, illuminato da un lume di verità: la miseria d'Italia, la necessità e l'occasione preordinata che uno sorga a "farsi capo di redenzione". È una certezza, la quale, insorgendo dal suo proprio discorso, in ciò è poetica, scendendo dalla condizione di fatto storica, in ciò è profetica. La politica diceva, la storia dice, che specialmente in quel giro d'anni, l'impresa era più disperata che ardita, più che un'utopia, una chimera. E, per di più, il Medici a cui rivolge l'esortazione, e Firenze, erano i più disadatti e insufficienti in tutta Italia non pure a proporsi tale ambizione, ma a pensarla, a immaginarla.

È che il Machiavelli non stima capace, né degno, né disposto, vocato abbia a essere o sortito, a una tal missione di "capo di redenzione" nessun principe e nessun popolo d'Italia. Il segno, sacro o naturale che sia, che la dimostra e la rivela necessaria e matura, provvidenziale ed effettuale, è infatti la sventura d'Italia "sanza capo, sanza ordine, battuta, spogliata, lacera, corsa", che "ha sopportato d'ogni sorta ruina": il segno, e celeste e terrestre, è che il liberatore, il redentore, non si veda, non appaia ancora, e non sia altro che un oggetto misterioso di invocazione e di profezia. Ogni realtà lo smentisce, fuor che quell'estremo di sventura, fuor che il dolore del Machiavelli.

È proprio il senso critico del Machiavelli che, per dargli un nome e l'efficacia d'una parvenza di concretezza politica, per evitar l'astrattezza cifrata e sterile di profezie come quella del Veltro dantesco, si rivolge al più effimero signore della più labile e fatiscente signoria, al Medici rimesso in Firenze da Leone x, soggetto, con la città, al papato mediceo. E la patente contraddizione con la propria stessa convinzione che la Chiesa è l'ostacolo capitale a edificare un'Italia libera e indipendente; contraddizione ch'egli non teme così come non l'ha temuta sperando in Cesare Borgia; è indice di passione, ancor più disperata, e in ciò più forte e appassionata, che dalla maggior debolezza e inettitudine del principe e del principato a cui ora si rivolge, e dalla tragedia in atto, trae argomento, necessità, la forza di invocare l'eroe ignoto, il messo venturo, il misterioso "capo di redenzione", parlando al men degno e meno attendibile per parlare, a uno e a tutti, e, veramente, a nessuno e all'ignoto, atteso e certo per fede.

L'entusiasmo, l'ispirazione, che, nel mito della grandezza del Borgia, altra volta fu tragica, in questa esortazione al principe medíceo genera una poesia di specie profetica. Comunque s'interpreti l'indirizzo, è indice d'una intensità di passione, quale vibra nella possente eloquenza del capitolo xxvi del *Principe*.

Così, due esempi scabrosi ed involuti, quanto vividi e vivaci, illuminano la personalità contraddittoria, e necessariamente contraddittoria, del repubblicano fiorentino, e romano della Roma ideale di Livio, esaltatore, per patriottismo fiorentino e italiano e per amor di grandezza disperata, di un vigoroso e magnanimo e "virtuoso" e "feroce" tiranno immaginario, e infine di un eletto: eletto da una provvidenza tanto divina quanto naturale, cristiana e pagana, mistica e fatalistica, senza scelta e senza timore di contraddizione, non per forza di raziocinio critico, che gliela vieterebbe, ma per potenza di ardore immaginante, poetico, che gliela impone.

Di fatto, quand'anche non le avesse avvertite lui, le contraddizioni teoriche, gliele imponevano i tempi e le vicende, eccitando e fecondando l'umor nativo e gentilizio fiorentino, sarcastico e sardonico e beffatorio, fino a svelarsi e a potenziarlo in un portato di genio comico, che dà nella *Mandragola* il capolavoro artistico.

Capolavoro, in quanto il "badalucco", lungi da svagare e divertire l'autore dal proprio travaglio, ve lo profonda; e se lo risolve in riso, è una soluzione, una liberazione nient'altro che poetica, e in ciò assoluta. Proprio per questo, sotto le parvenze licenziose e svagate e satiriche, la commedia è tutta informata a pensieri d'una ridente severità strenua e risoluta, che supera, non che il divertimento, la satira moralistica, in quanto si origina e si ultima nella tragicommedia d'una ironia di sé medesimo e dei propri affetti e pensieri tutti.

I personaggi e la vicenda riflettono, rappresentano comicamente, il Machiavelli nei suoi fondamentali atteggiamenti. Callimaco, benché spregiudicato libertino, ha un accento di passione, carnale ma innamorata, sentita, che ricorda quella di Niccolò innamorato della Barbara attrice e cantatrice. Ligurio è il prudente, l'astuto, il virtuoso machiavellesco e machiavellico, scaduto a ruffiano, ma in quest'arte accorto e della propria scienza ragionatore sottile, perfidioso, lucido. Egli conduce il buffonesco ordito come un maneggio d'alta politica, e lo commenta con un gusto della propria virtù realizzatrice, alieno dalla fatua compiacenza quanto pervaso da una chiara cognizione della propria maestria nel governo degli uomini con ogni mezzo, dal ricatto alla seduzione. Il gusto stesso ch'egli vi prende, gli serve a trascinarvi gli altri, e specialmente quell'altra specie di savio e di prudente che è il frate. Una cosa indubbiamente è l'amore di Ligurio per il suo mestiere di "cucco" della "malizia", il suo entusiasmo nell'esercizio dell'inganno che sta ordendo, il suo amor dell'arte. In lui, rappresentandosi, il Machiavelli beffa se stesso; per esempio, e apertamente, quando Ligurio, "capitano" della goffa masnada dei mascherati e della finta battaglia per la frodolenta cattura di Callimaco travestito, nell'"ordinar l'esercito per la giornata" viene a mettere in bernesco la nomenclatura di quell'arte della guerra in cui Niccolò mise tanto dell'animo suo e delle sue fatiche più speranzose e più deluse, tenacissimamente. Ma tutta, e originalmente, la retorica e sofistica di Ligurio è imperniata e procede da un machiavellismo furbesco e parodistico. E i suoi più validi ed essenziali argomenti a ingannare e persuadere e invischiare il frate nell'ordito della beffa, sono politici, della dottrina politica machiavelliana. Infatti, come assale, dottrinalmente, il frate? "Io credo che quello sia bene che facci bene ai più e che i più se ne contentino": una sentenza fondamentale dell'arte politica descritta nel *Principe*, volta a persuadere il frate della convenienza di tener mano al procurato aborto, inventato e proposto per saggiarlo e ricattarlo ad un tempo. Ma la proposta, nell'esser suo frodolento ed osceno, trae la sua forza seduttrice da un altro principio, da una proposizione a cui frate Timoteo non può negare l'assenso, perché è principio e proposizione, non che e prima che sua, del Machiavelli: "Debbono i principi d'una repubblica o d'un regno, i fondamenti della religione che loro tengono, mantenergli. E debbono tutte le cose che nascano in favore di quella, come che le giudicassero false, favorirle e accrescerle; e tanto più lo debbono fare, quanto più prudenti sono, e quanto più conoscitori delle cose naturali," ossia scettici e increduli. Quanto lo sia il frate, è un punto irrisoluto nella commedia: non è neanche risoluto nella biografia e nell'opera di Machiavelli, ma nel proposito di mantenere in credito e di fare il vantaggio del monastero di cui è priore, come dir "principe", Timoteo è sincero e personalmente disinteressato, per quanto scaduto e invilito: tal quale come Niccolò è sincero in quel suo principio e precetto del mantenere i fondamenti della religione, anche senza crederci, *instrumentum regni*.

Si potrebbe proporre un quesito, invece, al Machiavelli: come egli ritenga, teorico dell'arte dello stato, di esser fedele e coerente al suo principio, con una commedia così lontana e contraria a mantenere "i fondamenti della religione". È un quesito per lui irresolubile, ma che la sua smagata e spietata sincerità verso se stesso non gli consente di falsare, buttando, con facile moralismo, la colpa sulla corruzione del frate. Se questi è corrotto, Machiavelli sa e non nasconde, non elude né maschera la verità, ossia che a corromperlo è stato Ligurio, ossia lui Machiavelli, con le proposizioni della sua politica e scettica prudenza, favorevole alla religione come fondamento di dominio politico e d'ordine sociale.

Questo è il punto, virilmente e duramente sentito e non eluso, per cui tanto lo scetticismo e l'agnosticismo filosofico e religioso del Machiavelli, quanto il suo anticurialismo ed anticlerialismo politico, non versano in una facile satira moralistica e in una mera caricatura buffa nel tratteggiare la figura del frate, sacrilego e pervertito sì, ma da un ordine di pensieri stanchi e disgraziati, accidiosi, che derivano l'accidia da pensieri del Machiavelli, come quando questi dice che se "la religione nostra richiede che tu abbi in te fortezza, vuole che tu sia atto a patire più che a fare una cosa forte. Questo modo di vivere pare che abbi renduto il mondo debole, e datolo in preda agli uomini scelerati, i quali sicuramente lo possono maneggiare, veggendo come l'università degli uomini, per andarne in paradiso, pensa più a sopportare le sue battiture, che a vendicarle". Ed è, nel Machiavelli, un ordine di pensieri irrimediabili e irrimediati, ch'egli non cerca di eludere né di accomodare, assumendone intera l'empietà. Per tanto, non li attribuisce a Timoteo dottrinalmente, in quanto pensieri, ma gliene conferisce il sentimento, ossia la perdita della grazia, l'accidia, peccato mortale, morte dell'anima. Ed è da notare che talvolta il Machiavelli può imputare a mali esempi ecclesiastici la sua e l'italiana irreligione, ma Timoteo non mendica per sé cotesto genere di scuse, anzi non ne accampa nessuna. Sotto questo riguardo, il Machiavelli della *Mandragola*, artista puro, "comico e tragico", è più virile e sobrio e libero del moralista politico e "istorico", in quanto questi scaricava sulla Chiesa corrotta la colpa di molti mali e politici e morali, che semmai non era di essa sola; quello, Timoteo, incolpa solo se stesso, e sa che a corromperla è anche lui, priore machiavelleggiante.

Egli è annoiato, ma mortalmente, anche e sopra tutto in senso teologale, della propria quiete e osservanza monastica, della propria saggezza e prudenza, di sé e dell'anima sua.

È quel che dice lucidamente e squallidamente: "Dio sa che io non pensavo ad iniurare persona, stavomi nella mia cella, dicevo el mio ufizio, intrattenevo e mia devoti: capitommi inanzi questo diavolo di Ligurio, che mi fece intignere el dito in uno errore, donde io vi ho messo el braccio e tutta la persona". Tedio monacale, si direbbe, se l'errore non avesse origine logica definita negli argomenti di Ligurio e suoi, e del Machiavelli. Perciò, in quanto Timoteo si presta a servire all'inganno, con gli argomenti della sua sofistica, la perversione è logica; ma in quanto vi aderisce fino ad accettare di partecipare attivamente, ossia buffonescamente, alla beffa, la perversione, influita e generata dall'uggia, è psicologia e deriva da quel tedio accidioso. Sicché l'inganno vero e profondo non è quello che il furbo Ligurio e il prudente Timoteo fanno a Nicia sciocco e a Lucrezia ingenua, ma quello che si fanno l'un l'altro: "Io non so chi s'abbi giuntato l'un l'altro," com'egli dice acuto e smagato. La differenza, capitale e profonda, significativa, è che del proprio ingaglioffarsi Timoteo non riesce a divertirsi, e dell'inganno, oltre quel po' di utile in denaro che gliene viene, altro non ricava che uggia nuova e disprezzo del prossimo e di sé, tanto che alla fine perde anche quella rimanenza di formale ma non insincero rispetto del suo ministero, chiamandolo, senza più unzione crudamente, "la mia mercanzia".

La logica, di Ligurio e sua e del Machiavelli, l'ha traviato, la noia l'ha pervertito, ma ciò che ha sedotto e trascinato tutti, a principiar dal genio del poeta comico, è l'occasione offerta allo spasso, dalla rara, mirabile sciocchezza di Nicia, che, farsesca nella sua enormità, sembra semplice, fondata sull'esagerazione caricaturale e sul ridicolo delle parole, ma è complessa a scrutarla. Intanto, la caricatura del sentimento e del desiderio della paternità, ha qualcosa d'amaro e di spietato; ma poi, l'imperio che hanno le parole su di lui, fino ad abbagliarlo e impaniarlo, è un'altra caricatura, feroce, dello spirito cattedratico. Non basta: egli si incanta, si esalta, e resta preso, ammirativamente, non solo a quelle degli altri, ma a quelle che dice lui, in una parlata, in un gergo, in uno scilinguagnolo, in una verbosità estrosa e sciolta e icastica, in sé mirabile e immaginosa, e mirabilmente fatua e stolta. La virtù, anzi il virtuosismo linguistico e linguaiuolo con cui Nicia, così a vanvera, si parla e si ascolta, e ci si gode e ci si perde, è d'un uomo che consiste davvero tutto quanto in parole. È il suggello naturale e nativo e gentilizio della sua scemenza, l'influsso che lo induce ad agire, il fulcro dell'azione di lui ad assecondare e infervorare e ingrandire l'inganno.

La stupidità, la sua vanità, la sua stessa brama, che l'accieca, di diventar padre, la sua stessa saccenteria, non sarebbero così enormi e singolari, se egli non fosse così estroso, eccellente, stupendo parlatore per gusto di parlare: di un parlar bene, benissimo, a vuoto.

In lui prende figura e vita e carattere una massima del Machiavelli nel *Discorso o Dialogo intorno alla nostra lingua*: che nelle commedie, in cui "le cose sono trattate ridicularmente, conviene usare termini e modi proprii e patrii", presi "alla fonte", senza fuggire né "il goffo" né "l'osceno", che Nicia infatti non fugge, nella sua vernacola preziosità, tutta di fonte e casalinga. Ma ad intendere in tutta la sua estensione e intimità la natura dell'abbaglio e dell'incantamento che le parole, le sue e le altrui, producono su Nicia, soccorre, per esempio, un detto del Machiavelli storico, anzi il fastidio ironico col quale egli accusa i mali effetti politici e i pubblici danni del *patrio* sentenziare saputo e saccente, di sé persuaso e renitente alla ragione e all'esperienza, in "certe moderne opinioni discoste al tutto dal vero, com'è quella che dicevano i savi della nostra città un tempo è che bisognava tener Pistoia con le parti e Pisa con le fortezze"; e così, "mentre che i fiorentini disegnavano di ruinar Pistoia, divisono sé medesimi", e "se avessero dimesticati e non inselvatichiti i suoi vicini, sarebbero signori di Toscana". Ma quei savi sentenziavano, e s'ascoltavano: come Nicia.

Fastidio ironico e sottile amarezza di cittadino e di politico e di storico, che imputa ai concittadini quella propensione al sentenzioso, come un vizio proprio e patrio, come un difetto naturale, radicato in quella virtù nativa del parlar troppo bene, quasi affidando e sommettendo il giudizio alle parole, alle sentenze. Così lo stoltissimo Nicia, tutto effuso ed infuso nella sua disertissima parlata di meraviglioso levaceci.

Un'altra novità e verità della gran commedia si palesa nello scioglimento, nel carattere di Lucrezia.

Per tutti quanti la notte è stata d'orgia, o di sensi o di testa, e d'una foia ridanciana: il mattino dello scioglimento è pallido e freddoloso. Il frate stancamente, squallidamente torna ai suoi uffici. Callimaco, che ha avuto accenti di desiderio così vivido, non li ritrova più ed enfaticheggia sulle conseguite felicità nel racconto che ne fa a Ligurio, il quale non sa rallegrarsi che molto freddamente di quel che ha procurato con tanti ingegni e con tanto impegno da parer che lo desiderasse quanto o più che Callimaco: l'ha rianimato appena, per la gran voglia repressa di ridere, il più ridevole racconto, quel di Nicia, che esista nella letteratura comica. Uno stupore stanco ed irritabile tiene ormai tutti, meno la suocera infatuata del nipotino futuro e il trionfale Nicia sempre pari solo a se stesso. Il senso e l'intelletto sembra che non abbiano da dire nient'altro, a tutti, che l'amarezza uggita d'aver riso troppo. In tale alba sbiancata e fra l'universale spossatezza, sorge viva e umana Lucrezia. Ché fin qui la donna è rimasta ignorata, e dei suoi intimi sentimenti non si sa nulla. Con tutte le lodi che di lei son dette e riferite, il sospetto della dabbenaggine ha sfiorato anche lei, sia per le smanie del suo pudore e sia per aver ceduto alla strampaleria del tranello. E se la sorpresa e la scoperta dell'inganno le ha strappato, come dice Callimaco, soltanto "qualche sospiro", ormai la si dà per una donna facile, alla quale s'è attaccata forse anche un po' dell'ipocrisia di Timoteo, se ha saputo dire che al fallo l'ha condotta "una celeste disposizione", ch'ella non è "sufficiente a ricusare". Di fatto, per altro, altre sue parole riferite da Callimaco, la svelano sopraffatta dall'azione furiosa di quei loici della brama, della furfanteria, della prudenza e della scemenza, ma non confusa. Non ha avuto tempo ancor d'aprir gli occhi sull'esser suo, ma sull'essere di quelli che la circondano si ritrae che abbia aperto almeno un occhio da tempo, se li giudica d'un tratto così esattamente: "astuzia tua, sciocchezza del mio marito, semplicità di mia madre, tristizia del mio confessoro". Non avrà più tempo di dir molte cose, ma, se non lo sa il fatuo e focoso Callimaco, noi sappiamo che quanto ella gli ha chiesto di seguito, con parole così umane e così femminili: "Io ti prendo per signore, padrone e guida: tu mio padre, tu mio difensore, e tu voglio che sia ogni mio bene"; non sono parole d'amore, o certo non di passione. Non sarà Callimaco a far dire: l'amor tuo, dove Madonna Lucrezia ha detto: "l'astuzia tua". In ogni modo, non Callimaco, noi sì, e il mirabile Nicia a modo suo, ci accorgiamo che la sua rassegnazione non è amorosa.

Son due battute, due voci: una, irritata e sprezzante: "Che s'ha egli a fare, ora?", a cui Nicia: "Guarda come ella risponde! La pare un gallo!" – l'altra, carica di segreto scherno sardonico, in risposta all'imbecille, "Tu se' stamani molto ardita!": "Egli è la grazia vostra!". Fra tutti, non sono arrivati a indignarla, o per lo meno lo sdegno ha già ceduto al disprezzo, e più che irritata essa è infastidita. Non lo capiscono, non lo sentono nella voce, non gliela leggono negli occhi il marito, la madre, l'amante, nell'ultima scena, dove Ligurio e Timoteo sono ormai straniati e lontani: e Ligurio ha soltanto una battuta scherzosa, un "soggetto" teatrale, che equivale ad uno sbadiglio; il frate si riacconcia nella sua noia come non ne fosse uscito mai. Ma l'irritazione infastidita di Lucrezia, e un suo pronto e risoluto adeguamento alla nuova condizione, l'esclusione dell'amore, implicita nella sua spicciativa e spregiudicata quanto improvvisa praticità, fan sospettare in lei una donna inaspettata e nuova. È come se sul suo volto, mentre quelli degli altri spogliano la esausta sembianza del personaggio per congedarsi alla ribalta, lampeggi alla nostra curiosità il baleno precorritore di una futura personalità: ma *fabula acta est*. Altrimenti forse vedremmo la nuova e poco contenta Lucrezia condurre tutti a bacchetta: marito e amante, e il confessore; e dar dei punti al furbo ruffiano machiavelleggiante. Ma *fabula acta est*: e fu l'ultima parola di Augusto; un machiavellico anche lui, e di che tinta!

Un silenzio di specie consunta e spassionata, di specie sardonica, balena e chiude, di là d'ogni speranza e d'ogni disperazione, di là dalle parole e dalle opere, di là dal bene e dal male, la figura di Niccolò Machiavelli artista. È un'ironia che dice tutto e non confessa nulla, che svela tutto e non concede niente, tersa e impenetrabile come il suo stile, d'una personalità che trae la sua vita dall'insolubile dei contrasti, delle contraddizioni, dei suoi contrapposti insanabili e inevitabili, della sua dogliosa e cinica malinconia di "comico tragico", di "istorico" politico e moralistico e poetico, di ipocondriaco sarcastico, di vocato alla geniale disdetta di una vocazione poetica tanto più geniale quanto men desiderata e compiaciuta.

Introduzione
di Ettore Mazzali

Notizie sulla Mandragola

Sulla *Mandragola* le notizie o meglio le ipotesi più affidanti – in assenza di documenti accertabili – ce le ha date uno dei più appassionati studiosi di Machiavelli, Roberto Ridolfi, dapprima nell'*Introduzione* all'edizione da lui procurata della commedia machiavelliana (1965), poi nei saggi compresi nel volume *Studi sulle commedie del Machiavelli* (saggi redatti fra il 1962 e il 1968; cfr. Ridolfi 1968). Il risultato delle sue tenaci e amorose ricerche è questo: la *Mandragola* fu scritta e rappresentata tra il gennaio e il febbraio 1518, in occasione dell'annuncio ufficiale delle nozze del duca Lorenzo de' Medici con Maddalena de la Tour d'Auvergne, e di nuovo rappresentata nel settembre dello stesso anno al ritorno a Firenze del duca con la sposa francese.[1] Secondo Luigi Russo (cfr. Russo 1949, pp. 126-127)[2] la commedia sarebbe stata rappresentata sì a Firenze, ma nella casa di Bernardino di Giordano al Canto a Monteloro, e dunque in rappresentazione privata, e affidata alla Compagnia della Cazzuola, una società di buontemponi, istituitasi all'indomani del ritorno dei Medici nel 1512, per reagire alla musoneria dei piagnoni.

[1] Lorenzo de' Medici, nipote di Lorenzo il Magnifico, cioè figlio di Piero il Gottoso e nipote di Giovanni de' Medici, signore di Firenze e poi papa sotto il nome di Leone x, fu duca d'Urbino. Conosciuto sotto il nome di duca Lorenzino, fu il destinatario del *Principe* machiavelliano.

[2] Luigi Russo si documentò sul *Prologo* a *Il frate* di A.F. Grazzini (cfr. *Teatro*, Laterza, Bari 1953, p. 526).

I vecchi studiosi, quali Villari, Tommasini, Toffanin, avevano giudiziosamente e prudentemente collocata la composizione della *Mandragola* tra il 1512 e il 1520; soltanto Mazzoni l'aveva anticipata al 1504, in quanto giudicava che della sconfitta pisana alla Verrucola del 1503 Nicia, nella scena seconda dell'atto primo, conservasse ancora freschissima la memoria, come di un fatto recente. Sanesi invece l'aveva posticipata al 1520. Ridolfi, per sostenere la data da lui proposta, si documenta soprattutto con l'accenno al temuto passaggio del Turco in Italia che si legge nella scena terza del terzo atto: "Credete voi che 'l Turco passi questo anno in Italia?", domanda la donna che si confessa a frate Timoteo.[3]

Pure al 1518 risalirebbe la prima edizione procurata da un umile tipografo anonimo: anche qui non si possono proporre se non congetture, perché questa edizione principe non reca né data, né indicazione alcuna editoriale. L'arma medicea, incisa con approssimazione da mano inesperta documenterebbe a un tempo la fiorentinità del tipografo e il carattere occasionale della stampa. Questa *editio princeps* presenta sul frontespizio la figura del centauro Chirone che suona il violino: non già che essa si riconduca emblematicamente al centauro del capitolo XVIII del *Principe*, come vuole Franco Fido (1977, pp. 109-122), perché probabilmente si tratta soltanto dell'insegna di questo artigiano tipografo. Del resto Machiavelli, come in tante altre cose, non ebbe molta fortuna quanto a editori: lui vivente uscirono alla stampa soltanto il primo dei *Decennali*, la *Mandragola* e l'*Arte della guerra*. L'umile tipografo non fu neppure troppo fedele al manoscritto, autografo o apografo che fosse, e giunse a dare alla commedia un titolo di sua te-

---

[3] Ridolfi trascrive anche un passo da *I manoscritti Torrigiani* che si trovano nell'Archivio di Stato di Firenze, dal quale risulta che si temeva in Venezia un'invasione turca sulle coste adriatiche, stante le "preparationi grandissime di navili d'ogni sorte et d'ogni genere d'armamento". Oltre a questo documento si può anche consultare B. Cerretani, *Dialogo della mutazione di Firenze* (Roma 1990, pp. 123-124), dove si descrive l'esultanza fiorentina quando si seppe in città che l'armata turca si era volta verso la Siria e non già verso l'Italia. Ovviamente questi dati indicano la data dei fatti narrati, non necessariamente la data della composizione della commedia.

sta, *Comedia di Callimaco et di Lucretia*, mentre il *Prologo* aveva dichiarato esplicitamente che "la favola *Mandragola* si chiama". Nell'epistolario Machiavelli e alcuni suoi corrispondenti indicano la commedia sotto il titolo di *Messer Nicia* o *Comedia de Calimaco*.

Dopo che a Firenze, la *Mandragola* fu recitata a Roma, dietro istanza dello stesso Leone x, nel 1520,[4] e poi forse ancora a Roma nel 1524, dietro istanza di un altro papa mediceo, Clemente vii. Fu recitata diverse volte a Venezia con grande successo tra il 1522 e il 1526[5] e quindi, *consule* l'amico Guicciardini, a Modena nel 1526.[6] Le rappresentazioni, sollecitate dallo stesso auto-

[4] Così scriveva Paolo Giovio, in *Gli elogi degli uomini illustri* (tr. it. dal latino, Roma 1972, p. 111): "La commedia Nicia, già recitata a Firenze, per la sua fama di straordinaria comicità papa Leone volle avere a Roma, con tutto l'apparato scenico e i medesimi attori, affinché, rinnovata la festa, di quel piacere partecipasse l'Urbe".

[5] A Venezia le prime due rappresentazioni furono tenute nel teatro dei Crociferi il 13 e il 16 febbraio 1522, protagonista l'attore lucchese Francesco de' Nobili detto Cherea. Cfr. M. Sanudo, *Diari*, Venezia 1879-1902, vol. xxxiii, col. 458 ("Fo recitata un'altra commedia in prosa [...] di uno certo vechio dotor fiorentino, che havea una moglie, non potea far fioli. [...] Vi fu assaissima zente con intermedii di Zuan Pollo e altri bufoni"). Seguì, tre anni e mezzo dopo, il viaggio di Machiavelli a Venezia per consultare i "provveditori delle cose di Levante" (primi di settembre 1525: cfr. le lettere di Machiavelli a Guicciardini del 17 agosto e di Filippo de' Nerli a Machiavelli del 6 settembre dello stesso anno. Quanto alle rappresentazioni del 1526, Giovanni Manetti scriveva a Machiavelli da Venezia il 28 febbraio di quell'anno che la *Mandragola* era stata rappresentata contemporaneamente ai *Menaechmi* di Plauto, e tuttavia quest'ultima commedia, sebbene ben recitata dalla compagnia di Cherea in ca' Morosini a Sant'Aponal (cfr. M. Sanudo, *Diari*, cit., vol. xl, col. 785), "niente di meno fu tenuta una cosa morta rispetto alla vostra" (cfr. *Lettere*, a cura di F. Gaeta, Feltrinelli, Milano 1961, p. 452).

[6] Machiavelli, reduce da Roma (aveva presentato a Clemente vii le sue *Istorie fiorentine*), fu ospite di Guicciardini a Faenza nel luglio 1525: si doveva discutere se e come armare i sudditi pontifici della Romagna. Il 26 luglio ripartì per Firenze. Già dall'agosto successivo riprende l'epistolario abbastanza intenso fra i due amici e, come si è visto, si torna a parlare della commedia di messer Nicia. Guicciardini da Faenza gli scrive il 26 dicembre che la commedia si sarebbe rappresentata a Faenza "pochi dì avanti il carnovale", e dunque l'amico avrebbe dovuto trasferirsi "innanzi alla fine di gennaio, con animo di stare qui insino a quaresima" (cfr. *Lettere*, cit., p. 447). Machiavelli, scrivendo all'amico il 3 gennaio 1526, dava la rappresentazione della *Mandragola* come imminente: aveva già assoldato per la recita la Barbera e altri cantanti fiorentini e aveva composto cinque canzoni nuove per gli intermedi (cfr. *Lettere*, cit., p. 449). Tuttavia, chiamato urgentemente a Roma Guicciardini da Clemen-

re attraverso gli amici, Battista Della Palla a Roma, Guicciardini nell'Emilia e nella Romagna e forse Giovanni Manetti a Venezia, sono documentate dalle lettere.[7] Alle rappresentazioni ovviamente seguirono le corrispettive edizioni a stampa locali: fra il 1522 e il 1526 almeno altre tre, a Venezia, a Roma, a Cesena.[8]

La Mandragola *e la commedia del Cinquecento*

In generale il teatro italiano del XVI secolo appare adeguato in linea di massima alla vita di corte: ne esprime dunque le propensioni edonistiche, l'esigenza di fornire anche per questa via – la via comica, accanto ai generi lirico-amoroso e cavalleresco-avventuroso – una letteratura piacevole e distraente alla società cittadina cortigiana. Sul piano tecnico la commedia rinascimentale – in quel particolare tempo storico tutto impegnato dalla codificazione della filosofia e della letteratura classica greco-romana – si mantiene fedele alla struttura drammatica tradizionale ereditata dall'antichità: l'articolazione della commedia in cinque atti, dei quali il primo riservato agli antecedenti narrativi, i tre mediani allo sviluppo delle vicende, il quinto allo scioglimento delle medesime. I cinque atti sono preceduti dal *Prologo* che anticipa e porge agli spettatori il succo della vicenda: si tratta di un monologo recitato da un attore, il quale si rivolgeva più o meno scopertamente al pubblico, come nella *Hecyra* (La suocera) terenziana: "orator

te VII, al fine di preparare diplomaticamente la lega di Cognac, il 20 gennaio 1526, la rappresentazione non ebbe luogo. Ebbe invece luogo la rappresentazione a Modena, pure procacciata da Guicciardini.

[7] Per esempio: la lettera di Della Palla a Machiavelli da Roma del 26 aprile 1520, quelle di Machiavelli a Guicciardini, presidente della Romagna per il pontefice, da Firenze, del 17 agosto e del 16-20 ottobre 1525.

[8] La seconda edizione fu la veneziana edita da Alessandro Bindoni nel 1522, che recava lo stesso titolo non legalizzato della prima. La terza edizione fu la romana dei tipografi Calvo, uscita a stampa nel 1524: essa ricuperò il titolo legittimo (*Comedia facetissima intitolata Mandragola et recitata in Firenze*). Lo stesso titolo fu apposto alla quarta edizione di Cesena per la stampa di Girolamo Soncino del 1526. Probabilmente la correzione del titolo – pensa Ridolfi – fu dovuta a un diretto intervento di Machiavelli su Della Palla per l'edizione romana e su Guicciardini per l'edizione cesenate.

ad vos venio ornatu prologi". Con l'inoltrarsi del XVI secolo i prologhi assunsero forme anche dialogate, come
in *La cortigiana* di Pietro Aretino (1534), o in *L'amor costante* di Alessandro Piccolomini (1536), dove il dialogo
è tra il *Prologo* e un gentiluomo spagnuolo che parla
nella sua lingua natale, o in *La strega* di Grazzini
(1582), dove sono interlocutori il *Prologo* e l'*Argomento*.
Gli intermezzi vengono coperti dalle canzoni che generalmente sono monostrofiche, precedute spesso da una
ripresa, per lo più ternaria, tanto da assumere la forma
della ballata o del rispetto o del madrigale. Quanto alla
musica, le canzoni dettate da Machiavelli furono musicate da Philippe Deslonges detto Verdelot (in italiano
Verdelotto), che si era trasferito a Firenze prima del luglio 1523.[9] La prospettiva e le scene furono disegnate,
almeno per la *Mandragola*, ma forse anche per la *Clizia*,
da Bastiano da San Gallo, detto Aristotele.[10]

Cronologicamente la *Mandragola* si colloca, fissandone l'anno di composizione nel 1518, dopo le prime
due commedie ariostesche (la *Cassaria* è del 1508, i
Suppositi sono del 1509) e dopo la *Calandria* di Bernardo Dovizi da Bibbiena, rappresentata per la prima volta
a Urbino nel 1513. La linea comico-drammatica del
Cinquecento si salda piuttosto alla *Calandria* che non
alla *Mandragola*: quello cinquecentesco è infatti un teatro di puro svago e intrattenimento cortigiano. Mario
Baratto, (1975, p. 94), rifacendosi alla *Calandria*, discorre di un teatro fondato esclusivamente sul gioco
dell'amore e dell'adulterio, un teatro che sembra preludere a quello dei boulevard borghesi di Parigi tra Otto e
Novecento. Rigorosamente psicologica, ma condizionata da una psicologia convenzionale e stereotipa, che ripete le trame e i soggetti della commedia greco-latina

---

[9] Queste musiche sono state parzialmente edite da H.C. Slim, *A Gift
of Madrigals and Motets*, Chicago (Illinois) 1972, pp. 344-349. Cfr. pure A.
Einstein, *The Italian Madrigal*, Princeton 1949, I, pp. 250-251 e N. Pirrotta, *Prospettiva temporale e musica*, in *Li due Orfei*, Torino 1975, pp. 143
sgg.

[10] Così N. Pirrotta ed E. Povoledo, *I due Orfei*, cit., p. 216. Invece secondo Parronchi (cfr. Parronchi 1962), l'apparato scenico sarebbe stato
disegnato da Franciabigio. Ridolfi attribuisce i disegni dello scenario ad
Andrea del Sarto e ad Aristotele da San Gallo soltanto relativamente alla
rappresentazione fiorentina del 1525.

nuova, da Menandro a Plauto e a Terenzio, la commedia del Cinquecento s'integra nella vita di corte a fini
edonistici, lontana dal coinvolgere aspetti e problemi
politico-sociali. Raccontava tresche erotiche, ma l'audacia della licenza non offendeva affatto neppure le
corti ecclesiastiche, mentre la contestazione politica si
sarebbe trovata di fronte una vigorosa reazione e re-
pressione principesca. Appunto il Bibbiena è stato non
il primo, ma di certo il più fortunato manipolatore di
situazioni scabrose e a un tempo facete, tipiche espressioni del divertimento culturale delle classi cortigiane
alte, teatro di élite e non certamente teatro popolare. A
sua volta Nino Borsellino, per rivelare la staticità e la
convenzionalità del repertorio teatrale cinquecentesco,
lo ha fatto nascere non già da una "condizione", ma
piuttosto da una "situazione", non da uno stato d'im-
prevedibilità, ma da un repertorio di fatti, il cui esito è
già contenuto nei precedenti.[11]

Le ascendenze culturali della Mandragola

La *Mandragola* nasce invece, come vedremo più am-
piamente, da un'originale e irripetibile "condizione" etica e psichica maturatasi fra il 1513 e il 1520, anni nei
quali l'ottusa crudeltà dei nemici e il destino avverso
costringono Machiavelli a reagire, con lo scrivere scherzi letterari, o con il leggere delle amorose passioni di
"questi poeti minori", Tibullo e Ovidio, Dante e Petrarca, o con l'ingaglioffarsi per tutto il giorno giocando a
cricca e a triche-tach, "e sfogo questa malignità di questa mia sorte, sendo contento mi calpesti per questa via,
per vedere se la se ne vergognassi" (cfr. *Lettere*, cit., pp.
303-304). È questa la celebre lettera di Machiavelli a
Vettori del 10 dicembre 1513. Dunque se mai la *Mandragola* si riallaccia alla commedia antica, cioè alla ma-
niera aristofanesca, al piacere del "dir male", piacere
beffardo e feroce, che coinvolge insieme alla vicenda
privata tutto un comportamento sociale nella sua glo-
balità. Se ne era accorto già Giovio che, nel *Dialogus de*

[11] Cfr. *Introduzione* alle *Commedie del Cinquecento*, a cura di N. Borsellino, Feltrinelli, Milano 1962 e 1967.

viris litteris illustribus, non certamente posteriore al 1530,[12] richiama la *Mandragola* ad Aristofane (*"comiter aestimemus Ethruscos sales ad exemplar comoediae veteris Aristophanis, in Nicia praesertim comoedia"*), laddove, discorrendo delle commedie ariostesche e della *Calandria*, attribuisce loro *"admirabilis lepos"*, *"elegantia theatralis"* e *"theatralis voluptas"*. A prescindere dunque dalla struttura e da altri spunti affini alla *Calandria* (è probabile che Machiavelli la conoscesse, ancor prima che essa venisse stampata in *editio princeps* a Siena nel 1521), la *Mandragola* appare nel quadro cinquecentesco assolutamente indipendente e autonoma. Indipendente, ma anche irripetibile. Il teatro comico di Gelli, Lasca, Cecchi, di Aretino, soltanto per ricordare qui i nomi degli autori più fecondi e ricorrenti, si adagia nel genere comico "autorizzato" sia dalle poetiche, sia dai prìncipi. La *Mandragola* nasce dunque da un'anomalia psichica, da una deviazione rispetto alla norma, da una rottura del congegno drammatico convenzionale.

Certamente, non mancano componenti comuni e affinità, per esempio il ritmo breve e sapido della commedia fiorentina esemplare che si ritrova in Lasca e Cecchi, ma anche della commedia senese, quali *Gli ingannati* degli Accademici Intronati e *L'amor costante* (commedia bilingue, italo-spagnola) di Alessandro Piccolomini, oppure le comuni matrici boccacciane; o i temi obbligati, quali le buffonerie e gli estri dispettosi e giocosi a un tempo dei servi.

Sul piano della composizione, ovviamente Machiavelli riprende le strutture teatrali di Plauto e di Terenzio e, attraverso le commedie latine, i modi di composizione del teatro greco, e così ne deriva i rigorosi canoni dell'unità e linearità d'azione, con le celebri unità di tempo e di luogo. Oltre alle unità – roccaforti della drammaturgia classica – anche la struttura formale impostata, come si è visto, sugli atti e sulle scene, la seg-

---

[12] Il *Dialogus* si tiene a Ischia dopo il Sacco di Roma del 1527 fra tre interlocutori, Giovio, Muscettola e D'Avalos, e si legge in appendice al t. VII, parte terza, della *Storia della letteratura italiana* di Girolamo Tiraboschi. Cfr. E. Raimondi, *Machiavelli, Giovio e Aristofane*, in Aa.Vv., *Saggi di letteratura italiana in onore di G. Trombatore*, Milano 1973, pp. 389-400.

mentazione del dialogo, la messa in scena dei personaggi, la funzione del prologo sono riprese dalla drammaturgia tradizionale. Si può parlare, nel contesto rinascimentale, di una tecnica neoclassica o umanistica: così la dilazione (per esempio il piano di Ligurio sarà svelato quando l'azione è già in pieno svolgimento) e la narrazione indiretta (una sorta di moderno *flashback* cinematografico: la notte d'amore di Lucrezia e di Callimaco è narrata da uno dei due protagonisti il mattino dopo). La stessa usufruizione dei nomi greci (e latini) risponde a una sorta di autorizzazione umanistica, a una certa tipicità dei personaggi e dei fatti. E dal teatro di Cratino e di Aristofane, come si diceva, la *"maledicendi licentia"*, propria del teatro castigatore dei corrotti e viziosi costumi sociali, codificata ai tempi di Machiavelli e degli Orti Oricellari da Pietro Riccio il crinito autore del *De honesta disciplina* e da Vittore Fausto curatore della stampa del teatro terenziano in un'edizione veneziana del 1511, dove si attribuisce una genesi storica alla *"insectatio"* (scherno, oltraggio), garante della democrazia popolare e in virtù della *"libere loquendi facultas"*.[13]

Insomma Machiavelli a livello formale è un continuatore della palliata latina: l'entusiasmo umanistico per i tesori letterari dell'antichità greco-romana, l'istanza di interpretarli, erano ancora fervidi in Machiavelli; così come egli era sicuro di poter trarre dall'intelligente lettura degli *Ab Urbe condita libri* di Livio una presente efficace lezione politica. Ovviamente sono individuabili nella sua prosa comico-inventiva locuzioni dai testi dei poeti d'amore, Orazio, Catullo, Tibullo, Dante, il lirico soprattutto, e Petrarca. Per esempio gli affanni amorosi di Callimaco (IV, I) sembrano rimandarci a un celebre passo del *De rerum natura* di Lucrezio (III, 152-158).[14]

Assai più rilevante è la presenza del *Decameron* boccacciano, anzi è Boccaccio semmai che sembra istituire

[13] Cfr. il cit. saggio di E. Raimondi, *Machiavelli, Giovio e Aristofane*, pp. 396-397.
[14] Meno persuasivo il richiamo di Nicia alla tradizione Calandrino-Calandro suggerito da De Sanctis e ancor meno il richiamo di Nicia al Cleandro dei *Suppositi* ariosteschi proposto da Angela Guidotti (cfr. Guidotti 1982, p. 160).

una linea strutturale bene individuata del teatro cinquecentesco, e non il Boccaccio patetico e romanzesco, ma il Boccaccio inventore di tresche, di inganni, di beffe, il Boccaccio cultore dell'intelligenza beffarda e sarcastica. Per quanto riguarda la *Mandragola* almeno tre novelle decameroniane, la novella di Ricciardo Minutolo e di Catella (III, 6), quella di Lodovico e Beatrice (VII, 7) e infine quella di mastro Simone da Villa (VIII, 9): le prime due raccontano ciascuna un amabile e piacevole adulterio ai danni di mariti vecchi o scialbi, la terza ci dà in Simone il progenitore di messer Nicia. Del resto la novellistica, anche quella post-boccacciana e quattrocentesca, opera fecondamente nel teatro comico del XVI secolo, e per esempio la *Novella del grasso legnaiuolo* (anonima) e le *Porretane* di Sabadino degli Arienti, forse presenti, limitatamente a qualche traccia, nella *Mandragola*. Raimondi suggerisce anche una sia pur vaga affinità fra il Callimaco della nostra commedia e il giovane avvenente maestro messer Gualberto che si giace con la giovanissima Dianora, sposa a un vecchio leguleio, Lodovico Bolognini, in virtù di una tresca di fattura boccacciana: i tre personaggi appartengono a una novella raccontata a Vettori, in viaggio diplomatico verso l'Alemagna, da un frate camaldolese poco fuori di Bologna.[15]

[15] Cfr. F. Vettori, *Viaggio in Alemagna* (1507-1508), Parigi (ma Molini, Firenze) 1837, e Raimondi 1972, p. 264. In *De vita Caesarum* di Svetonio, libro V, 29, Paolo Baldan ritrova un'altra fonte della *Mandragola*, e accosta il personaggio di Ligurio a Narcisso, il potente liberto dell'imperatore Claudio, e quello di Lucrezia a Messalina con qualche cautela ("in Lucrezia risuona una eco della fosca grandezza di Messalina": cfr. *Sulla vera natura della "Mandragola" e dei suoi personaggi*, in "Il Ponte", XXXIV, nn. 3-4, marzo-aprile 1978, pp. 387-407 e, per questa citazione, p. 392). Ancora Baldan richiama al cap. 29 del libro V della *Vita Claudii* il discorso di Boccaccio *De Paulina romana femina* in *De mulieribus claris*, dove si narra del giovane Mondo che, per conquistarsi le grazie di Paolina, corrompe un sacerdote di Anubi, il dio di cui la donna è fervente devota. A sua volta Boccaccio trae questo episodio dalle *Antichità giudaiche* di Giuseppe Flavio (XVIII, 66). Cfr. *art. cit.* in "Il Ponte", pp. 403-404 (nota 12). A p. 404 Baldan suggerisce "che il Machiavelli nella sua commedia abbia sposato l'episodio svetoniano con quello boccaccesco di Paolina, elaborandoli in modo completamente originale". Ma codeste corrispondenze soltanto ipotizzate e non documentate testualmente non appaiono credibili. Cfr. dello stesso Baldan *La presenza di Svetonio nel Machiavelli maggiore*, in "Atti d. Acc. naz. dei Lincei" – Rendiconti Classe di scienze

Infine ci appare fondamentale a intendere la *Mandragola* la tradizione realistico-comica fiorentina in vernacolo, la tradizione delle "narde" e delle "giarde", dei sonetti e dei sonetti caudati burleschi, soprattutto la tradizione burchiellesca con i suoi tipi ridevoli, i suoi bellimbusti e le sue ruffiane, i suoi negromanti e i loro impiastri, i suoi sberleffi gergali e le sue sghignazzate plebee.

La Mandragola *e il* cursus *letterario di Machiavelli*

La produzione teatrale di Machiavelli, anche se è parsa concentrarsi sul capolavoro, cioè sulla *Mandragola*, ha tuttavia rappresentato nell'*iter* letterario dell'autore cinquecentesco una vicenda lunga e tenace. La sua prima esercitazione teatrale giovanile fu la trascrizione dell'*Eunuchus* di Terenzio, scoperta in un codice Vaticano (Rossiano 884) da Sergio Bertelli e da Franco Gaeta nei primi anni sessanta. Di un suo secondo esercizio teatrale ci ha data notizia Anton Francesco Grazzini (il Lasca) nei sonetti xxiv ("infine il Varchi non ha invenzione: – e in questa parte ha somigliato il Gello, – che fece anch'egli una commedia nuova, – ch'avea prima composto il Machiavello", vv. 8-11) e cxix ("E chi nol crede, venga egli a vedello, – e vedrà colui gir lieto ed altero, – che fe' già sì gran furto al Machiavello", vv. 9-11). Si tratterebbe di una riduzione in volgare dell'*Aulularia* di Plauto, della quale, secondo il maldicente Lasca, si sarebbe valso Gelli per la sua commedia *La sporta*. La terza esercitazione fu la traduzione, abbastanza libera, come del resto allora si usava, dell'*Andria* di Terenzio, la quale, secondo Mario Martelli, avrebbe preceduto di pochi mesi la *Mandragola*, e dunque risalirebbe al biennio 1517-1518, seguita da una seconda stesura corretta redatta nel 1520. Forse la traduzione fu esegui-

morali storiche e filologiche, s. VIII, XXXIII (1979), pp. 9-34. Altri precursori di Nicia: il boccacciano giudice pisano Ricciardo da Chinzica, al quale Paganino da Mare toglie quando vuole la moglie (*Decam.* II, 10), e Fulvio, al quale si fa credere che l'amante della moglie sia divenuto d'un tratto da donna uomo, nella seconda novella della prima giornata dei *Ragionamenti* di Agnolo Firenzuola (cfr. Dionisotti 1984).

ta dietro commissione e in vista di una rappresentazione immediata, ed essendo imperfetta, due anni dopo Machiavelli la corresse e rifinì. Ovviamente quello che più conta di questa traduzione è l'esercizio linguistico, l'avere cioè il nostro drammaturgo risolto il dialogo latino, legato ovviamente al repertorio lessicale dei comici nel fresco e genuino fiorentino parlato.[16]

Ma Machiavelli lavorò, oltre che sulle due commedie originali che qui si riproducono, la *Mandragola* e la *Clizia*, a una terza commedia tutta sua, andata perduta e che il nipote Giuliano de' Ricci così ci presenta:

> et di più compose ad instantia di messer Marcello Vergilio et ad imitazione delle *Nebule* et altre commedie di Aristofane un ragionamento a foggia di Commedia et in atto recitabile et lo intitolò le *Maschere* che l'originale si ritruovò appresso di me fragmentato et non perfetto et tanto mal concio che io non l'ho copiato sì come ho fatto molte altre cose sue discorsi et lettere non stampate et credo anche non lo volere copiare perché sotto nomi finti va lavorando et mal trattando molti di quei concittadini che nel 1504 vivevano.[17]

Dunque la data di composizione risalirebbe al 1504, l'anno della seconda legazione in Francia (a Lione, presso il re Luigi XII) e del *Decennale primo*. È interes-

---

[16] Fu un'operazione linguisticamente antibembiana (in anticipo). E. Raimondi propone una stretta contiguità fra i testi dell'*Andria* e della *Mandragola*, "nel vivo di un'avventura drammaturgica nella quale l'adattamento linguistico di una scenografia illustre prepara o mette in moto una sperimentazione di nuove forme, di meccanismi comici in chiave tutta moderna e fiorentina" (cfr. Raimondi 1972, p. 178). A riprova della vivezza linguistica dell'*Andria* si notino questi riscontri proposti da Blasucci (*Prefazione* alle *Opere letterarie*, Adelphi, Milano 1964, pp. XIII-XIV): "*Quid hic volt?* – Che vuole questo zugo (minchione: cfr. *Mandragola*, III, 7) in I, 2; *Hocine agis an non?* – Tiengli tu il sacco o no? (*ivi*); *aperte* – a lettere di speziali; *inrides* – tu mi uccelli (*ivi*); *ridiculum caput* – uccellaccio (II, 2); *fac ut apud te sies* – fa' di stare in cervello (II, 4): *actumst* – la cosa è spacciata (III, 1); *nil ne esse proprium quoi quam* – veramente e' non ci è boccone del netto (IV, 3); *crucior misere* – io sono in su la fune (V, 2); *nodum in scirpo quaeris* – tu cerchi cinque piè al montone (V, 4).

[17] Cfr. F. Neri, *Sulle prime commedie fiorentine*, Prato 1915, p. 18 (la citazione è stata riscontrata sul ms. originale). Giuliano de' Ricci nacque dall'unica figlia di Niccolò, Bartolomea o Baccia, andata sposa a un Ricci. Gli altri quattro figli furono tutti maschi: Bernardo, Ludovico, Piero e Guido.

sante che Giuliano de' Ricci indicasse quale maestro del nonno proprio Aristofane, come, a pochi anni dalla morte di Machiavelli, aveva affermato nel suo *Dialogus* Paolo Giovio.

Ma dove la "memoria interna" ricuperò con maggiore evidenza le strutture foniche, i ritmi e gli stilemi della sua esperienza letteraria fu ovviamente la sua produzione satirica, e cioè il poemetto in terza rima e in otto capitoli *Dell'asino d'oro* e anche i quattro capitoli sciolti e i canti carnascialeschi giocosi. Del resto tutte le rime di Machiavelli si richiamano l'un l'altra per quel loro comune stile basso o umile, sul modello dei "sermoni" di Orazio, ma filtrati dal piacere didattico della conversazione e propensi a un più o meno dissimulato ritmo narrativo. Sempre vivace si rivela l'osmosi fra i toni beffardi e le concessioni narrative, e la *Favola*, detta dal protagonista *Belfagor arcidiavolo*, cioè il capolavoro narrativo di Machiavelli, condisce la *fictio* di giocosità e di sali corrosivi. Qui, com'è noto, è alla berlina il matrimonio, e ben nota è anche la conclusione con Belfagor che fugge precipitosamente dalla terra: "volse più tosto tornarsene in inferno a rendere ragione delle sua azioni, che di nuovo con tanti fastidi, dispetti e periculi sottoporsi al giogo matrimoniale". Del resto la prosa politica di Machiavelli è essa pure sempre "drammatica": una prosa che cade verticalmente, a piombo, su un dilemma o un aforisma, e che si vale di un lessico tanto scarno quanto essenziale, di una sintassi tanto lucida quanto tagliente, di quei suoi ingranaggi a catena tanto logicamente consequenziari quanto inventivi. Le stesse virtù potenzialmente dialogiche rivela la prosa storiografica. Luigi Russo definisce congeniale a Machiavelli la teatralità, perché, osserva, anche negli scritti politici e storici il discorso è sempre "dilemmatico e forcuto"; egli ha sempre di fronte a sé un ideale competitore e interlocutore o avversario (cfr. Russo, 1949, p. 156).

Dove la prosa machiavelliana più si articola e disarticola nell'estro, nella bizzarria, nel ghiribizzo, nel fantastico delle avventure e nei farseschi e a un tempo crucciosi dispetti, vero cantiere di esperimenti linguistico-stilistici, è nell'epistolario. Lui stesso si dichiara bugiardo in una lettera a Guicciardini del 17 maggio

1521, dove si prende gioco della "missione" che gli era stata affidata, di eleggere tra i frati minori di Carpi un predicatore per Firenze: "da un tempo in qua, io non dico mai quello che io credo, né credo mai quel che io dico, e se pure e' mi vien detto qualche volta il vero, io lo nascondo fra tante bugie, che è difficile a ritrovarlo" (cfr. *Lettere*, cit., p. 405). Ma quel suo dir bugie, come quel suo dir male, non sono frutti di slealtà o di misantropia, bensì sono i frutti del dispetto. Dispettoso, lunatico, a volte acrimonioso, perché troppo spesso colpito dalla mala sorte: la costante e tragica presenza della Fortuna nel pensiero politico-esistenziale di Machiavelli ha anche (non soltanto) ragioni autobiografiche.

Così il diplomatico racconta nelle lettere agli amici dei suoi viaggi, in Italia, in Francia, in Germania; alterna ai ragionamenti d'alta politica europea le cronachette degli incontri erotici, delle furfanterie consumate nelle osterie e nelle locande spesso di mala fama, delle beffe e delle burle più da lui macchinate che non da lui subìte. Così egli anche deforma uomini e fatti, e il suo linguaggio comico-realistico si impregna delle bizzarrie gergali di Burchiello. Alla tradizione burchiellesca si devono far risalire le monellerie e birberie fantasiose e ilari, quelle che lo stesso Machiavelli definisce "ghiribizzi, castellucci, badalucchi".[18] Si affollano così nelle lettere sue e dei suoi corrispondenti i personaggi della vita quotidiana e dei ceti bassi, preti e frati gaudenti e turpiloquenti, imbroglioni e affaristi d'ogni conio, giocatori d'azzardo e truffatori al gioco, prostitute e mezzane, mercanti spesso disonesti, contadini e servi, perditempo, fannulloni, burlatori di professione, artigiani e boscaioli. Fra i corrispondenti Biagio Buonaccorsi, coadiutore di Machiavelli nella seconda cancelleria, e Francesco Vettori, ambasciatore fiorentino a Roma dal 1513 al 1515 e inviato in numerose legazioni, gli sono più affini per temperamento e per costume, e fra di loro

[18] Cfr. lettera di Buonaccorsi a Machiavelli dell'11 ottobre 1506 ("starmi in uno cantone a ghiribizare", a fantasticare, in *Lettere*, cit., p. 172); lettera di Machiavelli a Vettori del 9 aprile 1513 ("vi empiessi il capo di castellucci", *ivi*, p. 239) e del 10 dicembre 1513 ("dipoi questo badalucco, ancora che dispettoso e strano, è mancato con mio dispiacere", *ivi*, p. 302); lettera di Machiavelli a Guicciardini post 21 ottobre 1525 ("et in fra i molti ghiribizzi che mi sono venuti per l'animo...", *ivi*, p. 440) ecc.

è tutto un fermentare di allusioni maliziose, di confessioni erotiche, di battute salaci, di comuni esperienze e di comuni ricordi farseschi e non. Anche a livello linguistico e stilistico affiorano sorprendenti affinità fra questi amici, capaci di alternare i temi gravi e quelli piacevoli; e tutti rispondono ai comportamenti propri di quel *milieu* professionale di ambasciatori e segretari di cancelleria (Machiavelli, Vettori, Buonaccorsi, Acciaiuoli ecc.). Vi si colgono poi personaggi che hanno la vitalità maliziosa e ridanciana di certi personaggi boccacciani e che ovviamente precorrono i protagonisti della *Mandragola*. Così il frate ciurmatore di san Francesco che si esibisce come profeta sembra un prototipo di fra' Timoteo ("et hier mattina in Santa Croce, dove lui predica, disse multa magna et mirabilia" (lettera di Machiavelli a Vettori, del 19 dicembre 1513, in *Lettere*, cit., p. 308); o quel Giuliano Brancacci, protagonista di un'avventura notturna, questa volta sodomitica: "per Calimala Francesca si ridusse sotto il Tetto de' Pisani, dove guardando tritamente tutti quei ripostigli, trovò un tordellino, il quale con la ramata, con il lume, e con la campanella fu fermo da lui, e con arte fu condotto da lui nel fondo del burrone sotto la spelonca, dove alloggiava il Panzano, e quello intrattenendo e trovatogli la vena larga e più volte baciatogliene, gli risquittì dua penne della coda e infine, secondo che gli più dicono, se lo messe nel carnaiuolo di drieto" (lettera dello stesso allo stesso, 25 febbraio 1514 in *Lettere*, cit., pp. 327-328). Celebre è la lettera dell'8 dicembre 1509, che narra a Luigi Guicciardini l'avventura veronese con una "vecchia ribalda": dopo la copula, avvenuta al buio, la scoperta di tale ributtante bruttezza, di tale "mostro puzolente", provoca nel poco avventuroso amante il vomito, "e per quel cielo che io darò, io non credo, mentre starò in Lombardia, mi torni la foia" (cfr. *Lettere*, cit., p. 206). La descrizione minuta di quella "brutta femina" è degna della penna di Rabelais (per esempio della descrizione dei vapori venefici che salgono dal ventre di Pantagruel), e quella casa, "che è più di meza sotterra, né vi si vede lume se non per l'uscio" ci ricorda, per esempio, il "chiassetto stretto" della boccacciana novella di Andreuccio da Perugia (II, 5,39-40). Anche le battute, secche e veloci, dello scarno dialogo ("Che havete voi messere?") configurano le battute, altrettanto asciutte e vigorose, della *Mandragola* e rivelano, in tanta aggressività beffarda del linguaggio, quale energia scenica si racchiuda nell'epistolario. Il personaggio di Brancacci con Casavecchia è così vitale da riapparire in altra lettera, quella a Vettori del 4 febbraio 1514, dove si ripetono le sue "molte cerimonie, un poco domestiche e grassette" rivolte a un "garzone" (cfr. *Lettere*, cit., p. 321).

Né meno di lui, come si diceva, sono i suoi amici, i Buonaccorsi, i Vespucci, i Valori; qui ricorderemo quel patetico ser Antonio della Valle, "impacciato perché madonna Gostanza sua è pregna e quelli sua figliuoli dicono non esser suo, e lui se ne dispera; et hanno la rimessa ne' frati di Santo Felice et hanno sodo amendua le parti di starne al iudicato; e l'abate li ha voluto toccare il corpo, et infino ad ora le cose vanno assai bene: intenderete il successo" (cfr. lettera di Biagio Buonaccorsi a Machiavelli del 21 dicembre 1502, in *Lettere*, cit., p. 162).

Particolarmente briose e burlesco-sarcastiche alcune lettere che Machiavelli e Guicciardini si scambiarono nel maggio 1521, quando Machiavelli fu mandato a Carpi da quei frati minori, e cioè al loro Capitolo generale, per sceglievi un frate predicatore da inviare a Firenze; la celebre farsesca missione presso la "repubblica de' zoccoli" (cfr. *Lettere*, cit., pp. 401-413).

E infine si rilevano nell'epistolario le condizioni d'animo e gli effetti sensoriali dell'amore. Se ne può ricavare una vasta gamma, soprattutto dalla corrispondenza fra Machiavelli e Vettori. Così la lettera del 4 febbraio 1514 del nostro segretario fiorentino:

E perché voi vi sbigottite in su lo exemplo mio, ricordandovi quello mi hanno fatto le freccie d'Amore, io sono forzato a dirvi come io mi sono governato seco. In effetto io l'ho lasciato fare e seguìtolo per valli, boschi, balze e campagne, et ho trovato che mi ha fatto più vezzi che se io lo avessi straziato. Levate dunque i basti, cavategli il freno, chiudete gli occhi, e dite: "Fa' tu, o Amore, guidami tu, conducimi tu [...]: io sono tuo servo, non puoi guadagnare più nulla con straziarmi, anzi perdi, straziando le cose tue". E con tali e simili parole, da fare trapanare un muro, potrete farlo pietoso (cfr. *Lettere*, cit., pp. 322-323).

Anche qui la simbiosi fra i due amici è perfetta, anche Vettori si confessa innamorato sino a esser demente, come dice un verso del Virgilio bucolico,[19] anche se la sua demenza è a un tempo amore e foia, anche se deprca che lui e l'amico, sebbene vecchi, "riteniamo in qualche parte et chostumi presi da giovani, e non c'è rimedio" (lettera di Vettori del 16 gennaio 1515, in *Lettere*, cit., p. 371). Ma l'amico, rispondendogli il 31 gennaio con un sonetto amoroso, *Havea tentato il giovinetto Arciere*, osserva che non ci si può e non ci si potrà mai liberare dalle catene d'Amore né schivare le saette di tanto arciere: "tanto mi paiono hor dolci, hor leggieri, hor gravi quelle catene, e fanno un muscolo di sorte, che io giudico non potere vivere contento senza quella qualità di vita" (cfr. *Lettere*, cit., p. 373).

Genesi, struttura e qualità della Mandragola

In molti luoghi delle sue lettere Machiavelli lamenta, con accenti dolenti e sarcastici piuttosto che flebili ed elegiaci, e sempre con crucciosa dignità, il suo ozio coatto, da quando, nel 1512, egli si vide spogliato di ogni pubblico ufficio e confinato per un anno nel territorio fiorentino: infatti i francesi si erano ritirati dall'Italia, e con l'avanzata vittoriosa delle truppe ispano-pontificie su Firenze, la sconfitta delle truppe dell'"ordinanza" repubblicana, la fuga del Gonfaloniere Pier Soderini e la caduta della repubblica (31 agosto), si era ristabilita di fatto la signoria Medici e di conseguenza si era esercitata la rappresaglia di questa contro chi, come Niccolò, aveva servito con lealtà e consenso ideologico la repubblica popolare.[20] È anche ben noto come l'anno

[19] Il verso virgiliano reca: "Ah, Coridon, Coridon, quae te dementia cepit?". Cfr. *Ecl*, II, 69.

[20] Cfr. lettera datata post 16 settembre 1512 a una gentildonna rimasta ignota, e la corrispondenza Machiavelli-Vettori del marzo 1513, nella quale si parla della "disgrazia" caduta sul capo del primo: Vettori conforta l'amico, ammonendolo che "quello vi ho a dire per questa è che voi facciate buon cuore a questa persequtione [...] e speriate [...] di non have-

dopo, il 1513, Machiavelli si fosse lasciato coinvolgere –
ma il fatto non è accertato – dalla congiura antimedicea
di Boscoli e Capponi, come ne subisse il carcere e la
tortura, e finalmente come venisse amnistiato, festeg-
giandosi in Firenze l'elezione a pontefice del cardinale
Giovanni de' Medici con il nome di Leone x (11 marzo
1513). Allora egli si ritirò nel podere paterno di San-
t'Andrea in Percussina presso il borgo di San Casciano,
dividendo il suo tempo, di mattina, tra gli affari del podere e le facili letture piacevoli (delle amorose passioni
di Tibullo e di Ovidio, di Dante e di Petrarca) e, dopo
l'ora del desinare, tra i rumorosi passatempi e i giochi a
cricca e triche-tach nell'osteria, avendo a compagni un
beccaio, un mugnaio e due fornaciai: con costoro

> m'ingaglioffo per tutto dì [...] dove nascono mille contese
> et infiniti dispetti di parole iniuriose, et il più delle volte si
> combatte un quattrino et siamo sentiti non di manco gri-
> dare da San Casciano. Così, rinvolto entra questi pidocchi
> traggo el cervello di muffa, e sfogo questa malignità di
> questa mia sorta, sendo contento mi calpesti per questa
> via, per vedere se la se ne vergognassi.

La sera tuttavia egli entra nel suo studio, e qui in-
dossa "panni reali et curiali, et rivestito condecente-
mente entro nelle antique corti degli antiqui uomini,
dove, da loro ricevuto amorevolmente, mi pasco di quel
cibo che solum è mio et che io nacqui per lui" (cfr. lettera a Vettori del 10 dicembre 1513, in *Lettere*, cit., p.

re a stare sempre in terra" (lettera del 15 marzo 1513, in *Lettere*, cit., p.
233). Cfr. pure le lettere di Machiavelli a Giovanni Vernacci del 26 giugno 1513 ("è piuttosto miracolo che io sia vivo, perché mi è stato tolto
l'uffitio, e sono stato per perdere la vita, la quale Iddio et la innocentia
mia ha salvata", in *Lettere*, cit., pp. 262-263) e a Vettori del 10 giugno
1514 ("Starommi dunque così tra' miei pidocchi, senza trovare huomo
che della servitù mia si ricordi, o che creda che io possa essere buono a
nulla. Ma egli è impossibile che io possa stare molto così, perché io mi
logoro, et veggo, quando Iddio non mi si mostri più favorevole, che io sarò un dì forzato ad uscirmi di casa [...]. Io non vi scrivo questo, perché io
voglia che voi pigliate per me o disagio o briga, ma solo per sfogarmene",
in *Lettere*, cit., p. 343). E chi non ricorda qui l'appello appassionato di
Machiavelli nel concludere la celebre lettera a Vettori del 10 dicembre
1513: "...perché io mi logoro, et lungo tempo non posso star così che io
non diventi per povertà contennendo, appresso al desiderio harei che
questi signori Medici mi cominciassino adoperare, se dovessino cominciare a farmi voltolare un sasso..." (cfr. *Lettere*, cit., p. 305).

204). È questo il documento più efficace per poterci rendere conto dell'animo di Machiavelli "confinato", diviso fra la rancorosa volontà di sfidare l'avversa fortuna e gli ozi plebei e dispettosi. Accade a chi si disillude o dissacra la realtà non già di ritirarsi dal mondo, ma anzi di parteciparvi più intensamente, e tanto più quanto urge in lui la volontà di "dir male". Oppure di riderne, come annotava Luciano nei *Dialoghi dei morti*.[21]

Ebbene la *Mandragola* nasce da questo stato d'animo accorato e cruccioso, amaro e dispettoso, che congiunge l'adirata coscienza del destino avverso, della fedeltà tradita e offesa, della giustizia conculcata, al dolore illuminato tuttavia da un raggio di speranza.[22] Si era detto del "dir male", come sfogo e rivolta, al fine di non ingaglioffarsi oltre misura e di trarsi in qualche modo dai pidocchi. La sesta e la settima strofe del *Prologo* della *Mandragola* svolgono appunto entro questi termini la teoria del "dir male", e la *Mandragola* stessa è un "badalucco", uno svago, un passatempo, carico però di divertita acrimonia (*ivi*, verso 11 della quarta strofe). Già il poemetto autobiografico e allegorico composto subito o poco dopo il ritorno dei Medici e la perdita della cancelleria, *Dell'asino d'oro*, reca queste due terzine (cap. I, 97-102):

> Ma questo tempo dispettoso e tristo
> fa, sanza ch'alcuno abbia gli occhi d'Argo,
> più tosto il mal che 'l bene ha sempre visto:
>
> onde, s'alquanto or di veleno spargo,
> bench'io mi sia divezzo di dir male,
> mi sforza il tempo di materia largo.

E nel *Prologo* della commedia: "...s'ingegna – con questi van' pensieri – fare el suo tristo tempo più suave,

[21] "O Menippo, Diogene ti esorta, se hai riso a bastanza delle cose della terra, a venir qui, dove riderai di più ancora. Costà il riso aveva sempre un certo dubbio, quel tale dubbio: chi sa bene quel che sarà dopo la vita? ma qui non cesserai di ridere a tutto cuore" (cfr. P.P. Pasolini, *Petrolio*, Einaudi, Torino 1992, p. 395).

[22] Cfr. le lettere a Vettori del 18 marzo 1513, del 16 aprile 1513 e infine del 10 dicembre 1513. In queste lettere Machiavelli offre apertamente i suoi servizi ai Medici, non perché "perdonato", ma in virtù della sua valentia di politico.

– perché altrove non have – dove voltare el viso, – che gli è stato interciso – mostrar con altre imprese altra virtùe, – non sendo premio alle fatiche sue" (quinta strofe, vv. 4-11). Quanto c'è appunto di nuovo e di originale nella *Mandragola* è questo spirito beffardo e questo piacere della sfida contro "questa malignità di questa mia sorta".

Ben conosciuta è la battuta di Benedetto Croce a proposito di questa commedia: "e se poi la *Mandragola* avesse della tragedia?" (cfr. Croce 1932, p. 247). Lo stesso Machiavelli firmava una sua lettera a Vettori, post 21 ottobre 1525, definendosi "istorico, comico et tragico" (cfr. *Lettere*, cit., p. 444). Secondo Paolo Baldan è nella notte d'amore di Callimaco e di Lucrezia che "prende avvio la tragedia", perché il disegno dell'adulterio, "limitato a una notte, manda suono di beffa, ma costruito sui tempi lunghi, ne manda uno molto più funebre" (cfr. Baldan 1978, p. 397). Tuttavia ci pare che nello stesso piglio del disinganno e della dissacrazione si annidi questa potenzialità "tragica". Alla tragicità si congiunge strettamente e di necessità il giudizio etico, la cui presenza è inevitabile quando si interpretano i fatti e si mettono in campo gli affetti e le cupidigie degli uomini. E ancora nell'impasto tragico-etico il quadro realistico della Firenze di quel primo decennio del Cinquecento riscatta qualsiasi concessione al "politico" e al "sociale" immediati, introduce nella commedia quella che Russo in più occasioni suole chiamare politica trascendentale o metafisica. Del resto il presente storico, più che a strumenti descrittivi, si affida alla vivacità gestuale del gergo fiorentino parlato e tende dunque alla deformazione parodistica e comica dell'ambiente sociale e del costume cittadino. La società fiorentina ritratta nella commedia è la società borghese, una società che ha rinunciato a reggere, com'era suo diritto e dovere, la città. Ha accolto come suo legittimo spazio vitale il fatto privato e, nel caso della *Mandragola*, l'adulterio da parte dei due amanti – protagonisti attivi –, dietro l'iniziativa dell'uno, e dietro il conseguente consenso dell'altra, mentre, tanto più ridevolmente quanto più è aggressiva la petulanza saccente della vittima, si emargina dentro la sua nicchia di cuor contento, messer Nicia.

È a questo nucleo tematico che si riconduce la requisitoria dello stesso Nicia (II, 3) contro Firenze: "in questa terra non ci è se non cacastecchi, non ci si apprezza virtù alcuna [...] non siàn buoni ad altro che andare a' mortori o alle ragunate d'un mogliazzo, o a starci tutto-dì in sulla panca del Proconsolo a donzellarci". Ovviamente in queste battute di Nicia la denuncia etico-politica è quella dell'ozio inerte, della rinuncia appunto ai doveri del cittadino partecipe della cosa pubblica. Ma si può eticamente estendere in latitudine, e infatti nel *Prologo* (sesta strofe, versi 5-6) si legge: "... per tutto traligna – da l'antica virtù el secol presente". A prescindere dal fatto che Machiavelli, assetato di ambizione politica e sollecitato dal suo impellente bisogno dell'azione, della vita attiva, cercasse di acquistarsi le grazie di quel mediocre e insignificante personaggio che era il duca Lorenzino, è evidente che Machiavelli rispecchiasse in sé e nel ceto borghese, al quale egli stesso apparteneva, l'alto tasso di edonismo, di cortigianeria, di abdicazione etica e politica che aveva contrassegnato il trapasso dalla repubblica popolare alla signoria aristocratica e oligarchica. Il fatale corrompersi dell'uomo, come, per un altro verso, il principio della sua immutabilità quanto a psiche e a costumi, genera anche nel teatro comico una profonda penetrazione etica. Qui si ha uno stretto nesso fra etica politica ed etica esistenziale. Per esempio si legge nei *Discorsi*: "E l'ordine di questi accidenti [dell'essere costretti a opprimere o a essere oppressi] è, che mentre gli uomini cercono di non temere, cominciono a fare temere altrui; e quella ingiuria che gli scacciano da loro, la pongono sopra un altro, come se fusse necessario offendere o essere offeso" (I, 46, in *Il Teatro e tutti gli scritti letterari*, Feltrinelli, Milano 1965 e 1967, pp. 235-236). Perciò Machiavelli giudica cittadini più attivi e produttivi gli uomini del contado piuttosto che quelli della città.[23]

Se dunque l'obiettività realistica del quadro è di natura estetica, cioè rappresenta con efficacia uomini, cose e fatti, la "problematicità" è di ascendenza etico-esistenziale. L'uomo è in fondo un avventuriero che si

[23] Cfr. *Discorsi*, I, II, e *Arte della guerra*, I. Cfr. *Clizia*, II, 3, nota 12.

muove dove e come lo spinge la sua natura irrequieta e mobile, nel quale bene e male si congiungono in un amalgama confuso e sul quale, infine, impone ferree condizioni il girarsi in una direzione, la positiva, o in un'altra, la negativa, della fortuna.[24] L'esperienza politica e la maturità approfondita dall'ozio coatto persuadono Machiavelli che né la prassi prevarica sull'ethos, né l'ethos sulla prassi, e che le passioni buone e quelle cattive, le basse voglie e le generose aspirazioni si mescolano e s'intrecciano negli uomini. In questa "condizione" neppure Callimaco è un vincitore, e neppure Nicia è un vinto: sono uomini dei quali il congegno psichico giustifica il comportamento, si pongono bene al di là delle convenzioni sociali. Il capitolo ventisettesimo del libro primo dei *Discorsi* s'intitola: *Sanno rarissime volte gli uomini essere al tutto cattivi o al tutto buoni*, e vi si legge: "gli uomini non sanno essere onorevolmente cattivi o perfettamente buoni, e come una malizia ha in sé grandezza o è in alcuna parte generosa, e' non vi sanno entrare" (cfr. *Discorsi*, in *Il Teatro e tutti...*, cit., pp. 194-195).

Così si formano o si istituiscono i diversi spessori del comico, talvolta più scopertamente maliziosi, burleschi e carnali; talvolta più filtrati e, come scrive Luigi Russo, "la trivialità degli espedienti è alleviata da questa leggerezza di incantesimo diffusa dappertutto" (cfr. Russo 1949, p. 142), e cioè una mescolanza di metafisico e di fantastico che s'insinua e si effonde tra le maglie fitte e asciutte dell'incalzante dialogo; talvolta incupiti dalla gravità etica sino alla soglia e oltre del tragico. Sono comunque spessori non mai antitetici, sia perché dietro l'apparente obiettività dell'osservatore ferve la

[24] Cfr. lettera di Machiavelli a G.B. Soderini del 13-21 settembre 1506, la cosiddetta lettera dei "ghiribizzi", perché sul tergo del codice appare autografa questa indicazione, forse suggerita dagli spunti di pensiero estravaganti apposti sui margini (una lettera dunque da riscrivere). Vi si legge: "È veramente chi fussi tanto savio che conoscessi e tempi e l'ordine delle cose et accomodassisi a quelle, arebbe sempre buona fortuna o e' si guarderebbe sempre da la trista, e verrebbe ad essere vero che 'l savio comandassi alle stelle ed a' fati. Ma perché di questi savi non si truova, avendo li uomini prima la vista corta e non potendo poi comandare alla natura loro, ne segue che la fortuna varia e comanda a li uomini, e tiegli sotto el giogo suo".

pienezza solare della vita e dell'azione, la pienezza dell'edificare, del mantenersi, anche del ruinare, sia perché il dominio brillante e luminoso dell'intelligenza si fa giuoco e beffe, come nel *Decameron* boccacciano, della balordaggine disarmata. La beffa ha in sé dell'acrimonia, perché i Calandrini e i mastri Simoni da Villa boccacciani e i Nicia di Machiavelli sono sciocchi boriosi e spocchiosi.

La struttura preordinata e costruita in tutte le sue giunture e nel succedersi delle scene e dei personaggi risponde al severo rigore e alla coerenza degli affetti e dei comportamenti psichici dei personaggi e si adegua, senza contrasti e stridori, al ritmo veloce e asciutto del dialogo, alle battute ravvicinate e incalzanti: persino i monologhi hanno una loro asciuttezza essenziale. Le due componenti affettive sono l'amore – onesto e disonesto a un tempo – di Callimaco per Lucrezia, al quale Lucrezia risponde acconsentendo razionalmente (la vendetta dispettosa sul marito babbeo) e appassionatamente (anche lei, come Callimaco, congiungendo l'amore alla voluttà); e la macchinazione sapiente della tresca, che ha per "dei ex machina" Ligurio e Timoteo: quattro protagonisti a fianco della vittima petulante e saccente, il dottor Nicia. L'intelligenza a sua volta è mossa dall'utile, l'utile reale al quale possono aspirare un parassita e un fratacchione più avaro che guadente, il danaro.

I personaggi della Mandragola

Qualche ulteriore considerazione sui personaggi ci sembra opportuna, prendendo in primo luogo spunto dal movimento delle componenti psichiche che si può rilevare in loro. È vero che secondo Machiavelli l'uomo è sempre uguale a se stesso,[25] e tuttavia egli aspira a

[25] C'è gente che giudica l'imitazione dei comportamenti degli uomini antichi "non solo difficile, ma impossibile; come se il cielo, il sole, li elementi, li uomini fussino variati di moto, di ordine e di potenza da quello che gli erono antiquamente" (cfr. *Discorsi*, I, *Proemio*, in *Il teatro e tutti...*, cit., p. 124). E cfr. pure *Clizia*, *Prologo*: "Se nel mondo tornassino i medesimi omini, come tornano i medesimi casi, non passerebbono mai cento anni che noi non ci trovassino un'altra volta insieme a fare le medesime cose che ora".

muoversi dentro se stesso e a contraddirsi. La stabilità dei comportamenti umani nel volgere dei secoli permette di trasferire la commedia aristofanesca nella Firenze del Cinquecento, ma poi le diverse reazioni individuali alle mobili vicende della fortuna e il muoversi anomalo degli affetti e delle passioni determinano le varianti in un sistema pur rigido. Di qui la contrapposizione che Russo pone a nostro avviso giustamente fra i personaggi lineari (unidimensionali) di Boccaccio e i personaggi compositi (pluridimensionali) di Machiavelli comico: così l'ipocrisia eticamente sofferta di fra' Timoteo, la saccenteria velleitaria e boriosa a contrasto con la dabbenaggine in Nicia, il cinismo che convive con la serietà professionale in Ligurio, l'amore e la foia variabilmente congiunte in Callimaco, l'onestà e la disonestà ugualmente ragionate e per così dire "istituzionali" in Lucrezia. Ed è per questa "mobilità interna" che i personaggi della *Mandragola* si riscattano da ogni qualsiasi propensione tipologica, e le figure del cornuto compiaciuto, dell'adultera, dell'amante appassionato, del parassita intrigante, del frate ipocrita, del servo brillante, si realizzano nei personaggi autonomi, originali e irripetibili di Nicia, di Lucrezia, di Callimaco, di Ligurio, di Timoteo, di Siro.

Callimaco è acceso da una passione erotica, ama e a un tempo brama carnalmente, e tuttavia è ancor più complesso, diviso fra dubbi, perplessità, angosce, timori e terrori e caldi slanci vitali; è un avventuriero, in sostanza, al quale tuttavia si attribuisce "onor di gentilezza e pregio" (*Prologo*, terza strofe, sesto verso). I suoi tratti caratteriali malfermi e certe sue arie prefiguranti un moderno *gigolo* compromettono la sua funzione di dominatore. Anche lui è soggetto a una vistosa deformazione, quando appare in scena (v, 2) vestito da "garzonaccio", mentre Nicia, in questo alla pari con lui, si è armato di spadaccino. Apparentemente ha al suo servizio due clienti prezzolati e un servo fedele, ma in verità è lui che serve Ligurio, almeno in quanto ne esalta la funzione di progettatore e calcolatore di tresche.

Ligurio, oltre che come macchinatore geniale e tenace operatore, si viene via via rivelando come il feroce e allegro persecutore di Nicia. E infatti non contrappone soltanto alla balordaggine di questi la sua aguzza intelligenza (fino a qui siamo ancora in area boccacciana), ma di lui schernisce e beffeggia le velleità del filosofo naturale, del leguleio addottrinato, del becero fiorentino e del gergo rionale che gli parla, e insomma, per dirla con Raimondi (1972, p. 210) ne beffa il codice sociale. E infine si direbbe che egli, abilissimo manovratore di uomini e di operazioni, di tattica militare sul campo (IV, 9: "Io voglio essere el capitano, ed ordinare l'essercito per la giornata..."), proietti l'indiavolata sua prepotenza inventiva anche sulla struttura scenica della commedia. È lui infatti che ordina le entrate e le uscite di scena dei personaggi, è lui a imprimere alle vicende un ritmo così incalzante e veloce.

Più sottile e sfuggente è il rapporto fra il peccato e la sua giustificazione, non certamente morale, ma storica e scenica, in Timoteo. Moralmente ingannare una coscienza integra per indurla all'adulterio è senza dubbio peccato. Storicamente Machiavelli, che condanna in più luoghi la chiesa di aver costretto le province e le città cristiane a "uno ambizioso ozio" e di aver ridotti noi italiani a essere "sanza religione e cattivi" (cfr. *Discorsi*, in *Il Teatro e tutti...*, cit., pp. 124 e 165), giustifica Timoteo: egli infatti obbedisce alla politica gretta della sua chiesuola, e il suo linguaggio ecclesiale è assolutamente ortodosso. È vero che Timoteo raffigura la perfetta ipocrisia, e tuttavia essa è tanto radicata e spontanea in lui da identificarvisi. L'abiezione può rasentare l'innocenza quando è perfetta (cfr. G. Sasso, *Introduzione* alla *Mandragola*, Rizzoli, Milano 1980, p. 60). La commedia ha per così dire zone purificate, e così il cinismo del frate si fa trascendentale. E qui entra in gioco la giustificazione scenica, ossia strutturale. Timoteo deve giocare la sua carta perché si arrivi all'adulterio e per ricavarne anch'egli il suo utile, trecento ducati da poterne fare "tante elemosine" (III, 4). Ligurio tiene ben distinti i valori etici e la sozza operazione che si appresta a condurre: non è un ipocrita. Quando invece Timoteo esorta Lucrezia ad arrendersi agli abbracciamenti del "garzonaccio" sconosciuto, egli recita con imperturbabile e tranquilla coscienza uno dei suoi rituali sermoni (III, II: "...el fine vostro si è riempire una sedia in paradiso, e contentare el marito vostro. Dice la Bibia che le figliuole di Lotto, credendosi essere rimase sole nel mondo, usorono con el padre; e, perché la loro intenzione fu buona, non peccorono"). Comunque pure Timoteo non è un personaggio unidimensionale perché si sfaccetta in diverse proiezioni affettive: "ora grave, ora querulo, ora compunto e solenne, ora volgarmente avido" (cfr. Blasucci 1964, *Prefazione*, p. xx). Anche lui ha una sua saggezza, non lontana da quella di certe sentenze "pratiche e possibiliste" machiavelliane. Cfr. III, 11, dove Timoteo, per persuadere Lucrezia, l'ammonisce: "Voi avete, quanto alla conscienzia, a pigliare questa generalità, che, dove è un bene certo ed un male incerto, non si debbe mai lasciare quel bene per paura di quel male". (Cfr. per esempio lettera di Machiavelli a Vettori del 20 dicembre 1514, in *Lettere*, cit., pp. 363-367 e il nostro commento, III, 1 / nota 1.)

Nicia è chiuso nella sua balordaggine, non tetra, ma ilare, e a suo modo dignitosa, appunto perché protagonista della totale negatività, o, come scrive Sasso nell'*Introduzione* alla *Mandragola*, (ed. cit., p. 69), come espressione e garanzia di "quella conservazione capovolta dei valori in cui [...] il mondo della *Mandragola* consiste". Nicia è perciò un fanatico della legalità, e si compiace di ripercorrere le avventure e i viaggi della sua vita sempre all'insegna della dignità personale e delle convenzioni sociali. Il suo linguaggio concede assai al gergo fiorentino parlato dal popolo minuto, ma ama infiorarlo, al fine di manifestarsi persona colta, di locuzioni preziose. Perciò si vale di sentenze e di motti. Il suo candore è contaminato dalla saccenteria e dalla boria della saccenteria. Perciò, dando prova di sensibilità e tempestività psichica, Machiavelli assegna proprio a Nicia il compito di criticare la società fiorentina del suo tempo (II, 3), perché in questo modo s'incastra nella condanna dei fiorentini "cacastecchi" e indolenti ("a starci tutto dì in sulla panca del Proconsolo a donzellarci") e fa la parodia in chiave saccente e boriosa di questa medesima condanna.

Lucrezia è nome tratto dall'illustre storia di Roma,

narrata da Livio,[26] ma già le angustie etiche della sua bigotteria chiesastica ne promuovono la parodia. Certamente è saggia e virtuosa, ma i suoi orizzonti mentali sono parimenti assai chiusi. Senza resistenze e obiezioni accetta dalla madre Sostrata di confidarsi al "confessoro". In un primo tempo reagisce negativamente alle insidie che le tende il padre confessore, ma alla fine oppone soltanto il dubbio e la perplessità. Il suo riscatto – l'adesione franca ed energica all'adulterio e il suo consenso fervido agli abbracciamenti dell'amante – nasce come comportamento dispettoso e come vendetta, come rifiuto sprezzante non soltanto della tresca, ma di tutto il *milieu* che ha cercato d'imporle l'amante anonimo soltanto per rimanerne incinta. Non crediamo si possa accogliere la tesi di Luigi Vanossi, che il consentimento di Lucrezia avvenga "in una luce di intensa religiosità", perché "il trascendente penetra come valore essenziale e risolutivo nell'azione" (in Vanossi 1970, p. 32). E nemmeno ci convince la tesi di Davico Bonino, che Lucrezia acconsenta agli abbracciamenti di Callimaco come "una forza troppo impetuosa perché ci si possa opporre. La sua è la scelta della duttilità come suprema forma di saggezza" (cfr. *Introduzione* a *Teatro*, Einaudi, Torino 1964, p. XLI). La stessa energia verbale del suo ultimo discorso, che però è affidato a Callimaco, forse per non sovrapporre a un personaggio "femminile" affermazioni troppo audaci e perentorie, (cfr. V, 4) rispecchia soprattutto la volontà di vendicarsi dei suoi persecutori, recando alle estreme conseguenze il tranello medesimo in cui l'avevano fatta cadere. Così Machiavelli s'ingaglioffava per vendicarsi della sua mala sorte. A Callimaco sapientemente Machiavelli attri-

[26] Baldan (cfr. Baldan 1978, p. 406, nota 25) pensa che il nome di Lucrezia riprenda per affinità quello di Lucrezia Borgia. Esaltata dall'Ariosto (*Orl. fur.* XLII, ott. 83) come bella e onesta, Lucrezia Borgia, savia e prudente duchessa di Ferrara, poteva ben suggerire il nome della Lucrezia machiavelliana, altrettanto savia e prudente. L'ipotesi di Baldan ci sembra improbabile, soprattutto perché il riscatto di Lucrezia non è né savio né prudente, ha motivazioni ben diverse. Carlo Dionisotti (1984, p. 627), ricorda la *Historia di Lucretia Romana*, poemetto anonimo del XV secolo; e il racconto in latino, pure del XV secolo, di Enea Silvio Piccolomini, tradotto in volgare da Alessandro Braccesi, la *Storia di due amanti* (Eurialo e l'adultera Lucrezia), edita a Milano nel 1864, 1910, 1936, e ora in edizione bilingue, Utet, Torino 1973.

buisce la responsabilità di rivelare nel ribelle comportamento di Lucrezia la componente erotica: "avendo ella gustato che differenzia è dalla ghiacitura mia a quella di Nicia e da baci d'uno amante giovane a quelli d'uno marito vecchio...". E infine il riscatto o la vendetta di Lucrezia, comparati al comportamento passivo e dubitoso della prima Lucrezia, costituiscono il colpo di scena, la conclusione imprevista della commedia.

Quanto ai personaggi minori, essi hanno funzioni puramente narrative. Sostrata, la madre di Lucrezia, è insieme figura dura e cocciuta, e pieghevole quel tanto che le consente di fungere da mezzana. Siro è un relitto strutturale della commedia classica, che imponeva la tipologia del servo-padrone o del servo-servile, fedelissimo quest'ultimo. Infine la donna che si confessa da fra' Timoteo (III, 3) oltrepassa la pur interessante sua memoria del marito focoso e peccaminoso (le imponeva pratiche erotiche illecite);[27] essa rappresenta l'habitat medio borghese fiorentino, il cui comportamento "civile" dissimulava ipocritamente il fondo tutt'altro che pulito dell'anima. E si è detto medio borghese: infatti la donna dà l'elemosina di un fiorino (si pensi che lo stipendio di Machiavelli segretario di cancelleria era di un centinaio di fiorini l'anno). Infine la donna prefigura la morbida inerzia morale di fra' Timoteo da un lato, e la cupidigia di lui dall'altro, vizi che gli consentono di farsi correo non soltanto dell'adulterio di Lucrezia, ma anche (potenzialmente) di un aborto. Per Mario Baratto (cfr. 1975, pp. 114-115), la confessione della donna non è una digressione, anzi è una scena "didattica" (nel senso brechtiano), che dimostra la logica del comportamento del frate prima che egli affronti prove ben più dure con Ligurio.

La scenografia della Mandragola

Machiavelli assume per le sue commedie i "topoi" del teatro classico: la piazza cittadina dalla quale si di-

[27] A tal proposito si cfr. i quasi coevi sonetti erotici dell'Aretino e il manuale "giudiziario", "qui vulgari sermone nuncupatur *el Birraccino*" del notaio fiorentino, coetaneo di Machiavelli, Raffaele di Pietro de' Cerchi (cfr. Dionisotti 1984, p. 636).

partono alcune vie, e, affacciati sulla piazza, gli edifici abitati dai personaggi. Tra gli scenografi e gli apparatori, che erano poi architetti, scultori e pittori di fama o comunque appartenenti a eccellenti "botteghe", si contavano nomi quali quelli di Donato Bramante, di Girolamo Genga, di Baldassare Peruzzi, di Sebastiano Serlio, autore, quest'ultimo, del *Libro di perspettiva* (1545). La verisimiglianza era ovviamente d'obbligo, e Pellegrino Prisciano in *Spectacula*[28] prescriveva "edifici privati et da citadini cum sue fenestre et usi ad similitudine de' comuni edifici". Non conosciamo con certezza i nomi degli artisti che approntarono la scenografia della *Mandragola*, ma almeno per quanto riguarda la scenografia delle due rappresentazioni veneziane del 13 e del 16 febbraio 1522, Marin Sanudo ne esaltava la magnificenza. Quanto all'effetto di movimento dell'apparato scenico, esso aveva raggiunto un livello assai efficace: si tenga presente lo sviluppo anche tecnico della prospettiva nell'architettura e nella pittura rinascimentali. L'effetto del movimento – allo spettatore si doveva risparmiare anche il solo sospetto della staticità – era poi rinvigorito dal moto dei personaggi e delle comparse, tanto che il rapido e secco incalzarsi delle battute del dialogo, i gesti vivaci, i travestimenti grotteschi e policromi degli attori, le prospettive "in fuga" dello scenario facevano un tutt'uno.[29] Vie e piazze erano affollate di cittadini appartenenti a ceti diversi, mercanti, chierici ed eccle-

[28] Il ms. si conserva nella Biblioteca Estense di Modena: cfr. F. Marotti, *Storia documentaria del teatro italiano. Lo spettacolo dall'Umanesimo al Manierismo. Teoria e tecnica*, Milano 1974, p. 63.
[29] Si cfr. la lettera di B. Castiglione scritta da Urbino il 13-21 febbraio 1513 a Ludovico di Canossa: "Il *Calandro* [cioè la commedia di Bibbiena *La Calandria*] è stato honoratissimo d'un bello apparato. [...] La scena era finta una contrada ultima tra il muro della terra [città] e l'ultime case. Dal palco in terra era finto naturalissimo il muro della città con due torrioni [...]. La scena poi era finta una città bellissima, con le strade, palazzi, chiese, torri, strade vere [...]. Tra le altre cose ci era un tempio a otto facce di mero rilievo [...], tutto lavorato di stucco, con historie bellissime, finte le finestre d'alabastro, tutti gli architravi e le cornici d'oro fino et azzurro oltramarino, ed in certi lochi vetri finti di gioie che parevano verissime [...]. Da un de' capi era un arco trionfale, lontano dal muro ben una canna, fatto al possibil bene. Tra l'architravo et il volto dell'arco era finto di marmo, ma era pittura la historia delli tre Horatii, bellissima...". Cfr. *Tutte le opere di Baldassarre Castiglione*, vol. I, t. I, *Le lettere 1497-1521*, Mondadori, Milano 1978, pp. 344-345.

siastici, frati, prostitute, streghe, cantastorie e saltimbanchi.

Il capocomico doveva pure assicurare alle azioni veloci e al dialogato irruente le classiche unità teatrali di azione, di tempo e di luogo, integrate, per così dire, le ultime due nella prima, la fondamentale. Un attore recitava il prologo, trapiantato senza molte variazioni dal teatro latino: esso informava gli spettatori del luogo, del tempo, delle vicende alle quali essi avrebbero assistito. Il prologo anche garantiva l'originalità della commedia o comunque la sua libera trasposizione dall'antichità ai tempi presenti. Queste sono norme che presiedevano alla scenografia e a cui Machiavelli, autore comico, ottemperava. È anche rilevabile in I, 1 della *Mandragola*, ancor più che nel *Prologo*, un preannuncio del *flashback* cinematografico: gli antefatti ci scorrono davanti in altorilievo, e in uno squarcio visivo efficace ci appare Parigi con i suoi ozi tranquilli e i disputanti "dove erano più belle donne, o in Italia o in Francia". Ritornando allo scenario unico (i personaggi si limitano a spostarsi dall'ingresso di una casa a un altro ingresso o all'ingresso della chiesa, quando entra in scena il frate) vi spira un'aria di dimestichezza, di consuetudini quotidiane sempre uguali e familiari. Il movimento è affidato, come si è visto, alla mobilità agile e asciutta del dialogo e al rapido alternarsi degli attori, ma anche, a un tempo, alla mobilità delle prospettive sceniche.[30]

La poetica del teatro machiavelliano

La struttura delle commedie machiavelliane è ovviamente condizionata dalle cosiddette unità aristoteliche, delle quali si era già parlato nel contesto della scenografia. Può essere che Machiavelli, lettore di opere storico-politiche e poetiche, non abbia mai letta la *Poetica* di Aristotele, ma certamente ne sentì parlare negli

[30] Povoledo nel cit. vol. di N. Pirrotta ed E. Povoledo, *Li due Orfei*, p. 216, identifica la rappresentazione fiorentina del 1518 con quella di cui parla Vasari, cioè la prospettiva di Andrea del Sarto e di Aristotele da Sangallo, ma Ridolfi (1968, p. 73), ipotizza che la notizia data da Vasari si richiami a una rappresentazione fiorentina del 1525.

Orti Oricellari da Jacopo Nardi, l'autore delle due commedie in versi *I due felici rivali* e *L'amicizia* (1513 e 1503). Infatti nel *Prologo* de *I due felici rivali* Nardi fa recitare al servo Strobili un'ottava nella quale si vuole giustificare lo scioglimento della vicenda il giorno dopo, e lo si fa con arguzia ("ma quei vecchi han bisogno di dormire"). Questo suggerimento ce lo dà Mario Martelli (in AA.VV., *Letteratura italiana – Storia e geografia*, Einaudi, Torino 1988, vol. II, *L'età moderna*, t. I, p. 169). Altri suggerimenti ci vengono dal *Prologo* redatto da Castiglione per la *Calandria* di Bibbiena e dal *Prologo* alla *Clizia*.[31] Il *Prologo* di Castiglione è un severo repertorio dei canoni ortodossi del teatro comico rinascimentale: si insiste sulla necessità della verisimiglianza più stretta, sul congiungimento dell'utile (morale soprattutto) e del diletto, sull'impiego del volgare popolare, sull'istanza dell'originalità (nulla Bibbiena avrebbe tratto dai *Maenechmi* di Plauto). Ma soprattutto ci interessa il principio della contemporaneità, che anche nella *Clizia* viene ribadito, così come, in quest'ultimo prologo, il principio oraziano dell'utile dilettevole.[32]

In Machiavelli si delinea una, se non esplicita, almeno implicita contraddizione. Infatti Machiavelli è congenialmente e *naturaliter* uomo di teatro: lo si era già detto, e ripeteremo ora con Russo che "il drammatico, il mimetico, il dialogare è intrinseco al suo pensiero. La vivacità della sua visione mimetica prorompe anche per scene che non vede, ma che fortemente immagina" (cfr. Russo 1949, p. 160). Al contrario Machiavelli separa radicalmente (e se le appaia sempre le distingue, come

[31] In una lettera di Battista Della Palla a Machiavelli, del 26 aprile 1520, si legge: "A Santa Maria in Porticu feci la imbaciata del suo Calandro, et vostro messer Nicia: risponde cortigianerie, come gli è usato". Machiavelli aveva dunque tramite Della Palla inviati i suoi saluti a Bibbiena, cioè a Bernardo Dovizi da Bibbiena, cardinale di Santa Maria in Portico, scherzosamente facendo che fosse Nicia (da parte di Machiavelli) a salutare Calandro, personaggio della *Calandria*. Cfr. *Lettere*, cit., pp. 389-390. Dunque Machiavelli conosceva il testo della *Calandria*.

[32] Cfr. *Clizia*, *Prologo*, nota 2. Oltre a Orazio un'altra fonte da cui i letterati del Rinascimento trassero il principio dell'utile dilettevole può essere stato il *De sermone* di Giovanni Pontano, I, 6: "Principio, quod hominum vita tum corporis tum animi laborum plena est ac molestiarum, iccirco post labores cessatio quaeritur, in qua recreetur animus, atque inter molestias iocus".

nella già incontrata sua presentazione di "historico, comico et tragico") la sua attività di scrittore severo, impegnato in alti ragionamenti politici e storici, e la sua attività di scrittore estroso e piacevole, di scrittore comico. A questo riguardo è celebre la lettera del 31 gennaio 1515 a Vettori:

> Chi vedesse le nostre lettere, honorando compare, et vedesse le diversità di quelle, si maraviglierebbe assai, perché gli parrebbe hora che noi fussimo huomini gravi, tutti volti a cose grandi, et che ne' petti grossi nostri non potesse cascare alcuno pensiere che non avesse in sé honestà e grandezza. Però dipoi, voltando carta, gli parrebbe quelli noi medesimi essere leggieri, incostanti, lascivi, volti a cose vane. Questo modo di procedere, se a qualcuno pare sia vituperoso, a me pare laudabile, perché noi imitiamo la natura, che è varia; et chi imita quella non può essere ripreso. Et benché questa varietà noi la solessimo fare in più lettere, io la voglio fare questa volta in una, come vedrete, se leggerete l'altra faccia. Spurgatevi (cfr. *Lettere*, cit., p. 374).

Un altro documento interessante è il *Discorso o dialogo intorno alla nostra lingua*, attribuito a Machiavelli e databile probabilmente agli anni 1525-1526.[33] Vi si sostiene che la lingua letteraria dei poeti e degli scrittori fiorentini, a cominciare dai tre sommi, Dante, Petrarca e Boccaccio, è la lingua fiorentina, e nel dialogo inserito entro il "discorso" tra N. e D. (Niccolò e Dante?), si con-

---

[33] Il *Discorso o dialogo* ecc. ci è stato conservato in un apografo per cura di Giuliano de' Ricci (come si è visto, nipote di Machiavelli). La sua autenticità sarebbe provata dalle testimonianze di Giuliano de' Ricci e del primogenito di Niccolò, Bernardo, oltre che da prove "interne" al *Discorso* (rigore delle argomentazioni, tratti stilistici ecc.). Affermatane l'autenticità da P. Villari e P. Rajna, essa è poi stata universalmente riconosciuta. Tuttavia si sono contati due autorevoli oppositori dell'autenticità, Cecil Grayson (già nel 1971) e M. Martelli (nel 1978). Martelli ipotizza che questo *Discorso* sia stato manipolato da un anonimo avversario di Varchi sul testo di uno scritto di Vincenzio Borghini in difesa della fiorentinità intorno al biennio 1576-1577. Quanto alla data di composizione i sostenitori dell'autenticità dell'operetta concordano nel collocarla nel biennio 1525-1526, dopo cioè la pubblicazione delle *Prose della volgar lingua* di Pietro Bembo, edite nel 1525, perché il *Discorso* è dissimulatamente antibembiano. Machiavelli era stato appunto a Venezia nel settembre del 1525, e a Venezia erano state stampate le *Prose*, nell'officina di Giovanni Tacuino.

futa con una certa asprezza Dante per aver egli sostenuto nel *De vulgari eloquentia* che la lingua letteraria si deve identificare con la lingua cortigiana o curiale, ossia
con la lingua aristocratica delle corti e delle curie, che è
anche una lingua che Dante giudicava letteraria e na-
zionale. Là dove più energica è l'affermazione che gli
scrittori di tutte le regioni d'Italia e anche i toscani non
fiorentini sono costretti a esemplarsi sulla lingua fiorentina – quando scrivono di cose gravi – (così un lombardo o un romagnolo non scriveranno *pan*, bensì *pa-
ne*, come scrivono i fiorentini), s'innesta, per così dire, il
discorso sulla commedia. La commedia, "ancora che il
fine d'una commedia sia proporre uno specchio d'una
vita privata", non può essere scritta se non nella lingua
parlata, e dunque ciascun commediografo conviene usi
la propria lingua e cioè il suo proprio dialetto. Si rim-
provera dunque a "uno degli Ariosti di Ferrara" di non
aver saputo saporire di sali la sua commedia, "non per
altra cagione che per la detta, perché i motti ferraresi
non gli piacevano e i fiorentini non sapeva, talmente
che gli lasciò stare" (cfr. *Opere letterarie*, ed. cit., pp.
225-226).[34] Il fine della commedia è lo stesso che si pone
a tutte le altre opere letterarie: istruire ed educare dilet-
tando, e perciò la comunicazione offerta agli spettatori
deve essere facile, diretta ed efficace. Il fiorentino è la
lingua dell'urbanità anche quando esprime argomenti e
persone non gravi, e infatti

> non può esser gravità in un servo fraudolente, in un vec-
> chio deriso, in un giovane impazzato d'amore, in una put-
> tana lusinghiera, in un parasito goloso; ma ben ne risulta
> di questa composizione d'uomini effetti gravi e utili alla
> vita nostra. Ma perché le cose sono trattate ridiculamen-
> te, conviene usare termini e motti che faccino questi effet-
> ti: i quali termini, se non son proprii e patrii, dove sieno
> soli, interi e noti, non muovono né posson muovere (*ivi*,
> pp. 225-226).

Dunque lo "scriver fiorentino" ha pure una funzione
didattica: comunicare con la massima efficacia per me-

---

[34] Machiavelli (sempre che lo sia) allude ai *Suppositi* rappresentati
in prosa a Ferrara nel 1509 e ridotti poi in endecasillabi sciolti tra il 1528
e il 1531.

glio istruire. E per questa via, circolarmente, si ritorna alla classicità, e alla formula del grammatico Donato, che, parafrasando Cicerone, esprimeva a proposito del teatro di Terenzio questa massima: *"imitatio vitae, speculum consuetudinis, imago veritatis"*.

Ultima componente della poetica teatrale di Machiavelli: il "dir male". Se ne è già parlato, e qui non possiamo che ripeterci e ritornare alla frattura psichica di Machiavelli costretto al confino e all'ozio e costretto a sfogarsi dispettosamente: questo gesto controffensivo "rientra nel rituale del contrasto giocoso e risponde alle regole dello spettacolo, ma il trapasso dalla rassegnazione analitica all'aggressività monitoria sottintende anche lo scatto di un meccanismo più profondo" (Raimondi 1972, p. 199).

Stile e lingua della Mandragola

Luigi Russo (1949, p. 100) ha insistito sulle affinità tra la prosa politica e la prosa "comica" di Machiavelli: il medesimo spietato realismo, il medesimo gusto plastico, la medesima energica ritrattistica dei personaggi, sia politici, sia comici.[35] Dunque il primo dato linguistico attribuibile alla *Mandragola* è il vigore logico dell'enumerazione, del dilemma, delle alternative, del consequenziario. Di questa linearità razionale ragiona a lungo Giorgio Barberi Squarotti, che anzi si avvale di tale asserzione critica per sostenere la tesi intorno alla "struttura astratta" della *Mandragola*. Nell'azione drammatica "non c'è nulla di imprevedibile e di imprevisto [...], perché la natura umana è data una volta per tutte", e la struttura comica della *Mandragola* è calcolo ben realizzato, strategia sapiente, "astrattezza casistica, tutta costruita con le causali, le ipotetiche, le risposte, le definizioni, secondo un'intenzione di evidenza e di

---

[35] Per esempio Russo pone a paragone un passo del capitolo III del *Principe* ("Aveva dunque Luigi fatto questi cinque errori: spenti e' minori potenti; accresciuto in Italia potenzia a uno potente; messo in quella uno forestiere potentissimo; non venuto ad abitarvi; non vi messo colonie") con la battuta di Callimaco (I, 1): "Dirotti. In prima mi fa guerra la natura di lei [...] l'avere il marito ricchissimo [...] non avere parenti o vicini...".

chiarezza che par quasi sovrapporsi alla costruzione vera e propria dell'inganno per compiacersi della propria scorrevolezza di meccanismo logico" (Barberi Squarotti 1966, pp. 75-76). Barberi verifica questo repertorio di strumenti sintattici sul testo della *Mandragola*: l'uso dei pronomi generalizzanti e la tendenza ad "astrarre" in una tipologia sentenziaria, apodittica, la vivacità del parlato. Rileva, per esempio, questa battuta di Ligurio (III, 2): "Pertanto io non vorrei che voi nel parlare guastassi ogni cosa, perché un vostro pari, che sta tuttodì nello studio, s'intende di que' libri, e delle cose del mondo non sa ragionare". Anche il monologo d'amore di Callimaco (IV, 1), a giudizio di Barberi Squarotti prende ritmo e cadenze sentenziali, come in questo passaggio: "Da l'altro canto, el peggio che te ne va è morire ed andarne in inferno: e' son morti tanti degli altri! e' sono in inferno tanti uomini da bene!". I nessi di causalità sono per Barberi essi pure forme astraenti, che rispecchiano la consequenziarità del discorso, che appunto nella struttura dialogica asciutta e rapida esalta la sua logicità. La tesi di Barberi è ovviamente troppo invadente, ma ci suggerisce di porre mente alle strutture immobili del discorso dialogico, anche se tali strutture comportano proiezioni e dimensioni concrete, mimetiche, modellate sui fatti e sui moti psichici dei personaggi.

La dialogazione è interna allo svolgimento dell'azione, perché ogni battuta implica un comportamento, un gesto, ha dunque un'intensa pregnanza gestuale e mimica, la stessa di cui sono ricche le pagine bozzettistiche e aneddotiche delle lettere, sue e dei suoi corrispondenti. E tuttavia non si lamenta mai uno strafare, come strafà spesso il tessuto gergale burlesco e immaginifico della tradizione burchiellesca. In una lettera a Guicciardini del 30 agosto 1524 a proposito delle sue *Istorie fiorentine*: "harei bisogno di intendere da voi se offendo troppo o con lo esaltare o con lo abbassare le cose; pure io mi verrò consigliando, et ingegnerommi di fare in modo che, dicendo il vero, nessuno si possa dolere" (cfr. *Lettere*, cit., p. 417). Nell'*Arte della guerra* Machiavelli si impegna di scegliere "il nome più onorato" (cfr. *Il teatro e tutti...*, cit., pp. 343-344); e nelle *Istorie fiorentine* (*Dedica*): "Fuggo bene in tutti i luoghi i vocaboli odiosi, come alla dignità e verità della istoria poco necessari" (in Cicerone, *Orat.* 8, 25, *"verbum odiosum"* o *"insolens"* è espressione volgarmente offensiva).

Un'ultima ragione stilistica della *Mandragola* è la verisimiglianza psichica, e cioè il comportamento linguistico coerente all'indole di ciascun personaggio. Si possono individuare due livelli: il livello gergale più basso, di cui si vale Nicia, tanto da farsene rappresentare, anche se infiorato, come vedemmo, di locuzioni "ufficiali" e di sentenze o forse più propriamente di proverbi o motti popolari; e il livello parlato medio, capace di alternanze e di variazioni, tra spessori più densi e gravi e alleggerimenti tonali, fra conversazione familiare, comunicazione pratica e operativa e slanci sentimentali. Il basso livello gergale di Nicia non significa poi che il suo discorso sia socialmente infimo e rispecchi i ceti più umili. Infatti il suo gergo è soprattutto municipalistico, fiorentino parlato, spoglio di caratteri classistici. Interiezioni ("che la venga la contina!, o va'!, al nome dell'Agnol santo!" ecc.), anacoluti sintattici ("se non che la madre le disse el padre del porro" ecc.), e soprattutto metafore e locuzioni gergali "mi spicco malvolentieri da bomba, tu hai la bocca piena di latte, a me non venderà egli vesciche, qualche porro di drieto, che mi fare' sudare"). Ancora: la gergalità di Nicia è estremamente gestuale, non tanto perché essa rechi nella sua fisicità e corporalità i gesti delle mani e della testa, quanto perché egli stesso rappresenta e raffigura le cose nella loro piena crudezza verbale. Si può parlare a tale proposito di una bravura, di una virtuosità linguistica, capace di reggere a un livello "comico aperto e chiassoso" (cfr. Russo 1949, p. 104). Lo strato "colto" nella lingua parlata di Nicia è rappresentato dal latino delle locuzioni professionali, proprie del giurista o meglio del leguleio e proprie del ceto borghese alto, parodiato da Ligurio. Le formulette latine di Nicia (e quelle di Callimaco) sono soltanto "didascalie" per così dire codificate e istituzionali, linguaggio rituale e burocratico o tecnico. Esso latino perfeziona e compie il ritratto del *milieu* borghese cittadino.

Il linguaggio di Ligurio è scarno, asciutto, srotola dilemmi, comandi, piani di azione, valendosi anche di metafore militari (IV, 9), spoglio di perplessità e ambiguità, ma in compenso ricco di ironia beffarda: egli è l'implacabile schernitore del babbalocco esemplare, il dottor Nicia, e l'arguto parodista della di lui parlata gergale. Creatore e artista di strategie intelligenti, il suo linguaggio non può essere che pluridimensionale, poliedrico. L'ipocrisia accentua la validità del suo discorso logico. Quando egli vuole persuadere il non riluttante fra' Timoteo che in certe condizioni l'aborto può essere lecito anche dal punto di vista morale cristiano, sforna cinque ragioni una più persuasiva dell'altra: "voi mantenete l'onore al munistero, alla fanciulla, a' parenti; rendete al padre una figliuola; satisfate qui a messere, a tanti sua parenti; fate tante elemosine, quante con questi trecento ducati potete fare; e, dall'altro canto, voi non offendete altro che un pezzo di carne non nata, sanza senso..." (III, 4).

Se Ligurio parla rimanendo all'interno dell'azione scenica, Timoteo è un parlatore estroverso che comunica al pubblico con un linguaggio sommamente esplicativo e didattico. Angela Guidotti, (1982, p. 161) annota che Timoteo con la sua parlata "entra ed esce dal suo contesto narrativo e si innesta alla perfezione nel contesto scenico", ossia non ha neppur bisogno di dissimulare la sua accorta e morbida ipocrisia, perché egli si inserisce totalmente nella personalità di Ligurio, ne esalta la funzione dominante, risponde in tutto e per tutto alle esigenze della ferrea logicità.

Callimaco parla fiorito ed elegante, e non disdegna gli artifici letterari, quali le interrogazioni retoriche, gli asindeti prolungati (I, 1: "tal che mi pareva esser grato a' borghesi, a' gentiluomini, al forestiero, al terrazzano, al povero, al ricco"), snodature con l'impiego di nessi, giunture e articolazioni preziose (II, 6: "Infine, dottore, o voi avete fede in me, o no; o io vi ho ad insegnare un rimedio certo, o no. Io, per me, el rimedio vi darò. Se voi arete fede in me, voi lo piglierete; e se, oggi ad un anno, la vostra donna non ha un suo figliolo in braccio, io voglio avervi a donare dumila ducati"). Si rilevino pure, in queste due citazioni, l'impiego di termini oppositivi e di congiunzioni disgiuntive, dilemmatiche. Vi s'incontrano pure dittologie sinonimiche ("debole e vana, semplice e sciocco") e progressioni attributive crescenti ("qualche partito bestiale, crudele, nefando" ecc.).

Il linguaggio di Lucrezia si riscatta esso pure dalla sua gergalità per farsi il sismografo sensibile delle sue reazioni affettive, dapprima riluttanti, quindi perplesse e dubitose, alla fine, con un vero e proprio ribaltamento dell'anima e della volontà, perentorie ed energiche. Alle prime reazioni affettive Lucrezia fa corrispondere un suo discorso disteso, ipotattico secondo la struttura del suo pensiero; alle seconde corrisponde un discorso frantumato in battute brevi e interiettive; alla fine il suo discorso si costruisce su strutture sintattiche normali, ma, si direbbe adottando la terminologia musicale, andante sostenuto, vibrante di autorità e di energia verbale. Sensibile come essa è alle sue vicende interiori, Lucrezia è al di fuori di ogni qualsiasi istanza naturalistica, come lo è, in una certa misura, Ligurio per un'altra ragione, perché egli è al servizio del suo ingegno, della sua arte di fabbricatore di inganni e del suo piacere beffardo di dissacrare e parodiare. Angela Guidotti suggerisce a questo proposito un'ipotesi critica suggestiva, anche se costretta in un eccessivamente rigido sistema formale e strutturalistico: "Lucrezia si identifica con la sceneggiatura di un concetto astratto". Di qui due distinzioni piuttosto astratte, non aderenti alla solidità e continuità strutturale della commedia, la distinzione fra gli "esiti linguistici tipici dei personaggi" e gli "esiti linguistici indiziali dell'intreccio", gli uni a definire i diversi livelli dei personaggi, gli altri intesi a distribuire l'azione "in modo quanto più possibile armonico"; e la distinzione tra i "segnali connotativi" (fissazione dei caratteri) e i segnali "orientativi" (in relazione alla progressione dell'intreccio). Callimaco, Timoteo e Nicia in quanto personaggi-stereotipi rispondono soltanto a una funzione connotativa, laddove Lucrezia e Ligurio sono personaggi "astratti" e dunque orientativi. Ma si è visto come i personaggi della *Mandragola* abbiano tutti una loro mobilità interna e pluridimensionalità e, d'altra parte, in un contesto come questo machiavelliano, i personaggi "astratti" rischierebbero di essere convenzionali, mentre la loro legittimità artistica attinge a una visione oggettiva sia della realtà psicologica degli uomini, sia della realtà sociale, cittadina. Ma in questo consentiamo con Angela Guidotti, che Ligurio e Lucrezia sono i personaggi più ricchi di liberi movimenti interiori, di reazioni psichiche e intellettive (Ligurio) o morali (Lucrezia) (cfr. Guidotti 1982, pp. 164, 167 e 167-168).

Concludendo, la lingua comica di Machiavelli è la fiorentina parlata, graduata secondo i diversi livelli dei personaggi, in opposizione alle future ma non lontane *Prose della volgar lingua* di Bembo. È proprio il parlato gergale o vernacolare che si manifesta il più disponibile e aperto alle diverse espressioni, icastiche, raffigurative, bizzarramente analogiche, quali trasmesse da Burchiello, beffarde e sarcastiche, macchiettistiche e burlesche, e anche fantastiche: una ricca stratografia degli spessori del comico. Parlare e comunicare nella lingua intesa dal popolo, come affermano i prologhi della *Clizia* e della *Calandria*, e anche si ribadirà per esempio nel *Prologo* della *Sporta* di Gelli.[36] E tuttavia la gergalità è temperata dalla presenza condizionante degli affetti e degli eventi, dalla verisimiglianza psicologica dei personaggi, dal taglio secco delle scene e dei dialogati, dalla lucidità della trama salda e robusta.

Introduzione alla Clizia

La *Clizia* fu scritta da Machiavelli fra il cadere del 1524 e il principiare del 1525. Era stato invitato da Jacopo Falconetti detto il Fornaciaio ad autorizzare e a promuovere una nuova rappresentazione della *Mandragola*. Il Fornaciaio non poteva certo vantare natali illustri, ma era riuscito a crearsi una grande ricchezza, amava farsi ammirare e corteggiare come prodigo mecenate di artisti e di scrittori. Chiusi gli Orti Oricellari

---

[36] "E finalmente, quanto alla lingua, ho risposto che io ho usato quelle parole ch'io ho sentito parlar tutt'il giorno a quelle persone che io ci ho introdotte; e, s'elle non si ritruovono in Dante o nel Petrarca, nasce che altra lingua è quella che si scrive nelle cose alte e leggiadre, e altra è quella che si parla familiarmente..." Cfr. *Commedie del Cinquecento*, a cura di A. Borlenghi, Rizzoli, Milano 1959, vol. I, p. 615).

nel 1522, dopo che era stata scoperta una congiura antimedicea tramata entro gli Orti, il Fornaciaio aveva lui stesso fondato un nuovo "Orto". Nell'ambiente di questo suo nuovo e ultimo protettore Machiavelli, che aveva compiuto ormai 55 anni, si era goduto i favori, anche erotici, di Barbara Raffacani Salutati, detta Barbera, cantante di fama e donna di facili costumi, la quale, scriveva Guicciardini all'amico in una lettera dell'agosto 1525, "come fanno le pari sue, si sforza piacere a tutti e cerca piuttosto di apparire che di essere" (cfr. *Lettere*, cit., p. 427).[37] La Barbera si era già offerta di cantare gli intermezzi della *Mandragola* per la rappresentazione che si sarebbe dovuta tenere a Faenza, e ora si preparava a cantarli per questa nuova rappresentazione fiorentina. Ma Machiavelli preferì buttar giù in pochi giorni la *Clizia* sul modello della *Casina* di Plauto, in piena libertà e autonomia, tanto che soltanto con la quinta scena del secondo atto si comincia a risentire qualche affinità con la *Casina*, e soltanto nell'atto quarto si riscontrano sette scene legate da rapporti testuali con la commedia plautina. Roberto Ridolfi così ne riassume le condizioni psichiche (1968, p. 142): "La *Clizia* fu scritta dal Machiavelli quando per l'età e le delusioni già declinava, quando la stanca mano stava ormai per cadergli sulle *Storie* fin là stancamente condotte. Essa nasceva sotto il segno del doloroso amore per le facili carni della Barbera durante le frequentazioni dell'Orto di un Fornaciaio".

Il fatto narrato dalla *Clizia* accade in Firenze, e dunque è trasferito da Atene, dove lo colloca Plauto, nella città dell'autore, il quale ne spiega le ragioni nel *Prologo*; l'anno è il 1506, dodici anni dopo la passata di Carlo VIII per Firenze, mentre l'azione della *Mandragola* si era svolta nel 1504. Fu rappresentata la prima volta nella villa del Fornaciaio il 13 gennaio 1525. La prospettiva e le scene furono disegnate di nuovo da Aristotele da San Gallo. In occasione della recita Machiavelli compose la canzone che precede il *Prologo* e quella da cantarsi ne-

---

[37] Della Barbera e dell'amore senile di Machiavelli si discorre in più luoghi della corrispondenza epistolare tra i due amici. In una lettera del 15 marzo 1526 Machiavelli confessa a Guicciardini: "la mi dà molto più da pensare che lo imperadore". Cfr. *Lettere*, cit., p. 458.

gli intermezzi. Anche le musiche furono composte da una nostra vecchia conoscenza, Verdelot.

L'ascendenza della *Clizia* più diretta è la *Casina* di Plauto. Si diceva che i contatti testuali e i debiti della prima verso la seconda si accentuano soltanto nel quarto atto. Ecco le divergenze del racconto e della struttura più evidenti. In Plauto le rivalità amorose sono parimenti distribuite fra padre e figlio e i servi, e il *climax* comico sta nel ribaltamento dei rapporti tra padroni e servi (lo scambio dei ruoli tradizionale nel teatro classico e reso istituzionale nella Roma antica dai *Saturnalia*). Invece nella commedia di Machiavelli passa in primo piano il conflitto tra padre e figlio, rivali in amore, finché esso viene governato e risolto dalla madre Sofronia, la vera regista e dominatrice dell'azione. In Plauto la vicenda comica è puro gioco, *divertissement*, in Machiavelli entra assai energicamente la componente etica. Ancora, in Plauto il vecchio amoroso è personaggio in sé autonomo, mentre Nicomaco, il vecchio padre preso dalla frenesia erotica, non è un incallito peccatore, ma soltanto un vecchio virtuoso deviato da un'improvvisa follia senile. In Plauto i due servi a livello mentale e morale si equivalgono, mentre in Machiavelli il fattore Eustachio è fedele, leale, operoso e onesto, laddove il servo Pirro è un fannullone che, secondo Sofronia, "non è mai se non in sulle taverne, su pe' giuochi, un cacapensieri, che morrebbe di fame nello Altopascio!" (II, 3). Infine la vicenda notturna (l'incontro amoroso fallito) di Lisidamo nella *Casina* non è narrata dal protagonista, ma dal suo servo, che così lo copre e ne medica lo scacco, mentre nella *Clizia* la confessione dell'umiliato e pentito o rassegnato Nicomaco è narrata direttamente dal protagonista.

Si dà poi la presenza, in tutto il teatro rinascimentale, della tradizione novellistica tre e quattrocentesca. È Luigi Vanossi ad avvertirci che, a proposito della *Clizia*, la burla architettata da Sofronia ai danni di Nicomaco si richiama piuttosto che al *Decamerone* a novelle quattrocentesche, quali quelle di Bianco da Siena e di Grasso Legnaiuolo (cfr. Vanossi 1970, p. 107). A sua volta Carlo Dionisotti, fra le sue noterelle erudite, ricorda che il titolo di *Clizia*, "titolo floreale e solare, di un amore inappagato e fedele", è ovidiano [38] e che un Francesco Cei, coetaneo di Machiavelli, aveva pubblicate le sue *Rime* "in laude di Clitia" a Firenze nel 1503.

La *Clizia* ci offre, rispetto alla *Mandragola*, una situazione più riposata, un ritmo più allentato, un fine scopertamente etico ed educativo. Tutti gli studiosi in questo sono più o meno concordi. Borsellino (1974, p. 73) discorre di un "pacato e indulgente moralismo", Blasucci, nella sua *Prefazione* alle *Opere letterarie*, ed. cit., p. xxiii, avverte in questa commedia un "allentamento del rigore creativo, e insieme un avvicinamento ai moduli consacrati della commedia umanistica". Si può anche discorrere di un minor possesso della materia narrata, e però con una discorsività colloquiale e familiare. Il protagonista, il vecchio Nicomaco, dopo la breve e irruente follia erotica, si rassegna, sconfitto dalla moglie, a rientrare nel buon ordine borghese, nel quale era nato e si era mantenuto, e riprende a obbedire a quelle norme etico-sociali che Callimaco e Lucrezia avevano spregiudicatamente violate. Già il *Prologo* annuncia questo rientro nei moduli comico-drammatici tradizionali, annuncia cioè una commedia più aderente alla nuova che alla vecchia scuola, a Menandro piuttosto che ad Aristofane. La poetica del teatro comico si strania dagli interessi sociali e converge su fatti privati, accentuandone il messaggio morale. La comicità non vien meno, ma essa tuttavia prende la forma di una lunga premessa comica a una soluzione seria. Le situazioni scabrose nelle quali si va a cacciare il vecchio amoroso sono comiche perché a renderle ridicole contribuiscono il figlio rivale, Cleandro, e la moglie, che ne mettono in luce, spietatamente, le grottesche velleità senili. Ma poi la comicità è come ammorbidita e intenerita dall'affetto coniugale di Sofronia, dalla memoria di un lungo passato di fedeltà e di dolcezza nel contesto ordinato, regolato ed economicamente saldo del tran-tran domestico, infine dalla pietà che suscita il povero vecchio uscito fuori della sua strada. Non ci sono nella *Clizia* personaggi quali Callimaco, Timoteo, Lucrezia, e anche i due architetti e registi della beffa, Ligurio e So-

---

[38] Clizia, la ninfa Clythia, amata da Apollo e trasformata in eliotropio (cfr. Dionisotti 1984, p. 639).

fronia, hanno fini diversi e diverse strategie, hanno di fronte "avversari" diversi. Per di più la beffa di Ligurio è una tresca, quella di Sofronia è una burla e il suo scopo, impedire e punire, comporta il perdono. Inoltre nella *Mandragola* la "vittima", Nicia, è un estraneo, nella *Clizia* il beffato è il marito della beffatrice. Ma c'è di più: la beffa non vuole soltanto impedire al vecchio un'impresa erotica fuori stagione, ma soprattutto vuol salvare l'onorabilità della virginea fanciulla adottata da Nicomaco e da Sofronia come figlia loro, Clizia, difendendola non soltanto dalle brame del vecchio marito, ma anche da quelle, più giustificabili, ma moralmente anche condannabili, del giovane figlio Cleandro. Infatti sia Nicomaco che Cleandro intendono dare a Clizia un marito di facciata, eleggendo a tal scopo il primo il servo Pirro, il secondo il fattore Eustachio. Gli sviluppi psichici dei personaggi sono più graduati che non lo siano nei personaggi della *Mandragola*. Per esempio il colloquio tra Nicomaco e Sofronia (II, 3) è trattenuto da allusioni, reticenze, perplessità. Quando gli scontri s'inaspriscono, ovviamente il ritmo del dialogato si restituisce all'abituale rapidità e le locuzioni gergali s'ispessiscono.

Il *Prologo* è il fedele manifesto della materia della *Clizia*, e cioè l'energico rilievo attribuito alla congiunzione dell'utile e del dilettevole, secondo il noto principio oraziano del *"delectando pariterque monendo"*. Il riso è affidato alle parole o sciocche o ingiuriose o amorose, e dunque è necessario rappresentare persone sciocche, maldicenti o innamorate. Esclusi i primi due modelli di personaggio – è assai importante rilevare la ripulsa del motore primo della *Mandragola*, il "dir male" – la commedia dunque ci presenterà personaggi innamorati, senza che le donne abbiano ad arrossire per turpiloquio. L'altro principio bandito dal *Prologo*, l'immobilità dell'anima umana, per cui una vicenda accaduta tanti secoli prima ad Atene può essere trasferita tal quale nella Firenze di oggi, è un principio costante in tutto il teatro umanistico-rinascimentale.

Nella *Clizia* sembra essersi infiochita la forza inventiva e l'impatto sarcastico appunto perché, "essendosi rimasto di dire male", l'autore ci ha dato un riso faceto e benevolo, che non ha più l'aggressività del dispetto irato e cruccioso. Sul piano biografico, nel 1518, l'anno della *Mandragola*, di fronte alla sventura e all'ingiustizia atroce sofferta Machiavelli sapeva ancora reagire con la rabbia e lo sdegno; nel 1525 Machiavelli non reagisce più, la stanchezza e la consuetudine dell'ozio forzato gli hanno spento l'energia della reazione. Gli spazi psichici dei personaggi sono meno ampi che non nei personaggi della precedente commedia. Nicomaco è monocorde: infoiato, si copre e fa la voce grossa valendosi della *patria potestas*; punito e avvilito, diviene di necessità, logicamente, oggetto di pietà e di perdono; dall'autoritarismo dunque all'elegia: "Questo è il mal mio, che toccherà a ridersene a ciascuno, ed a me a piagnerne! E Pirro e Siro, alla mia presenzia, or si dicevano villania, or ridevano; dipoi, così vestiti a bardosso, se n'andorno, e credo che sieno iti a trovare le donne, e tutti debbono ridere. E così ognuno rida, e Nicomaco pianga!". Comunque, come nella *Mandragola* la narrazione di Callimaco sulla "resa" di Lucrezia (v, 2), così nella *Clizia* il punto più alto è la confessione di Nicomaco (v, 2), il crescendo felice di una oggettivazione fisica, di cose spietatamente ostili, di membra umane deformate dal ribrezzo, sino allo spettacolo osceno del corpo nudo di Siro. La deformazione grottesca tocca il culmine del farsesco in chiave di ribrezzo. Senza codesto ribrezzo l'espiazione della lussuria peccaminosa non si sarebbe giustificata.[39]

Il personaggio di Sofronia è più ricco e più mobile, duro e morbido a un tempo, testardo e arrendevole, pronto a reagire con sdegno e pronto a perdonare con delicata riservatezza, tanto da non far pesare sul marito

---

[39] Appunto "grottesco" definisce Russo il pathos di Nicomaco: "scorre una vena di profonda tristezza per la passione tardiva di un vecchio impaziente d'amore, malinconia che si mescola al riso, temperandone la festività". Sempre Russo stabilisce un rapporto (ovviamente trascendentale) tra il vecchio vinto e pentito e Machiavelli, innamoratosi a 55 anni delle carni della Barbera (cfr. Russo 1949, p. 130). E sempre Russo (p. 132) osserva che il pathos "si tramuta istintivamente in una violenta flagellazione della parte grottesca delle passioni umane". Da questo lato l'episodio di Nicomaco si può richiamare *cum grano salis* alle avventure erotiche di Giuliano Brancacci (lettere di Machiavelli a Vettori del 4 e 25 febbraio 1514).

pentito la vergogna della colpa e l'avvilimento dell'espiazione. Anche le sue perplessità e le sue esitazioni iniziali ne arricchiscono la personalità, esaltano le difficoltà fra le quali essa sapientemente si muove. E ancora: se per Lucrezia la religione era rito, consuetudine mansueta, conforto, in Sofronia la religione è energia operante al fine di salvare i valori morali e ristabilire, nell'ordine familiare, l'ordine sociale. Che poi Sofronia abbia anche assicurato a Clizia un felice avvenire, questo conta assai meno, perché il lieto fine è assolutamente convenzionale. Infatti il padre di Clizia, un ricco gentiluomo napoletano di nome Ramondo, giunto da Napoli a Firenze, si fa riconoscere, e così Sofronia, congedandosi dagli spettatori, potrà loro annunciare le felici e legittime nozze del figlio Cleandro con l'avventurosa giovinetta.

I personaggi minori non vanno oltre la tipologia drammatica rinascimentale. Vorremmo però rilevare un tratto di Cleandro. Egli ci rappresenta la sua passione attraverso le immagini militari: il gioco amoroso è simile al conflitto militare. Gli stessi affanni, le stesse fatiche, gli stessi disagi. Le analogie giovano ad alleggerire la passione amorosa e ad agevolarne la risoluzione nella comicità.

Si potrà forse lamentare una certa sfasatura tra la vivacità della parlata fiorentina e la macchina comica a lunghi tratti convenzionale e rigida. A volte pare che i sali del gergo rimangano essi soli a reggere la comicità. Anzi si potrebbe affermare che il gergo vernacolare sia nella *Clizia* più saldo e continuo che non nella *Mandragola*, dove, come si diceva, ci sono temperanze verbali al fine di assicurare ai personaggi la pluridimensionalità psichica e più vivaci e diversi livelli mentali. Subito, all'avvio del primo atto, Palamede dice "tu mi racconci la cappellina in capo", e gli risponde Cleandro "tu non sai mezze le messe", e così via. Pure la sintassi si è fatta piana, e quindi più familiare e colloquiale. Il velocissimo dialogo della scena quarta del terzo atto sembra che regga su un tempo metafisico, proiettato fuori dell'azione.

L'autenticità e immediatezza della scrittura parlata fiorentina di fatto azzera il tessuto latino nei passi della

Clizia che sembrerebbero tradotti dal testo della *Casina*. Così il plautino *"senecta aetate unguentatus per vias, ignave, incedis?"* diviene "Io ti guato, ed adoroti anche: tu sai di buono! Bembè, tu mi riesci!". E il plautino *"Te sene omnium senem neminem esse ignaviorem – unde is, nihili? Ubi fuisti? Ubi lustratus? Ubi bibisti?"* è tradotto "Usi sempre con sei giovanetti, vai alla taverna, riparti in casa femmine, e dove si giuoca, spendi senza modo" ecc. (III, 4). Alla battuta erotica di Nicomaco (IV, 2), "molto più sarò allegro, quando io terrò in braccio Clizia, quando io la toccherò, bacerò, stringerò", la battuta di Lisidamo (471) *"Iam hercle amplexari, iam osculari gestio"* sembra più temperata. E in area culinaria al servo Olimpione il padrone Lisidamo affida il compito di acquistare vivande prelibate da gareggiare con la soavità delle carni di Casina: *"Tene marsuppium. Abi atque obsona, propera; sed lepide volo, – molliculas escas, ut ipsa mollicula est"* (490-491). E Machiavelli (IV, 2): "preso questo lattovaro, io cenerò poche cose, ma tutte sustanzevole: in prima, una insalata di cipolle cotte; dipoi, una mistura di fave e spezierie. [...] Sopra queste cose si vuole uno pippione grosso arrosto, così verdemezzo, che sanguini un poco".

Dall'*Andria* alla *Clizia* attraverso la *Mandragola* la linea unitaria più salda e resistente è perciò questa sagace e arguta operazione gergale, ricca di sentenze, proverbi, motti pungenti, e di sarcasmi beffardi, una lunga continuata "giarda" popolare e borghese fiorentina; se si vuole una linea trasversale, attraversata da tonalità e trame narrative diverse, un solo percorso gergale battuto da fatti e personaggi molteplici, quanti ne potevano permettere i repertori umanistico-rinascimentali.

La *Mandragola*, soprattutto, ebbe nel Cinquecento alcuni imitatori: Gelli con *La sporta* e con *L'errore* (cfr. le *Rime burlesche* del Lasca e cfr. la nostra *Introduzione*), Varchi con *La suocera*.[1] Anche *Il frate* del Lasca presenta analogie esterne con la *Mandragola*, tanto che Baretti, pure colto letterato, nel XVIII secolo incluse questa farsa, allora ancora adespota, tra le opere di Machiavelli (cfr. A.F. Grazzini, *Teatro*, Bari 1953, pp. 606-611). Echi di questa commedia corrono qua e là nel Cinquecento, nelle citate *Rime burlesche* del Lasca, nella *Sporta* di Gelli,[2] nel *Prologo* de *Il frate* del Lasca (cfr. *Teatro*, cit., p. 526). Qualche traccia si rileva pure della *Clizia*: Filippo de' Nerli il 22 febbraio 1525, scrivendo a Machiavelli da Modena, si rammarica di essere stato privato delle "magnificenzie" della *Clizia*: "La fama della vostra commedia è volata per tutto; et non crediate che io abbia avuto queste cose per lettere di amici, ma l'ho havuto da viandanti che per tutta la strada vanno predicando 'le gloriose pompe e' fieri ludi della porta a San Friano'" (cfr. *Lettere*, cit., p. 418: la Porta di San Fredia-

---

[1] Varchi però "s'è ingannato sommamente di mostrarvi non tanto quello che si fa comunemente dai più, quanto quello che si dovrebbe fare. Laonde, se in questa commedia non verranno in iscena né vecchi sciocchi, né giovani disonesti, né fanciulle vergini, né persone religiose [...] non vi dovrà parere gran fatto maraviglia". Cfr. *Prologo* a *La suocera*, in *Commedie del Cinquecento*, a cura di A. Borlenghi, ed. cit., I, p. 1034. È evidente l'allusione alle commedie di Machiavelli.

[2] Cfr. *La sporta*, III, 4. Si parla delle donne che vogliono essere attrici: "elle fanno molto bene; ma le doverebbon fare quella di Messer Nicia o quella di Clizia se l'hanno a fare".

no, dove si trovava il podere del Fornaciaio, e dove era stata rappresentata la *Clizia*).

Matteo Bandello ci racconta come nel 1526 Machiavelli, trovandosi alla mensa di Giovanni dalle Bande Nere nel campo dei collegati nei pressi di Milano, e richiesto di rallegrare la brigata dopo cena, "con una delle sue piacevoli novelle", ne raccontò una in cui si parlava di un "inganno usato da una scaltrita donna al marito con una subita astuzia": un tema boccacciano che Bandello, a istanza di Giovanni de' Medici, redasse poi per iscritto (è la novella XL della Prima parte).

Si dirà nel commento della stima di Giovio e dei suoi amici napoletani per il "comico" fiorentino da poco scomparso: si ricordi il *Dialogus de viris litteris illustribus* (anteriore al 1530), nel quale conversano fra di loro Giovio, Muscettola e D'Avalos. Giovio, già vescovo di Nocera, si era rifugiato a Ischia dopo il Sacco di Roma del 1527 e qui si era incontrato appunto con gli amici napoletani e con loro si era intrattenuto a discorrere di letteratura contemporanea. Muscettola elogia la *Mandragola*, che riprende il vecchio teatro di Aristofane, e che narra di un ridevole vecchio – *"ridiculus senex"* – cupido di avere prole *"tam stolide quam sinistre"*, e si fa trasformare consenziente in una "curuca", l'uccello costretto a covare le uova del cuculo (cfr. E. Raimondi, *Machiavelli, Giovio e Aristofane*, cit., pp. 391-392).

Il XVII secolo sposta i suoi interessi e le sue reazioni polemiche soprattutto sul Machiavelli politico, nel contesto delle discussioni sulla "ragion di stato". Di conseguenza Machiavelli assurge a un livello internazionale.

Nel XVIII secolo riprende negli ambienti culturali europei l'interesse per il teatro machiavelliano. Interessanti soprattutto i giudizi estremamente elogiativi che Goldoni e Voltaire tributano alla *Mandragola*.[3]

---

[3] Goldoni lodò la *Mandragola* nei *Mémoires* (cfr. l'ediz. Mondadori, Milano 1935, I, p. 44). Pur biasimandone "l'intrigue scandaleuse" e la "lubricité", tuttavia "c'étoit la première piece de caractere qui m'étoit tombée sous les yeux, et j'en étoit enchanté". Ne discorse pure nella *Prefazione* al tomo VIII delle opere nell'edizione Pasquali, Venezia 1768 (cfr. ed. cit., I, p. 644: "La divorai la prima volta, la rilessi più volte, e non poteva saziarmi di leggerla [...] mi parea di riconoscere in quella commedia maravigliosa quell'arte, quella critica, quel sapore ch'io non aveva gustato

Nel XIX secolo, al di fuori dell'area rigorosamente romantica, spiccano i giudizi, parimenti elogiativi, di P.L. Ginguené e di S. de Sismondi, i quali, ovviamente riferendosi alla sola *Mandragola*, ne lodano l'amore della verità e la vivacità del dialogo.[4] È evidente che il primo Ottocento, ancora imbevuto di cultura illuministica, ha assorbito con disinvoltura gli anatemi lanciati contro il cattivo e blasfemo "segretario fiorentino" ed è ritornato a stimarne anche le opere letterarie. Non soltanto, ma l'Ottocento scopre i valori etico-sociali della teoria politica, della storiografia e delle opere comiche di lui (si pensi al Foscolo dei *Sepolcri*). Entro questo contesto si pongono i giudizi di Th. B. Macaulay e di A.W. Schlegel (in Italia la storia della drammaturgia di Schlegel si diffuse attraverso la traduzione che ne fece Gherardini).[5]

In Italia il grande iniziatore della letteratura critica su Machiavelli comico fu De Sanctis. Sotto le apparenze frivole della favola si nascondono "le più profonde combinazioni della vita interiore". D'altra parte vince chi sa meglio calcolare i fatti reali e meglio adeguarsi alla propria e all'altrui fortuna. Il meraviglioso, il soprannaturale sono detronizzati. Campeggiano il "carat-

nell'arte". Quanto a Voltaire (cfr. *Essai sur les mœurs et l'esprit des nations*, R. Pomeau, Paris 1963, II, pp. 209-210), egli rileva come anche la corte pontificia potesse dilettarsi, appunto perché "occupée d'intrigues et des plaisirs", e assorbire pacificamente "ce qui pouvait offenser la religion", concludendo alla fine: "la seule *Mandragore* vaut peut-etre que toutes les pièces d'Aristophane" (*ivi*, p. 168).

[4] P.L. Ginguené, *Histoire littéraire d'Italie* (1811-1818), Milano 1853, VI, pp. 204-222: "Rien de plus gai, de plus vif et de plus libre que le ton de cette comédie," la *Mandragola*, nella quale brilla "le véritable génie comique". Già imitata da La Fontaine, fu liberamente tradotta da I.B. Rousseau, Cfr. poi S. de Sismondi, *De la littérature du midi de l'Europe*, Paris 1813, II, p. 227: i cardini della *Mandragola* sono "vérité" e "mépris" ("son profond mépris pour toutes les faussetés, toutes les hypocrisies"). *Verité* e *mépris*: proprio le virtù machiavelliane esaltate dai romantici europei.

[5] Tuttavia Schlegel giudicò la *Mandragola* una commedia troppo realistica, e il traduttore di Schlegel, Giovanni Gherardini, commentava che essa non si sarebbe potuta più rappresentare nei tempi moderni. Cfr. A.G. Schlegel, *Corso di letteratura drammatica*, a cura di G. Gherardini, Milano 1844, p. 433. Sismondi e Schlegel influenzarono il giudizio di De Sanctis. Quanto a Th. B. Macaulay, il suo saggio su Machiavelli apparve nella "Edinburgh Review" nel marzo 1827, quale recensione alle *Œuvres complètes de Machiavel*, Paris 1825. Ne giudicò la *Mandragola* superiore alle commedie di Goldoni e soltanto inferiore alle migliori di Molière. Cfr. *Saggi sui grandi uomini politici*, Milano 1963, p. 52.

tere" e "l'azione". "Quello che Machiavelli è nella storia e nella politica, è ancora nell'arte." Tuttavia senti nella *Mandragola* più il grande osservatore e ritrattista che non il poeta (e qui è evidente il pregiudizio che la poesia stia nella lirica). Severo con Ligurio, un parassita preoccupato solo di rifornirsi la borsa e il ventre, De Sanctis pone al centro della commedia Nicia. Un grande carattere è anche Timoteo, il "precursore di Tartufo". Né manca nell'interpretazione di De Sanctis il giudizio etico: "Queste cose movevano indignazione in Germania e provocavano la Riforma. In Italia facevano ridere. E il primo a ridere era il papa. Quando un male diviene così sparso dappertutto e così ordinario che se ne ride, è cancrena, e non ha rimedio" (cfr. F. De Sanctis, *Storia della letteratura italiana*, ed. cit., II, p. 602).

Croce, Russo e Momigliano sono sulla linea desanctisiana. Croce rileva nella *Mandragola* "rassegnata chiaroveggenza" e non dichiarata nostalgia per una società di uomini virtuosi. È nota la domanda che si pone Croce: "E se poi la *Mandragola* avesse della tragedia?" Comunque, conclude, una mescolanza di farsa e di dramma con i sali, le facezie e i lazzi fiorentineschi. Croce confuta il giudizio negativo di De Sanctis che Machiavelli fosse soltanto un freddo osservatore della realtà umana che lo circondava: quel mondo egli lo guardava anzi con ribrezzo. Tuttavia poi Croce fa suo il principio desanctisiano che gli scrittori di teatro interessano appunto la storia del teatro e non l'intima vita poetica. Che la *Mandragola* fosse una tragedia impostata sul rifiuto sdegnoso del suo tempo affermano pure Attilio Momigliano e Giuseppe Toffanin.[6]

Luigi Russo rappresenta l'epicentro della critica storicistica: l'ispirazione realistica non vieta il distacco aristocratico dalla materia corrotta, la comicità aperta e chiassosa si disposa alla trascendentalità della visione etico-politica, perché la beffa è a suo modo una forma di riscatto pedagogico. Di qui un'attiva corrispondenza anche stilistica fra le opere storiche e politiche e quelle

[6] Cfr. Toffanin 1927, pp. 427-430 e Momigliano 1936, pp. 203-206. Momigliano rileva nella *Mandragola* un realismo lirico: "la materia sudicia è qui librata continuamente nell'atmosfera cristallina e immobile della poesia".

letterarie e d'invenzione di Machiavelli: soprattutto il suo discorso sempre "dilemmatico e forcuto" tende al drammatico.

Sempre su questa linea critica (De Sanctis-Croce-Russo) si attestano gli studi di Tommaso Parodi (1912-1913): in Machiavelli è "il senso politico e strategico" della vita, di Eugenio Levi (1927 e 1959), di Federico Chabod (1934 e 1964, studioso soprattutto del Machiavelli politico), di Guido Davico Bonino (1964), di Luigi Blasucci (1964), di Nino Borsellino (1974), di Mario Baratto (1975), di Franco Fido (1977) e di Gennaro Sasso, da anni studioso del pensiero politico di Machiavelli e più recentemente (1980) studioso della *Mandragola*. Ovviamente ciascuno studioso conduce una sua propria ricerca giungendo a un suo personale risultato, e ovviamente entro il metodo storicistico penetrano anche metodologie più recenti, strutturalistiche e sincroniche, o più scoperti interessi sociologici.

Vogliamo poi qui ricordare alcuni saggi estrosi o "stravaganti", come quelli di Riccardo Bacchelli (1960 e 1962) che identifica le opere politiche, storiche, d'invenzione entro un modello unitario; o di Alberto Moravia (1950 e 1964), confutabile ma comunque stimolante, perché riconduce l'arte di Machiavelli a "un esangue fondo etico", quasi nel contesto di una situazione decadentistica; o di Carlo Dionisotti che, fra i molti appunti, eruditi ma sagacissimi, dedicati alla *Mandragola*, ne pone in rilievo il congiungimento di due temi diversi: "è insieme commedia di inganno e di amore".[7]

Sulla linea critica politico-allegorica si allineano i saggi di Alessandro Parronchi e di Th. A. Sumberg.

Sulla linea strutturalistica si pongono gli studi di Giorgio Barberi Squarotti e di Luigi Vanossi. Questa linea si avvia per effuse affinità dal vecchio saggio di Adolfo Borgognoni del 1913, che ammette la presenza della società fiorentina nella *Mandragola*, ma soltanto come oggetto di rappresentazione disinteressata, senza interventi etici e ideologici di sorta (cfr. Borgognoni 1913). Barberi Squarotti (1966) afferma che le due commedie di Machiavelli presentano una struttura

[7] Cfr. Dionisotti 1984, p. 625.

"astratta", e cioè non soltanto il mondo comico è autonomo rispetto alla politica, ma è esso stesso "un esercizio distinto e calcolato, chiuso nei suoi strumenti interni", cioè nelle sue strutture neutrali, quali gli schematismi perfetti delle sentenze, i pronomi generalizzanti, le esplicazioni causali, le forme consecutive, e così via: strutture appunto e modelli formali. Il calcolo ben realizzato, la strategia ben condotta fanno delle commedie altrettanti sistemi logici perfetti, nei quali nulla c'è di imprevedibile e di imprevisto. A questa ingegneria dell'intelligenza appartiene un linguaggio che tende alla sistemazione formale delle modalità dell'agire, dunque un parlato colto, tranne il gergo basso di Nicia.

Vanossi approfondisce il passaggio dalla *Mandragola* alla *Clizia*, così come altri ha studiato, nel campo della prosa politica, il passaggio dal *Principe* ai *Discorsi*. Ma soprattutto ci sembra che a Vanossi interessi la "costruzione teatrale", cioè la natura mobile del discorso comico-drammatico, "che si snoda per nessi e articolazioni secondo strutture di corrispondenza",[8] pur molto concedendo alle divaricazioni dei personaggi e dei loro linguaggi, al continuo arduo gioco fra le esigenze della struttura e le istanze della realtà.

A mezza via tra la linea critica tradizionale e la strutturalistica si pongono gli studi pure importanti di Ezio Raimondi e di Giulio Ferroni. Raimondi, a prescindere dal ricco corredo di notizie erudite e dai suggerimenti illuminanti su analogie e traversamenti testuali, come è sua consuetudine di studioso, sostanzialmente riconduce alla forza trainante degli eventi tutte le componenti strutturali e stilistiche: le trasposizioni semantiche, le ristrutturazioni del discorso, il dispetto e il "dir male" della *Mandragola*, le alternanze degli affetti amorosi e di quelli dissacranti e beffardi, dedicando pure un vasto articolato discorso alla *Clizia* (essa "cerca subito la propria legittimazione nella poetica umanisti-

---

[8] Cfr. Vanossi 1970, pp. 51-56. E a p. 61, a proposito della *Clizia*: "la traduzione libera [...] coinvolge le strutture profonde della rappresentazione, l'articolazione interna delle situazioni e dei personaggi, e investe i contenuti storici ed etici del dramma, affrontando l'antitesi tra mondo classico e società cristiana".

ca della 'imitatio', ovviamente concedendole alta dignità letteraria").[9]

Ferroni (1972) intende definire e illustrare il perfetto equilibrio nel teatro di Machiavelli fra il grave e il comico, fra la concezione dell'immobilità della natura umana (presupposto naturalistico) e una psicologia di movimento (l'uomo sa essere se stesso e il suo proprio contrario), il che implica tutta una vicenda intrecciata e complessa di "mutazioni" e di "riscontri", in quanto il savio esige il proprio contrario, il pazzo, e la razionalità comporta necessariamente l'irrazionalità. Perciò i personaggi comici di Machiavelli "si presentano ricchi di connotazioni sociologiche e di rimandi a dimensioni di ambiente e di costume".[10]

Gli studi linguistici più illuminanti e tenaci sulla lingua teatrale di Machiavelli, in rapporto anche alle altre prose e alle affermazioni teoriche del *Discorso o dialogo intorno alla nostra lingua* li ha condotti in un ampio giro di anni (1952-1974) Fredi Chiappelli.

Al di fuori delle ricerche filologico-testuali, Roberto Ridolfi ha condotto ampie e ricche ricerche storiche ed erudite sul teatro di Machiavelli tra gli anni 1962 e 1968 e ha affiancato alle famose biografie di Pasquale Villari (1882) e di Oreste Tommasini (1911) la sua *Vita di Niccolò Machiavelli* (1954).

Quanto alla fortuna teatrale di Machiavelli, essa fu, come si è visto, assai intensa nel Cinquecento, poi nei secoli successivi si venne spegnendo, per risorgere abbastanza vigorosamente nel nostro secolo. Ovviamente non era possibile ridare vita e vitalità ai contenuti sociopolitici delle commedie machiavelliane, ma interessò ai nostri registi la pura teatralità con le sue possibilità scenografiche e recitative. Ovviamente fu rappresentata quasi esclusivamente la *Mandragola*. La rappresentazione romana del 1953 (regista Lucio Lucignani, Sergio Tofano nelle vesti di Nicia) suscitò ostilità fra i cattolici più retrivi e la borghesia ideologicamente reazionaria o prevenuta. Abolita la censura teatrale nel 1962 si ebbe una vigorosa fioritura del teatro cinquecentesco (*Il candelaio* di Bruno, *Gli ingannati* degli Intronati di

[9] Cfr. Raimondi 1972.
[10] Cfr. Ferroni 1972, p. 67.

Siena, la *Calandria* del Bibbiena, *La cortigiana* dell'Aretino, anche la nostra *Clizia* nel 1970 a opera di Roberto Guicciardini nel repertorio della Compagnia della Rocca). Tra gli anni sessanta e settanta il favore delle compagnie, dei registi e del pubblico si orientò di preferenza sul rusticale e sul popolare (*La Venexiana* di anonimo, le farse del *Ruzzante* ecc.), tuttavia la *Mandragola* è ritornata ad affiorare negli anni ottanta.

Nota ai testi

Mandragola

Sino al 1965 tutte le edizioni della *Mandragola* riprodussero l'*editio princeps* fiorentina (senza data e senza indicazione tipografica), risalente, a giudizio di Ridolfi – giudizio poi più o meno convalidato dagli studiosi – al 1518.[1] Questa edizione a stampa, siglata F, è da giudicarsi tutt'altro che corretta, nonostante il parere più ottimistico di Gerber, ma comunque sembra sia stata autorizzata dall'autore. Le edizioni immediatamente successive (Venezia 1522, Roma 1524, Cesena 1526) riprodussero fedelmente F, salvo che la romana e la cesenate ricuperarono il titolo corretto, e cioè invece dell'arbitrario *Comedia di Callimaco et di Lucretia* il titolo designato dall'autore nel *Prologo, Comedia facetissima intitolata Mandragola et recitata in Firenze.*

Nel 1965 Roberto Ridolfi, il tenace studioso fiorentino delle opere di Machiavelli, scoperse nella Biblioteca Medicea Laurenziana di Firenze il codice Rediano 129, siglato R, e subito ne diede notizia nel "Corriere della sera" il 15 aprile dello stesso anno.[2] È questo il primo documento che ci conferma la paternità della *Mandragola*: "Jesus 1519 - Comedia facta per Niccholò Machiavegli". La scrittura del codice "è corsiva, piuttosto grande, chiara, svelta, nervosa", e il copista, non dotto umanista, né neppure mercante, si dimostra "abbastanza scrupoloso e attento a correggere anche sviste di pochissima importanza" (cfr. l'*Introduzione* all'edizione fiorentina del 1965, p. 33).

Ridolfi accertò che R non dipende da F. R ci fornisce dun-

---

[1] Che la città della stampa fosse Firenze è testimoniato dall'arma medicea incisa sul frontespizio.

[2] Il codice contiene quasi integralmente le opere di Lorenzo il Magnifico, e alle carte 110 r - 131 r tutto il testo della *Mandragola*.

que, accanto a guasti ed errori facilmente espungibili, lezioni corrette e lacune ricolmate rispetto a F. Accertò poi che né le parole restituite da R sono da giudicarsi interpolazioni, né le lacune di F sono dovute a cancellature dell'autore, anche perché in generale le omissioni in F sono per omeoteleuto, tanto più che Machiavelli non aveva potuto o non si era preoccupato di correggere la stampa. Poiché tanto F quanto R recano la lezione "spade" per "Spano" (II, 2), questo significa che i due copisti (della copia che andò alla stampa e della copia R) ebbero sott'occhio due copie dell'autografo abbastanza simili e che ambedue risolsero la locuzione proverbiale "gli Ungeri nello Spano" (che Ridolfi ritiene la lezione esatta), ritenuta difficile o comunque da loro non conosciuta, nella *lectio facilior* "spade".

A Roberto Ridolfi si rimproverò da diversi studiosi ed editori della *Mandragola* di aver contaminato fra di loro due testimoni o redazioni diacroniche della commedia, mentre avrebbe dovuto optare per l'uno o l'altro dei due, ricorrendo alla redazione rifiutata soltanto in caso di errore manifesto. Roberto Tissoni, al quale si deve l'intervento più impegnativo, suggerisce come primaria la tradizione ms. testimoniata da R, nella quale sarebbero confluiti ben 21 interventi testuali dell'autore (cfr. Tissoni 1966). A questo suggerimento si oppose Ridolfi (cfr. Ridolfi 1968): egli ammetteva che nella tradizione manoscritta della *Mandragola* erano presenti varianti d'autore, ma anche affermava che la seconda redazione ci era stata trasmessa da F.

È evidente che gli editori venuti dopo il 1965 abbiano adottato il testo procurato da Ridolfi, salvo qualche variante (per esempio nuove proposte editoriali ha avanzato Giorgio Inglese). L'ultimo editore (di tutte le opere di Machiavelli) Mario Martelli, dopo aver collazionato le due redazioni autografe dell'*Andria*, è giunto alla convinzione, partecipata pure da Ridolfi, che il portatore della redazione della commedia sia F, al cui testo egli si è attenuto, intervenendo su F soltanto nel caso di evidenti errori e lacune, in questo caso, dove possibile e consigliabile, valendosi di R. Perciò ha lasciato la lezione "gli Ungheri nelle spade", perché, presumibilmente, autorizzata dall'autore e presente anche in R. Due importanti emendazioni sono quelle in I, 1 e II, 6. In I, 1 Martelli ha adottato F nella lezione "io credo che tu ti maravigliassi", ma ha anche aggiunto *assai* della R, congetturando che per aplografia la F abbia arbitrariamente ridotto al solo *assai* di "maravigliassi" il "tu ti maravigliassi assai" di R. In II, 6 Martelli emenda tanto F quanto R ("Tu, io, e danari, la cattività nostra, loro"), trasferendo il *tu* alla battuta precedente di Callimaco ("Chi disporrà el confessoro, tu?").

Quanto alla grafia le due redazioni F e R alternano dati ortografici più o meno vicini alle consuetudini documentate dai mss. autografi che ci sono rimasti di Machiavelli. Comunque non insisteremo sulla grafia perché è consuetudine degli editori moderni di ammodernarla per rendere la lettura dei testi antichi più agevole ai lettori moderni.[3]

Il nostro testo riproduce il testo procurato da Mario Martelli.

Clizia

Il testo della *Clizia*, come è stato edito da G. Mazzoni per l'edizione fiorentina del 1929, si fondava sulle testimonianze del ms. Riccardiano 2824 (R) e del ms. Boncompagni-Ludovisi Co. F. II della Biblioteca Apostolica Vaticana (B), e di una stampa, *Commedia facetissima di Clitia composta per lo ingegnioso huomo Niccolò Machiavelli fiorentino, nuovamente stampata*, Firenze 1537 (F). Nel 1958 Beatrice Corrigan scopriva nel Colchester and Essex Museum un nuovo ms. della commedia (C) (cfr. Corrigan 1961). Ridolfi (cfr. Ridolfi 1967) ritenne che il ms. Colchester derivasse non dall'autografo (A), ma da un apografo (A¹), e comunque giudicò quel ms. "la testimonianza più vicina all'autografo" (pp. 153-154). Perciò Ridolfi suggerì di approntare una nuova edizione della *Clizia*, valorizzando al massimo il nuovo codice.

Ora lezioni diverse sono equamente distribuite fra i tre codici R, B e C e la stampa F. A produrre un quadro come questo hanno contribuito casi di poligenesi e di trasmissione orizzontale, che hanno immesso nella tradizione lezioni sospette; ma soprattutto ha contribuito il fatto che i copisti o i capocomici o gli attori correggessero congetturalmente e spesso arbitrariamente un archetipo (non diciamo autografo) già guasto.

Mario Martelli a sua volta sostiene l'autorevolezza del codice B, il quale, come tutti gli altri codici, presenta errori, lacune e manomissioni diverse, e per di più presenta soprattutto sul piano ortografico un'evidente patina senese; e pur tuttavia si presenta con ogni probabilità arricchito di varianti d'autore. Per esempio la lezione tradizionale reca (*Prologo*): "Le parole, che fanno ridere, sono o sciocche, o iniuriose, o amorose; è necessario, pertanto, rappresentare persone sciocche, o malediche, o innamorate". Ridolfi, di fronte alla lezione del codice B ("è necessario adunque rappresentare perso-

---

[3] Comunque si può cfr. P. Ghiglieri, *La grafia del Machiavelli studiata negli autografi*, Firenze 1969.

ne sciocche o maledetiche o ingiuriose o innamorate") sostene-
va che *ingiuriose* fosse un vocabolo interpolato per ragioni di
simmetria, mentre Martelli congettura che le due lezioni, *malediche* e *ingiuriose*, fossero due varianti d'autore proposte da
lui momentaneamente in alternativa. E del resto di questo
sdoppiamento Martelli ha trovato un altro caso in II, 4. Dunque due codici di pari autorevolezza, i codici B e C.

Secondo Martelli l'archetipo sarebbe rappresentato da
una minuta autografa, ossia da un capostipite collettore di
varianti. A questo punto, per evitare un massiccio sistema di
contaminazioni fra codice e codice, Martelli ha scelto per la
sua edizione, del resto da lui giudicata provvisoria, il testo del
codice C come il più fedele all'antigrafo (o alla minuta autografa). Compilato nel 1526, pochi mesi dopo la composizione
della *Clizia*, forse commissionato dallo stesso Machiavelli, o
da un amico, e offerto in dono a Lorenzo Ridolfi in occasione
delle sue nozze con Maria Strozzi, redatto da uno dei più celebri copisti dell'epoca, Ludovico Arrighi, detto il Vicentino,
che si sforzò di riprodurre la grafia machiavelliana, questo
codice conserva molte lezioni in coppia con B e una ricca
messe di varianti e correzioni d'autore. In verità il testo procurato da Martelli è il testo C corroborato dal testo B, e dunque qualche contaminazione è stata inevitabile. Mentre vengono emarginati F e R, che costituiscono una famiglia a sé e
appaiono congiunti da non pochi casi di varianti e di lacune.

Martelli si è mantenuto nel solco aperto da Ridolfi (cfr.
M. Martelli, *Nota al testo*, in *Tutte le opere di Niccolò Machiavelli*, Sansoni, Firenze 1961, pp. LVII-LX). Quanto al minuzioso
e diligente contributo di Daria Perocco, esso sposta il testo
della futura edizione critica della *Clizia* sulla testimonianza
di B (cfr. Perocco 1979, pp. 15-37).

MANDRAGOLA

Personaggi

CALLIMACO
SIRO
MESSER NICIA
LIGURIO
SOSTRATA
FRATE TIMOTEO
UNA DONNA
LUCREZIA

Canzone [1]

da dirsi innanzi alla commedia,
cantata da ninfe e pastori insieme

Perché la vita è brieve
e molte son le pene
che vivendo e stentando ognun sostiene;
dietro alle nostre voglie,
andiam passando e consumando gli anni,
ché chi il piacer si toglie
per viver con angosce e con affanni,
non conosce gli inganni
del mondo; o da quai mali
e da che strani casi
oppressi quasi – sian tutti i mortali.
Per fuggir questa noia,
eletta solitaria vita abbiamo,[2]
e sempre in festa e in gioia
giovin' leggiadri [3] e liete Ninfe stiamo.
Or qui venuti siamo
con la nostra armonia,[4]
sol per onorar questa
sì lieta festa – e dolce compagnia.
Ancor ci ha qui condutti
il nome di colui che vi governa,[5]
in cui si veggon tutti
i beni accolti in la sembianza eterna.[6]
Per tal grazia superna,
per sì felice stato,
potete lieti stare,
godere e ringraziare – chi ve lo ha dato.[7]

governatore di toscana

Prologo [1]

Idio vi salvi, benigni auditori,
quando e' par che dependa
questa benignità da lo esser grato.[2] *(gradito)*
Se voi seguite di non far romori,
noi vogliàn che s'intenda
un nuovo caso in questa terra [3] nato.
Vedete l'apparato,[4] *la scena*
qual or vi si dimostra:
quest'è Firenze vostra,
un'altra volta sarà Roma o Pisa,[5]
cosa da smascellarsi delle risa.

Quello uscio, che mi è qui in sulla man ritta,
la casa è d'un dottore,
che imparò in sul Buezio [6] legge assai;
quella via, che è colà in quel canto fitta,[7]
è la via dello Amore,
dove chi casca non si rizza mai;
conoscer poi potrai
a l'abito d'un frate [8]
qual priore o abate
abita el tempio che all'incontro è posto,[9]
se di qui non ti parti troppo tosto.

Un giovane, Callimaco Guadagno,
venuto or da Parigi,
abita là, in quella sinistra porta.
Costui, fra tutti gli altri buon compagno,[10]
a' segni ed a' vestigi [11]
l'onor di gentilezza e pregio porta.[12]
Una giovane accorta
fu da lui molto amata,
e per questo ingannata,
fu, come intenderete, ed io vorrei
che voi fussi ingannate come lei.[13]

La favola, "Mandragola" si chiama [14]:
la cagion voi vedrete
nel recitarla, com'i' m'indovino.[15]
Non è il componitor di molta fama;
pur, se vo' non ridete,
egli è contento di pagarvi il vino.
Un amante meschino,

92

un dottor poco astuto,
un frate mal vissuto,
un parassito, di malizia il cucco,[16]
fie questo giorno el vostro badalucco.[17]   *passatempo*
    E, se questa materia non è degna,
per esser pur leggieri,
d'un uom, che voglia parer saggio e grave,
scusatelo con questo, che s'ingegna
con questi van' pensieri
fare el suo tristo tempo[18] più suave,
perché altrove non have
dove voltare el viso,[19]
ché gli è stato interciso[20] *vietato*
mostrar con altre imprese altra virtùe,
non sendo premio alle fatiche sue.
    El premio che si spera[21] è che ciascuno
si sta da canto e ghigna,
dicendo mal di ciò che vede o sente.
Di qui depende, sanza dubbio alcuno,
che per tutto traligna
da l'antica virtù el secol presente,[22]
imperò che la gente,
vedendo ch'ognun biasma,
non s'affatica e spasma,
per far con mille sua disagi un'opra,
che 'l vento guasti o la nebbia ricuopra.[23]
    Pur, se credessi alcun, dicendo male,
tenerlo pe' capegli,   *o capelli?*
e sbigottirlo o ritirarlo in parte,
io l'ammonisco, e dico a questo tale
che sa dir male[24] anch'egli,
e come questa fu la suo prim'arte,
e come in ogni parte
del mondo, ove el "sì" sona,[25]
non istìma persona,
ancor che facci sergieri[26] a colui,
che può portar miglior mantel che lui.
    Ma lasciam pur dir male a chiunque vuole.[27]
Torniamo al caso nostro,
acciò che non trapassi troppo l'ora.
Far conto non si de' delle parole,
né stimar qualche mostro,[28]   *sciocco*

che non sa forse s' e' s'è vivo ancora.
Callimaco esce fuora
e Siro con seco ha,
suo famiglio, e dirà
l'ordin di tutto. Stia ciascuno attento,
né per ora aspettate altro argumento.[29]

ATTO PRIMO

Scena prima

CALLIMACO, SIRO

CALLIMACO   Siro, non ti partire, io ti voglio un poco.[1]

SIRO   Eccomi.

CALLIMACO   Io credo che tu ti maravigliassi assai[2] della mia sùbita partita da Parigi; ed ora ti maraviglierai, sendo io stato qui già un mese sanza fare alcuna cosa.

SIRO   Voi dite el vero.

CALLIMACO   Se io non ti ho detto infino a qui quello che io ti dirò ora, non è stato per non mi fidare di te, ma per iudicare[3] che le cose che l'uomo vuole non si sappino, sia bene non le dire, se non forzato. Pertanto, pensando io di potere avere bisogno della opera tua, ti voglio dire el tutto.

SIRO   Io vi sono servidore: e servi non debbono mai domandare el padrone d'alcuna cosa, né cercare[4] alcuno loro fatto, ma quando per loro medesimi le dicano, debbono servirgli con fede; e così ho fatto e sono per fare io.

CALLIMACO   Già lo so. Io credo che tu mi abbi sentito dire mille volte, ma e' non importa che tu lo intenda mille una,[5] come io avevo dieci anni quando da e mia tutori, sendo mio padre e mia madre morti, io fui mandato a Parigi, dove io sono stato venti anni. E perché in capo de' dieci cominciorono, per la pas-

sata del re Carlo,[6] le guerre in Italia, le quali ruino-
rono quella provincia,[7] delibera'mi di vivermi a Parigi e non mi ripatriare mai, giudicando potere in
quel luogo vivere più sicuro che qui.

SIRO   Egli è così.

CALLIMACO   E commesso di qua che[8] fussino venduti
tutti e mia beni, fuora che la casa, mi ridussi a vivere quivi, dove sono stato dieci altri anni con una felicità grandissima...

SIRO   Io lo so.

CALLIMACO   ...avendo compartito el tempo parte alli
studii, parte a' piaceri, e parte alle faccende; ed in
modo mi travagliavo in ciascuna di queste cose, che
l'una non mi impediva la via dell'altra. E per questo,
come tu sai, vivevo quietissimamente, giovando a
ciascuno, ed ingegnandomi di non offendere persona: talché mi pareva essere grato a' borghesi, a' gentiluomini, al forestiero, al terrazzano, al povero ed
al ricco.[9]

SIRO   Egli è la verità.

CALLIMACO   Ma, parendo alla Fortuna che io avessi
troppo bel tempo, fece che e' capitò a Parigi uno
Cammillo Calfucci.

SIRO   Io comincio a 'ndovinarmi del male vostro.

CALLIMACO   Costui, come li altri fiorentini, era spesso
convitato da me; e, nel ragionare insieme, accadde
un giorno che noi venimo in disputa dove erano più
belle donne, o in Italia o in Francia.[10] E perché io
non potevo ragionare delle italiane, sendo sì piccolo
quando mi parti', alcuno altro fiorentino, che era
presente, prese la parte franzese, e Cammillo la italiana; e, dopo molte ragione assegnate da ogni parte,
disse Cammillo, quasi che irato, che, se[11] tutte le
donne italiane fussino monstri, che una sua parente
era per riavere[12] l'onore loro.

SIRO   Io sono or chiaro di quello che voi volete dire.

CALLIMACO   E nominò madonna Lucrezia, moglie di
messer Nicia Calfucci: alla quale e' dètte tante laude e
di bellezza e di costumi, che fece restare stupidi qualunque di noi, ed in me destò tanto desiderio di vederla, che io, lasciato ogni altra deliberazione, né
pensando più alle guerre o alle pace d'Italia, mi messi

a venire qui.[13] Dove arrivato, ho trovato la fama di madonna Lucrezia essere minore assai che la verità,[14] il che occorre rarissime volte, e sommi acceso in tanto desiderio d'esser seco, che io non truovo loco.

SIRO   Se voi me n'avessi parlato a Parigi, io saprei che consigliarvi; ma ora non so io che mi vi dire.

CALLIMACO   Io non ti ho detto questo per voler tua consigli, ma per sfogarmi in parte, e perché tu prepari l'animo adiutarmi, dove el bisogno lo ricerchi.[15]

SIRO   A cotesto son io paratissimo, ma che speranza ci avete voi?

CALLIMACO   Ehimè! nessuna.

SIRO   O perché?

CALLIMACO   Dirotti.[16] In prima mi fa guerra la natura di lei, che è onestissima ed al tutto aliena dalle cose d'amore, l'avere el marito ricchissimo, e che al tutto si lascia governare da lei,[17] e, se non è giovane, non è al tutto vecchio, come pare; non avere parenti o vicini, con chi ella convenga ad alcuna vegghia[18] o festa o ad alcuno altro piacere, di che si sogliono dilettare le giovane. Delle persone meccaniche[19] non gliene càpita a casa nessuna; non ha fante né famiglio, che non triemi di lei: in modo che non c'è luogo ad alcuna corruzione.

SIRO   Che pensate, adunque, di poter fare?

CALLIMACO   E' non è mai alcuna cosa sì disperata, che non vi sia qualche via da poterne sperare,[20] e benché la fussi debole e vana, e la voglia e 'l desiderio, che l'uomo ha di condurre la cosa, non la fa parere così.

SIRO   Infine, e che vi fa sperare?

CALLIMACO   Dua cose: l'una, la semplicità[21] di messer Nicia, ché, benché sia dottore, egli è el più semplice ed el più sciocco uomo di Firenze; l'altra, la voglia che lui e lei hanno d'avere figliuoli, che, sendo stata sei anni a marito e non avendo ancora fatti, ne hanno, sendo ricchissimi, un desiderio che muoiono. Una terza ci è, che la sua madre è suta buona compagna,[22] ma la è ricca, tale che io non so come governarmene.

SIRO   Avete voi per questo tentato per ancora cosa alcuna?

CALLIMACO   Sì ho, ma piccola cosa.

SIRO   Come?

CALLIMACO   Tu conosci Ligurio,[23] che viene continuamente a mangiar meco. Costui fu già sensale di matrimoni, dipoi s'è dato a mendicare cene e desinari; e perché gli è piacevole uomo, messer Nicia tiene con lui una stretta dimestichezza, e Ligurio l'uccella,[24] e benché non lo meni a mangiare seco, li presta alle volte danari. Io me l'ho fatto amico, e gli ho comunicato el mio amore: lui m'ha promesso d'aiutarmi con le mane e co' piè.[25] *con ogni forza*

SIRO   Guardate e' non v'inganni: questi pappatori[26] non sogliono avere molta fede.

CALLIMACO   Egli è el vero. Nondimeno, quando una cosa fa per uno,[27] si ha a credere, quando tu gliene communichi, che ti serva con fede. Io gli ho promesso, quando e' riesca, donarli buona somma di danari; quando e' non riesca,[28] ne spicca un desinare ed una cena, ché ad ogni modo i' non mangerei solo.

SIRO   Che ha egli promesso, insino a qui, di fare?

CALLIMACO   Ha promesso di persuadere a messer Nicia che vada con la sua donna al bagno[29] in questo maggio.

SIRO   Che è a voi cotesto?[30]

CALLIMACO   Che è a me! Potrebbe quel luogo farla diventare d'un'altra natura, perché in simili lati non si fa se non festeggiare,[31] ed io me n'andrei là, e vi condurrei di tutte quelle ragion' piaceri che io potessi, né lascerei indrieto alcuna parte di magnificenzia; fare'mi familiar suo, del marito... che so io? Di cosa nasce cosa, e 'l tempo la governa.

SIRO   E' non mi dispiace.

CALLIMACO   Ligurio si partì questa mattina da me, e disse che sarebbe con messer Nicia sopra questa cosa,[32] e me ne risponderebbe.

SIRO   Eccoli di qua insieme.

CALLIMACO   Io mi vo' tirare[33] da parte, per essere a tempo a parlare con Ligurio, quando si spicca dal dottore. Tu intanto, ne va' in casa alle tue faccende; e, se io vorrò che tu faccia cosa alcuna, io tel dirò.

SIRO   Io vo.

Scena seconda

MESSER NICIA, LIGURIO

NICIA Io credo ch'e tua consigli sien buoni, e parla'ne iersera alla donna[1]: disse che mi risponderebbe oggi; ma, a dirti el vero, io non ci vo di buone gambe.

LIGURIO Perché?

NICIA Perché io mi spicco mal volentieri da bomba,[2] dipoi, ad avere a travasare moglie, fante, masserizie, ella non mi quadra. Oltr'a questo, io parlai iersera a parecchi medici: l'uno dice che io vadia a San Filippo, l'altro alla Porretta, e l'altro alla Villa; e' mi parvono parecchi uccellacci[3]; e a dirti el vero, questi dottori di medicina non sanno quello che si pescano.

LIGURIO E' vi debbe dar briga,[4] quello che voi dicesti prima, perché voi non sete uso a perdere la Cupola di veduta.[5]

NICIA Tu erri. Quando io ero più giovane, io sono stato molto randagio: e' non si fece mai la fiera a Prato, che io non vi andassi; e' non c'è castel veruno all'intorno, dove io non sia stato; e ti vo' dir più la: io sono stato a Pisa ed a Livorno, o va'!

LIGURIO Voi dovete avere veduto la carrucola di Pisa.[6]

NICIA Tu vuo' dire la Verucola.[7]

LIGURIO Ah! sì, la Verucola. A Livorno, vedesti voi el mare?

NICIA Ben sai che io il vidi!

LIGURIO Quanto è egli maggior che Arno?

NICIA Che Arno? Egli è per quattro volte, per più di sei, per più di sette, mi farai dire: e' non si vede se non acqua, acqua, acqua.[8]

LIGURIO Io mi maraviglio, adunque, avendo voi pisciato in tante neve,[9] che voi facciate tanta difficoltà d'andare ad uno bagno.

NICIA Tu hai la bocca piena di latte.[10] E' ti pare a te una favola avendo a sgominare[11] tutta la casa? Pure, io ho tanta voglia d'aver figliuoli, che io son per fare ogni cosa. Ma parlane un po' tu con questi maestri,[12]

99

vedi dove e' mi consigliassino che io andassi; ed io
sarò intanto con la donna, e ritroverrenci.

LIGURIO   Voi dite bene.

Scena terza

LIGURIO, CALLIMACO

LIGURIO   Io non credo che sia nel mondo el più sciocco
uomo di costui; e quanto la Fortuna lo ha favorito!
Lui ricco, lei bella donna, savia, costumata, ed atta a
governare un regno.[1] E parmi che rare volte si verifichi quel proverbio ne' matrimoni, che dice: "Dio fa
gli uomini, e' s'appaiono"; perché spesso si vede uno
uomo ben qualificato sortire una bestia, e, per avverso, una prudente donna avere un pazzo.[2] Ma della pazzia di costui se ne cava questo bene, che Callimaco ha che sperare. – Ma eccolo. Che vai tu appostando,[3] Callimaco?

CALLIMACO   Io t'avevo veduto col dottore, ed aspettavo
che tu ti spiccassi da lui, per intendere quello avevi
fatto.

LIGURIO   Egli è uno uomo della qualità che tu sai, di
poca prudenzia, di meno animo, e partesi mal volentieri da Firenze; pure, io ce l'ho riscaldato: e' mi
ha detto infine che farà ogni cosa; e credo che, quando e' ti piaccia questo partito, che noi ve lo condurreno; ma io non so se noi ci fareno el bisogno nostro.

CALLIMACO   Perché?

LIGURIO   Che so io? Tu sai che a questi bagni va d'ogni
qualità gente, e potrebbe venirvi uomo a chi madonna Lucrezia piacessi come a te, che fussi ricco più di
te, che avessi più grazia di te: in modo che[4] si porta
pericolo di non durare[5] questa fatica per altri, e che
c'intervenga che la copia de' concorrenti la faccino
più dura, o che, dimesticandosi,[6] la si volga ad un altro e non a te.

CALLIMACO   Io conosco che tu di' el vero. Ma come ho a

fare? Che partito ho a pigliare? Dove mi ho a volgere? A me bisogna tentare qualche cosa, sia grande, sia periculosa, sia dannosa, sia infame. Meglio è morire che vivere così. Se io potessi dormire la notte, se io potessi mangiare, se io potessi conversare, se io potessi pigliare piacere di cosa veruna, io sarei più paziente ad aspettare el tempo; ma qui non c'è rimedio; e, se io non sono tenuto in speranza da qualche partito, i' mi morrò in ogni modo; e, veggendo d'avere a morire, non sono per temere cosa alcuna, ma per pigliare qualche partito bestiale, crudele, nefando.

LIGURIO   Non dire così, raffrena cotesto impeto dello animo.

CALLIMACO   Tu vedi bene che, per raffrenarlo, io mi pasco di simili pensieri. E però è necessario o che noi seguitiamo di mandare costui al bagno, o che noi entriano per qualche altra via, che mi pasca d'una speranza, se non vera, falsa almeno, per la quale io nutrisca un pensiero, che mitighi in parte tanti mia affanni.

LIGURIO   Tu hai ragione, ed io sono per farlo.

CALLIMACO   Io lo credo, ancora che io sappia che e pari tuoi vivino di uccellare [7] li uomini. Nondimanco, io non credo essere in quel numero, perché, quando tu el facessi ed io me ne avvedessi, cercherei valermene, [8] e perderesti per ora l'uso della casa mia, e la speranza di avere quello che per lo avvenire t'ho promesso.

LIGURIO   Non dubitare della fede mia, ché, quando e' non ci fussi l'utile che io sento e che io spero, e' c'è che 'l tuo sangue si confà col mio, [9] e desidero che tu adempia questo tuo desiderio presso a quanto [10] tu. Ma lasciamo ir questo. El dottore mi ha commesso che io truovi un medico, e intenda a quale bagno sia bene andare. Io voglio che tu faccia a mio modo, e questo è che tu dica di avere studiato in medicina, e che abbi fatto a Parigi qualche sperienzia: lui è per crederlo facilmente per la semplicità sua, e per essere tu litterato e poterli dire qualche cosa in gramatica. [11]

CALLIMACO   A che ci ha a servire cotesto?

LIGURIO   Serviracci a mandarlo a qual bagno noi vorreno,[12] ed a pigliare qualche altro partito che io ho
pensato, che sarà più corto, più certo, più riuscibile
che 'l bagno.

CALLIMACO   Che di' tu?

LIGURIO   Dico che, se tu arai animo e se tu confiderai in
me, io ti do questa cosa fatta, innanzi che sia domani questa otta.[13] E quando e' fussi uomo che non è,
da ricercare se tu se' o non se' medico, la brevità del
tempo, la cosa in sé farà o che non ne ragionerà o
che non sarà a tempo a guastarci el disegno, quando
bene e' ne ragionassi.

CALLIMACO   Tu mi risuciti.[14] Questa è troppa gran promessa, e pascimi di troppa gran speranza. Come farai?

LIGURIO   Tu el saprai, quando e' fia tempo; per ora non
occorre che io te lo dica, perché el tempo ci mancherà a fare, nonché dire.[15] Tu, vanne in casa, e quivi
m'aspetta,[16] ed io andrò a trovare el dottore, e, se io
lo conduco a te, andrai seguitando el mio parlare ed
accomodandoti a quello.

CALLIMACO   Così farò, ancora che tu mi riempia d'una
speranza, che io temo non se ne vadia in fumo.

Canzone [1]
dopo il primo atto

Chi non fa prova, Amore,
della tua gran possanza, indarno spera
di far mai fede vera [2]
qual sia del cielo il più alto valore;
né sa come si vive, insieme, e muore,
come si segue [3] il danno e 'l ben si fugge,
come s'ama se stesso
men d'altrui, come spesso
timore e speme i cori adiaccia e strugge [4];
né sa come ugualmente uomini e dèi
paventan l'arme di che armato sei.

ATTO SECONDO

Scena prima

LIGURIO, MESSER NICIA, SIRO

LIGURIO Come io vi ho detto, io credo che Iddio ci abbia mandato costui,[1] perché voi adempiate el desiderio vostro. Egli ha fatto a Parigi esperienzie grandissime; e non vi maravigliate se a Firenze e' non ha fatto professione dell'arte,[2] che n'è suto cagione, prima, per essere ricco, secondo, perché egli è ad ogni ora per tornarsi a Parigi.

NICIA Ormai, frate sì, cotesto bene importa; perché io non vorrei che mi mettessi in qualche lecceto,[3] e poi mi lasciassi in sulle secche.

LIGURIO Non dubitate di cotesto; abbiate solo paura che non voglia pigliare questa cura[4]; ma, se la piglia, e' non è per lasciarvi infino che non ne veda el fine.

NICIA Di cotesta parte[5] io mi vo' fidare di te, ma della scienzia io ti dirò bene io, come io gli parlo, s'egli è uomo di dottrina, perché a me non venderà egli vesciche.[6]

LIGURIO E perché io vi conosco, vi meno io a lui, acciò li parliate. E se, parlato li avete, e' non vi pare per presenzia, per dottrina, per lingua uno uomo da metterli il capo in grembo,[7] dite che io non sia desso.

NICIA Or sia, al nome dell'Agnol santo! Andiamo. Ma dove sta egli?

LIGURIO   Sta in su questa piazza, in quello uscio che voi vedete al dirimpetto a noi.[8]

NICIA   Sia con buona ora. Picchia.

LIGURIO   Ecco fatto.

SIRO   Chi è?

LIGURIO   Èvi Callimaco?

SIRO   Sì, è.

NICIA   Che non di' tu "maestro Callimaco"?[9]

LIGURIO   E' non si cura di simil' baie.

NICIA   Non dir così, fa' 'l tuo debito, e, s'e' l'ha per male, scingasi![10]

Scena seconda

CALLIMACO, MESSER NICIA, LIGURIO

CALLIMACO   Chi è quel che mi vuole?

NICIA   Bona dies, domine magister.[1]

CALLIMACO   Et vobis bona, domine doctor.[2]

LIGURIO   Che vi pare?

NICIA   Bene, alle guagnele![3]

LIGURIO   Se voi volete che io stia qui con voi, voi parlerete in modo che io v'intenda, altrimenti noi fareno duo fuochi.[4]

CALLIMACO   Che buone faccende?

NICIA   Che so io? Vo cercando duo cose, ch'un altro per avventura fuggirebbe: questo è di dare briga[5] a me e ad altri. Io non ho figliuoli, e vorre'ne, e, per avere questa briga, vengo a dare impaccio a voi.

CALLIMACO   A me non fia mai discaro fare piacere a voi ed a tutti li uomini virtuosi e da bene come voi; e non mi sono a Parigi affaticato tanti anni per imparare per altro, se non per potere servire a' pari vostri.

NICIA   Gran mercé[6]; e, quando voi avessi bisogno dell'arte mia, io vi servirei volentieri. Ma torniamo ad rem nostram.[7] Avete voi pensato che bagno fussi buono a disporre la donna mia ad impregnare? Ché io so che qui Ligurio vi ha detto quel che vi s'abbi detto.[8]

CALLIMACO Egli è la verità; ma, a volere adempiere el desiderio vostro, è necessario sapere la cagione della sterilità della donna vostra, perché le possono essere più cagione: nam cause sterilitatis sunt: aut in semine, aut in matrice, aut in instrumentis seminariis, aut in virga, aut in causa extrinseca.[9]

NICIA Costui è il più degno uomo che si possa trovare!

CALLIMACO Potrebbe, oltr'a di questo, causarsi questa sterilità da voi, per impotenzia; che quando questo fussi, non ci sarebbe remedio alcuno.

NICIA Impotente io? Oh! voi mi farete ridere! Io non credo che sia el più ferrigno ed il più rubizzo[10] uomo in Firenze di me.

CALLIMACO Se cotesto non è, state di buona voglia, che noi vi troverremo qualche remedio.

NICIA Sarebbeci egli altro remedio che bagni? Perché io non vorrei quel disagio,[11] e la donna uscirebbe di Firenze mal volentieri.

LIGURIO Sì, sarà! Io vo' rispondere io: Callimaco è tanto respettivo,[12] che è troppo. Non m'avete voi detto di sapere ordinare certe pozione, che indubitatamente fanno ingravidare?

CALLIMACO Sì, ho; ma io vo rattenuto[13] con gli uomini che io non conosco, perché io non vorrei mi tenessino un cerretano.[14]

NICIA Non dubitate di me, perché voi mi avete fatto maravigliare di qualità, che non è cosa io non credessi o facessi per le vostre mani.

LIGURIO Io credo che bisogni che voi veggiate el segno.[15]

CALLIMACO Sanza dubbio, e' non si può fare di meno.

LIGURIO Chiama Siro, che vadia con el dottore a casa per esso, e torni qui; e noi l'aspetteremo in casa.

CALLIMACO Siro! Va' con lui. E, se vi pare, messere, tornate qui sùbito, e pensereno a qualche cosa di buono.

NICIA Come, se mi pare? Io tornerò qui in uno stante, che ho più fede in voi che gli Ungheri nelle spade.[16]

Scena terza

MESSER NICIA, SIRO

NICIA Questo tuo padrone è un gran valente uomo.

SIRO Più che voi non dite.

NICIA El re di Francia ne de' far conto.[1]

SIRO Assai.

NICIA E per questa ragione e' debbe stare volentieri in Francia.

SIRO Così credo.

NICIA E' fa molto bene: in questa terra non ci è se non cacastecchi,[2] non ci si apprezza virtù alcuna. S'egli stessi qua, non ci sarebbe uomo che lo guardassi in viso. Io ne so ragionare, che ho cacato le curatelle per imparare dua hac,[3] e se io ne avessi a vivere, io starei fresco, ti so dire!

SIRO Guadagnate voi l'anno cento ducati?

NICIA Non cento lire, non cento grossi,[4] o va'! E questo è che, chi non ha lo stato[5] in questa terra, de' nostri pari, non truova can che gli abbai; e non siàn buoni ad altro che andare a' mortori o alle ragunate d'un mogliazzo,[6] o a starci tuttodì in sulla panca del Proconsolo a donzellarci.[7] Ma io ne li disgrazio,[8] io non ho bisogno di persona: così stessi chi sta peggio di me! Ma non vorrei però ch'elle fussino mia parole, ché io arei di fatto qualche balzello o qualche porro di drieto, che mi fare' sudare.[9]

SIRO Non dubitate.

NICIA Noi siamo a casa. Aspettami qui: io tornerò ora.

SIRO Andate.

Scena quarta

SIRO *solo*

SIRO Se gli altri dottori fussin fatti come costui, noi faremo a' sassi pe' forni[1]: che sì, che questo tristo di

Ligurio e questo impazzato di questo mio padrone [2] lo conducono in qualche loco, che gli faranno vergogna! E veramente io lo desidererei, quando io credessi che non si risapessi, perché, risapendosi, io porto pericolo della vita, el padrone della vita e della roba. Egli è già diventato medico: non so io che disegno si sia el loro, e dove si tenda questo loro inganno... – Ma ecco el dottore, che ha uno orinale in mano: chi non riderebbe di questo uccellaccio? [3]

Scena quinta

MESSER NICIA, SIRO

NICIA Io ho fatto d'ogni cosa a tuo modo: di questo vo' io che tu facci a mio. Se io credevo non avere figliuoli, io arei preso più tosto per moglie una contadina che te.[1] To' costì, Siro; viemmi drieto. Quanta fatica ho io durata a fare che questa mia mona [2] sciocca mi dia questo segno! E non è dire che la non abbi caro di fare figliuoli,[3] ché la ne ha più pensiero di me; ma, come io le vo' far fare nulla, egli è una storia.

SIRO Abbiate pazienzia: le donne si sogliono con le buone parole condurre dove altri vuole.

NICIA Che buone parole! ché mi ha fracido.[4] Va' ratto, di' al maestro ed a Ligurio che io son qui.

SIRO Eccogli che vengon fuori.

Scena sesta

LIGURIO, CALLIMACO, MESSER NICIA

LIGURIO El dottore fia facile a persuadere; la difficultà fia la donna,[1] ed a questo non ci mancherà modi.

CALLIMACO   Avete voi el segno?

NICIA   E' l'ha Siro, sotto.[2]

CALLIMACO   Dàllo qua. Oh! Questo segno mostra debilità di rene.

NICIA   E' mi par torbidiccio; eppur l'ha fatto ora ora.

CALLIMACO   Non ve ne maravigliate. Nam mulieris, urinae sunt semper maioris grossitiei et albedinis, et minoris pulchritudinis quam virorum. Huius autem, inter cetera, causa est amplitudo canalium, mixtio eorum quae ex matrice exeunt cum urinis.[3]

NICIA   Oh! uh! potta di san Puccio![4] Costui mi raffinisce in tralle mani[5]; guarda come ragiona bene di queste cose!

CALLIMACO   Io ho paura che costei non sia la notte mal coperta,[6] e per questo fa l'orina cruda.

NICIA   Ella tien pure adosso un buon coltrone; ma la sta quattro ore ginocchioni ad infilzar paternostri, innanzi che la se ne venghi al letto, ed è una bestia a patir freddo.

CALLIMACO   Infine, dottore, o voi avete fede in me, o no; o io vi ho ad insegnare un rimedio certo, o no. Io, per me, el rimedio vi darò. Se voi arete fede in me, voi lo piglierete; e se, oggi ad uno anno,[7] la vostra donna non ha un suo figliolo in braccio, io voglio avervi a donare dumilia ducati.

NICIA   Dite pure, ché io son per farvi onore di tutto, e per credervi più che al mio confessoro.

CALLIMACO   Voi avete ad intender questo, che non è cosa più certa ad ingravidare una donna che dargli bere una pozione fatta di mandragola.[8] Questa è una cosa esperimentata da me dua paia di volte,[9] e trovata sempre vera; e, se non era questo, la reina di Francia sarebbe sterile, ed infinite altre principesse di quello stato.

NICIA   È egli possibile?

CALLIMACO   Egli è come io vi dico. E la Fortuna vi ha in tanto voluto bene, che io ho condutto qui meco tutte quelle cose che in quella pozione si mettono, e potete averla a vostra posta.

NICIA   Quando l'arebbe ella a pigliare?

CALLIMACO   Questa sera dopo cena, perché la luna è ben disposta, ed el tempo non può essere più appropriato.[10]

NICIA   Cotesto non fia molto gran cosa.[11] Ordinatela in ogni modo: io gliene farò pigliare.

CALLIMACO   E' bisogna ora pensare a questo: che quello uomo che ha prima a fare seco,[12] presa che l'ha, cotesta pozione, muore infra otto giorni, e non lo camperebbe el mondo.[13]

NICIA   Cacasangue![14] Io non voglio cotesta suzzacchera![15] A me non l'apiccherai tu! Voi mi avete concio bene![16]

CALLIMACO   State saldo, e' ci è rimedio.

NICIA   Quale?

CALLIMACO   Fare dormire sùbito con lei un altro che tiri, standosi seco una notte, a sé tutta quella infezione della mandragola: dipoi vi iacerete voi senza periculo.

NICIA   Io non vo' fare cotesto.

CALLIMACO   Perché?

NICIA   Perché io non vo' fare la mia donna femmina[17] e me becco.

CALLIMACO   Che dite voi, dottore? Oh! io non vi ho per savio come io credetti. Sì che voi dubitate di fare[18] quello che ha fatto el re di Francia e tanti signori quanti sono là?

NICIA   Chi volete voi che io truovi che facci cotesta pazzia? Se io gliene dico, e' non vorrà; se io non gliene dico, io lo tradisco, ed è caso da Otto[19]: io non ci vo' capitare sotto male.

CALLIMACO   Se non vi dà briga[20] altro che cotesto, lasciatene la cura a me.

NICIA   Come si farà?

CALLIMACO   Dirovelo: io vi darò la pozione questa sera dopo cena; voi gliene darete bere e, sùbito, la metterete nel letto, che fieno circa a quattro ore di notte. Dipoi ci travestiremo, voi, Ligurio, Siro ed io, e andrencene cercando in Mercato Nuovo, in Mercato Vecchio, per questi canti,[21] ed el primo garzonaccio[22] che noi troverremo scioperato, lo imbavaglieremo, ed a suon di mazzate lo condurreno in casa ed in camera vostra al buio. Quivi lo metteremo nel letto, direngli quel che gli abbia a fare, non ci fia difficultà veruna. Dipoi, la mattina, ne manderete colui[23] innanzi dì, farete lavare la vostra donna, starete con lei a vostro piacere e sanza periculo.

NICIA   Io sono contento, poiché tu di' che e re e principi e signori hanno tenuto questo modo. Ma sopratutto, che non si sappia, per amore degli Otto!

CALLIMACO   Chi volete voi che lo dica?

NICIA   Una fatica ci resta, e d'importanza.

CALLIMACO   Quale?

NICIA   Farne contenta mogliama,[24] a che io non credo ch'ella si disponga mai.

CALLIMACO   Voi dite el vero. Ma io non vorrei innanzi essere marito, se io non la disponessi a fare a mio modo.

LIGURIO   Io ho pensato el rimedio.

NICIA   Come?

LIGURIO   Per via del confessoro.

CALLIMACO   Chi disporrà el confessoro, tu?

LIGURIO   Io, e danari, la cattività nostra, loro.[25]

NICIA   Io dubito, non che altro, che per mio detto la non voglia ire a parlare al confessoro.

LIGURIO   Ed anche a cotesto è rimedio.

CALLIMACO   Dimmi.

LIGURIO   Farvela condurre alla madre.

NICIA   La le presta fede.[26]

LIGURIO   Ed io so che la madre è della opinione nostra. – Orsù! avanziam tempo, ché si fa sera.[27] Vatti, Callimaco, a spasso, e fa' che alle ventitré ore noi ti ritroviamo[28] in casa con la pozione ad ordine. Noi n'andreno a casa la madre,[29] el dottore ed io, a disporla, perché è mia nota. Poi ne andreno al frate, e vi ragguaglieremo di quello che noi areno fatto.

CALLIMACO   Deh! non mi lasciar solo.

LIGURIO   Tu mi par' cotto.

CALLIMACO   Dove vuoi tu ch'io vadia ora?

LIGURIO   Di là, di qua, per questa via, per quell'altra: egli è sì grande Firenze!

CALLIMACO   Io son morto.[30]

Canzone[1]
dopo il secondo atto

Quanto felice sia ciascun sel vede,
chi nasce sciocco ed ogni cosa crede!

Ambizione nol preme,
non lo muove il timore,
che sogliono esser seme
di noia e di dolore.
Questo vostro dottore,
bramando aver figlioli,
credria ch'un asin voli[2];
e qualunque altro ben posto ha in oblìo,
e solo in questo ha posto il suo disìo.

ATTO TERZO

Scena prima

SOSTRATA, MESSER NICIA, LIGURIO

SOSTRATA Io ho sempremai sentito dire che gli è ufizio d'un prudente pigliare de' cattivi partiti el migliore [1]: se, ad avere figliuoli, voi non avete altro rimedio che questo, si vuole pigliarlo, quando e' non si gravi la coscienzia.

NICIA Egli è così.

LIGURIO Voi ve ne andrete a trovare la vostra figliuola, e messere ed io andreno a trovare fra' Timoteo, suo confessoro, e narrerégli el caso, acciò che non abbiate a dirlo voi: vedrete quello che vi dirà.

SOSTRATA Così sarà fatto. La via vostra è di costà; ed io vo a trovare la Lucrezia, e la merrò [2] a parlare al frate, in ogni modo. *condurrò*

Scena seconda

MESSER NICIA, LIGURIO

NICIA Tu ti maravigli forse, Ligurio, che bisogni fare tante storie a disporre mogliama, ma, se tu sapessi ogni cosa, tu non te ne maraviglieresti.

LIGURIO   Io credo che sia, perché tutte le donne sono sospettose.

NICIA   Non è cotesto. Ella era la più dolce persona del mondo e la più facile; ma, sendole detto da una sua vicina che, s'ella si botava d'udire quaranta mattine la prima messa de' Servi, ch'ella impregnerebbe, la si botò, ed andòvi forse venti mattine.[1] Ben sapete[2] che un di que' fratacchioni le cominciò andare da torno, in modo che la non vi volle più tornare. Egli è pur male però che quegli che ci arebbono a dare buoni essempli sien fatti così. Non dich'io el vero?

LIGURIO   Come diavol, s'egli è vero!

NICIA   Da quel tempo in qua ella sta in orecchi come la lepre; e, come se le dice nulla,[3] ella vi fa dentro mille difficultà.

LIGURIO   Io non mi maraviglio più. Ma, quel boto, come si adempié?

NICIA   Fecesi dispensare.

LIGURIO   Sta bene. Ma datemi, se voi avete, venticinque ducati, ché bisogna, in questi casi, spendere, e farsi amico el frate presto, e darli speranza di meglio.

NICIA   Pigliagli pure; questo non mi dà briga, io farò masserizia altrove.[4]

LIGURIO   Questi frati sono trincati,[5] astuti; ed è ragionevole, perché e' sanno e peccati nostri, e loro, e chi non è pratico con essi potrebbe ingannarsi e non li sapere condurre a suo proposito. Pertanto io non vorrei che voi nel parlare guastassi ogni cosa, perché un vostro pari, che sta tuttodì nello studio, s'intende di que' libri, e delle cose del mondo non sa ragionare. Costui è sì sciocco, che io ho paura non guasti ogni cosa.[6]

NICIA   Dimmi quel che tu vuoi ch'io faccia.

LIGURIO   Che voi lasciate parlare a me, e non parliate mai, s'io non vi accenno.

NICIA   Io sono contento. Che cenno farai tu?

LIGURIO   Chiuderò un occhio, morderommi el labro... Deh! no, facciàno[7] altrimenti. Quanto è egli che voi non parlasti al frate?

NICIA   È più di dieci anni.

LIGURIO   Sta bene. Io gli dirò che voi sete assordato,[8] e voi non risponderete e non direte mai cosa alcuna, se noi non parliamo forte.

NICIA Così farò.

LIGURIO Oltre a questo, non vi dia briga che io dica qualche cosa che e' vi paia disforme a quel che noi vogliamo, perché tutto tornerà a proposito.

NICIA In buon'ora.[9]

LIGURIO Ma io veggo el frate che parla con una donna. Aspettian che l'abbi spacciata.

Scena terza

FRA' TIMOTEO, UNA DONNA

FRATE Se voi vi volessi confessare, io farò ciò che voi volete.

DONNA Non, per oggi; io sono aspettata: e' mi basta essermi sfogata un poco, così ritta ritta.[1] Avete voi dette quelle messe della Nostra Donna?

FRATE Madonna sì.

DONNA Togliete ora questo fiorino, e direte dua mesi ogni lunedì la messa de' morti per l'anima del mio marito.[2] Ed ancora che fussi un omaccio, pure le carne tirono[3]: io non posso fare non mi risenta, quando io me ne ricordo. Ma credete voi che sia in purgatorio?

FRATE Sanza dubio.

DONNA Io non so già cotesto. Voi sapete pure quel che mi faceva[4] qualche volta. Oh, quanto me ne dolfi[5] io con esso voi! Io me ne discostavo quanto io potevo; ma egli era sì importuno! Uh, nostro Signore!

FRATE Non dubitate, la clemenzia di Dio è grande: se non manca a l'uomo la voglia,[6] non gli manca mai el tempo a pentersi.

DONNA Credete voi che 'l Turco passi questo anno in Italia?[7]

FRATE Se voi non fate orazione, sì.

DONNA Naffe![8] Dio ci aiuti, con queste diavolerie! Io ho una gran paura di quello impalare.[9] – Ma io veggo

qua in chiesa una donna che ha certa accia [10] di mio:
io vo' ire a trovarla. Fate col buon dì.[11] ──

FRATE Andate sana.

Scena quarta

FRA' TIMOTEO, LIGURIO, MESSER NICIA

FRATE Le più caritative persone che sieno sono le donne, e le più fastidiose.[1] Chi le scaccia, fugge e fastidii
e l'utile; chi le intrattiene, ha l'utile ed e fastidii insieme. Ed è 'l vero che non è el mele sanza le mosche.[2] Che andate voi facendo, uomini da bene? Non
riconosco io messer Nicia?

LIGURIO Dite forte, ché gli è in modo assordato, che
non ode quasi nulla.

FRATE Voi sete el ben venuto, messere!

LIGURIO Più forte!

FRATE El ben venuto!

NICIA El ben trovato, padre!

FRATE Che andate voi faccendo?

NICIA Tutto bene.

LIGURIO Volgete el parlare a me, padre, perché voi, a
volere che v'intendessi, aresti a mettere a romore
questa piazza.

FRATE Che volete voi da me?

LIGURIO Qui messer Nicia ed un altro uomo da bene,
che voi intenderete poi, hanno a fare distribuire in
limosine parecchi centinaia di ducati.[3]

NICIA Cacasangue!

LIGURIO Tacete, in malora, e' non fien molti! Non vi
maravigliate, padre, di cosa che dica, ché non ode, e
pargli qualche volta udire, e non risponde a proposito.

FRATE Séguita pure, e lasciagli dire ciò che vuole.

LIGURIO De' quali danari io ne ho una parte meco; ed
hanno disegnato che voi siate quello che li distri-
buiate.

FRATE Molto volentieri.

LIGURIO Ma egli è necessario, prima che questa limosina si faccia, che voi ci aiutiate d'un caso[4] strano intervenuto a messere, che solo voi ci potete aiutare, dove ne va al tutto l'onore di casa sua.

FRATE Che cosa è?

LIGURIO Io non so se voi conoscesti Cammillo Calfucci, nipote qui di messere.

FRATE Sì, conosco.

LIGURIO Costui n'andò per certe sua faccende, uno anno fa, in Francia; e, non avendo donna, che era morta, lasciò una sua figliuola da marito in serbanza[5] in uno monistero, del quale non accade dirvi ora el nome.

FRATE Che è seguìto?

LIGURIO È seguìto che, o per straccurataggine delle monache o per cervellinaggine[6] della fanciulla, la si truova gravida di quattro mesi; di modo che, se non ci si ripara con prudenzia, el dottore, le monache, la fanciulla, Cammillo, la casa de' Calfucci è vituperata; e il dottore stima tanto questa vergogna che s'è botato, quando la non si palesi, dare trecento ducati per l'amore di Dio.

NICIA Che chiacchiera![7]

LIGURIO State cheto! E daragli per le vostre mani; e voi solo e la badessa ci potete rimediare.

FRATE Come?

LIGURIO Persuadere alla badessa che dia una pozione alla fanciulla per farla sconciare.[8]

FRATE Cotesta è cosa da pensarla.

LIGURIO Come, cosa da pensarla? Guardate, nel far questo, quanti beni ne resulta: voi mantenete l'onore al munistero, alla fanciulla, a' parenti[9]; rendete al padre una figliuola; satisfate qui a messere, a tanti sua parenti; fate tante elemosine, quante con questi trecento ducati potete fare; e, dall'altro canto, voi non offendete altro che un pezzo di carne non nata, sanza senso,[10] che in mille modi si può sperdere; ed io credo che quel sia bene, che facci bene a' più, e che e più se ne contentino.

FRATE Sia, col nome di Dio! Faccisi ciò che voi volete, e, per Dio e per carità, sia fatto ogni cosa. Ditemi el munistero, datemi la pozione, e, se vi pare, cotesti danari, da poter cominciare a fare qualche bene.

LIGURIO   Or mi parete voi quel religioso, che io credevo
che voi fussi. Togliete questa parte de'' danari. El
munistero è... Ma aspettate, egli è qui in chiesa una
donna che mi accenna[11]: io torno ora ora; non vi
partite da messer Nicia; io le vo' dire dua parole.

Scena quinta

FRA' TIMOTEO, MESSER NICIA

FRATE   Questa fanciulla, che tempo ha?[1]
NICIA   Io strabilio.
FRATE   Dico, quanto tempo ha questa fanciulla?
NICIA   Mal che Dio gli dia!
FRATE   Perché?
NICIA   Perché se l'abbia![2]
FRATE   E' mi pare essere nel gagno.[3] Io ho a fare con
uno pazzo e con un sordo: l'un si fugge, l'altro non
ode. Ma se questi non sono quarteruoli,[4] io ne farò
meglio di loro![5] – Ecco Ligurio, che torna in qua.

Scena sesta

LIGURIO, FRA' TIMOTEO, MESSER NICIA

LIGURIO   State cheto, messere. Oh! io ho la gran nuova,
padre.
FRATE   Quale?
LIGURIO   Quella donna con chi io ho parlato, mi ha det-
to che quella fanciulla si è sconcia per se stessa.[1]
FRATE   Bene! questa limosina andrà alla Grascia.[2]
LIGURIO   Che dite voi?
FRATE   Dico che voi tanto più doverrete fare questa li-
mosina.
LIGURIO   La limosina si farà, quando voi vogliate: ma e'
bisogna che voi facciate un'altra cosa in benefizio
qui del dottore.

FRATE   Che cosa è?

LIGURIO   Cosa di minor carico, di minor scandolo, più accetta a noi, e più utile a voi.

FRATE   Che è? Io sono in termine con voi,[3] e parmi avere contratta tale dimestichezza, che non è cosa che io non facessi.

LIGURIO   Io ve lo vo' dire in chiesa, da me e voi,[4] ed el dottore fia contento d'aspettare qui e prestarmi dua parole. Aspettate qui; noi torniamo ora.

NICIA   Come disse la botta a l'erpice![5]

FRATE   Andiamo.

Scena settima

MESSER NICIA *solo*

NICIA   È egli di dì o di notte? Sono io desto o sogno? Sono io obliàco,[1] e non ho beuto[2] ancora oggi, per ire drieto a queste chiacchiere? Noi rimagnàn[3] di dire al frate una cosa, e' ne dice un'altra; poi volle che io facessi el sordo, e bisognava io m'impeciassi gli orecchi come el Danese,[4] a volere che io non avessi udite le pazzie, che gli ha dette, e Dio il sa con che proposito![5] Io mi truovo meno venticinque ducati, e del fatto mio non si è ancora ragionato; ed ora m'hanno qui posto, come un zugo, a piuolo.[6] – Ma eccogli che tornano: in mala ora per loro,[7] se non hanno ragionato del fatto mio!

Scena ottava

FRA' TIMOTEO, LIGURIO, MESSER NICIA

FRATE   Fate che le donne venghino.[1] Io so quello ch'i' ho a fare; e, se l'autorità mia varrà, noi concluderemo questo parentado questa sera.

LIGURIO   Messer Nicia, fra' Timoteo è per fare ogni cosa. Bisogna vedere che le donne venghino.

NICIA Tu mi ricrii[2] tutto quanto. Fia egli maschio?
LIGURIO Maschio.
NICIA Io lacrimo per la tenerezza.
FRATE Andatevene in chiesa, io aspetterò qui le donne.
State in lato che le non vi vegghino; e, partite che le
fieno, vi dirò quello che l'hanno detto.[3]

Scena nona

FRA' TIMOTEO *solo*

FRATE Io non so chi si abbi giuntato l'uno l'altro.[1] Questo tristo di Ligurio ne venne a me con quella prima
novella, per tentarmi, acciò, se io li consentivo quella,[2] m'inducessi più facilmente a questa; se io non
gliene consentivo, non mi arebbe detta questa, per
non palesare e disegni loro sanza utile, e di quella
che era falsa non si curavano. Egli è vero che io ci
sono suto giuntato; nondimeno, questo giunto è con
mio utile.[3] Messer Nicia e Callimaco sono ricchi, e
da ciascuno, per diversi rispetti, sono per trarre[4] assai; la cosa convien stia secreta,[5] perché l'importa
così a loro, a dirla, come a me, Sia come si voglia, io
non me ne pento. È ben vero che io dubito non ci
avere difficultà,[6] perché madonna Lucrezia è savia e
buona: ma io la giugnerò in sulla bontà.[7] E tutte le
donne hanno alla fine poco cervello; e come ne è
una sappi dire dua parole, e' se ne predica,[8] perché
in terra di ciechi chi vi ha un occhio è signore.[9] Ed
eccola con la madre, la quale è bene una bestia,[10]
e sarammi uno grande adiuto a condurla alle mia
voglie.

Scena decima

SOSTRATA, LUCREZIA

SOSTRATA Io credo che tu creda, figliuola mia, che io
stimi l'onore ed el bene tuo quanto persona del

mondo,[1] e che io non ti consiglierei di cosa che non stessi bene. Io ti ho detto e ridicoti, che se fra' Timoteo ti dice che non ti sia carico di conscienzia, che tu lo faccia sanza pensarvi.

LUCREZIA   Io ho sempremai dubitato che la voglia, che messer Nicia ha d'avere figliuoli, non ci facci fare qualche errore; e per questo, sempre che lui mi ha parlato di alcuna cosa, io ne sono stata in gelosia e sospesa,[2] massime poi che m'intervenne quello che vi sapete, per andare a' Servi.[3] Ma di tutte le cose, che si son tentate, questa mi pare la più strana, di avere a sottomettere el corpo mio a questo vituperio,[4] ad esser cagione che uno uomo muoia per vituperarmi: perché io non crederrei, se io fussi sola rimasta nel mondo e da me avessi a risurgere l'umana natura, che mi fussi simile partito concesso.[5]

SOSTRATA   Io non ti so dire tante cose, figliuola mia. Tu parlerai al frate, vedrai quello che ti dirà, e farai quello che tu dipoi sarai consigliata da lui, da noi, da chi ti vuole bene.

LUCREZIA   Io sudo per la passione.

Scena undecima

FRA' TIMOTEO, LUCREZIA, SOSTRATA

FRATE   Voi siate le ben venute. Io so quello che voi volete intendere da me, perché messer Nicia m'ha parlato. Veramente, io sono stato in su' libri più di dua ore a studiare questo caso; e, dopo molte essamine,[1] io truovo di molte cose che, ed in particulare ed in generale, fanno per noi.

LUCREZIA   Parlate voi da vero o motteggiate?

FRATE   Ah, madonna Lucrezia! Sono, queste, cose da motteggiare? Avetemi voi a conoscere ora?

LUCREZIA   Padre, no; ma questa mi pare la più strana cosa che mai si udissi.

FRATE   Madonna, io ve lo credo, ma io non voglio che voi diciate più così. E' sono molte cose che discosto paiano terribili, insopportabili, strane, che, quando tu ti appressi loro, le riescono umane, sopportabili, dimestiche,[2] e però si dice che sono maggiori li spaventi che e' mali: e questa è una di quelle.

LUCREZIA Dio el voglia!

FRATE Io voglio tornare a quello, ch'iò dicevo prima. Voi avete, quanto alla conscienzia, a pigliare questa generalità,[3] che, dove è un bene certo ed un male incerto, non si debbe mai lasciare quel bene per paura di quel male.[4] Qui è un bene certo, che voi ingraviderete, acquisterete una anima a messer Domenedio; el male incerto è che colui che iacerà, dopo la pozione, con voi, si muoia; ma e' si truova anche di quelli che non muoiono.[5] Ma perché la cosa è dubbia, però è bene che messer Nicia non corra quel periculo. Quanto allo atto, che sia peccato, questo è una favola, perché la volontà è quella che pecca, non el corpo[6]; e la cagione del peccato è dispiacere al marito, e voi li compiacete; pigliarne piacere, e voi ne avete dispiacere. Oltr'a di questo, el fine si ha a riguardare in tutte le cose: el fine vostro si è riempire una sedia in paradiso, e contentare el marito vostro. Dice la Bibia che le figliuole di Lotto, credendosi essere rimase sole nel mondo, usorono con el padre; e, perché la loro intenzione fu buona, non peccorono.[7]

LUCREZIA Che cosa mi persuadete voi?

SOSTRATA Làsciati persuadere, figliuola mia. Non vedi tu che una donna, che non ha figliuoli, non ha casa? Muorsi el marito, resta come una bestia, abandonata da ognuno.

FRATE Io vi giuro, madonna, per questo petto sacrato,[8] che tanta conscienzia vi è ottemperare in questo caso al marito vostro, quanto vi è mangiare carne el mercoledì,[9] che è un peccato che se ne va con l'acqua benedetta.

LUCREZIA A che mi conducete voi, padre?

FRATE Conducovi a cose, che [10] voi sempre arete cagione di pregare Dio per me; e più vi satisfarà questo altro anno [11] che ora.

SOSTRATA Ella farà ciò che voi volete. Io la voglio mettere stasera al letto io. Di che hai tu paura, mocciccona? [12] E' ci è cinquanta donne, in questa terra, che nè alzerebbono le mani al cielo.

LUCREZIA   Io sono contenta: ma io non credo mai essere viva domattina.

FRATE   Non dubitar, figliuola mia: io pregherrò Iddio per te, io dirò l'orazione dell'Angiolo Raffaello,[13] che ti accompagni. Andate, in buona ora, e preparatevi a questo misterio, ché si fa sera.

SOSTRATA   Rimanete in pace, padre.

LUCREZIA   Dio m'aiuti e la Nostra Donna, che io non càpiti male.

Scena duodecima

FRA' TIMOTEO, LIGURIO, MESSER NICIA

FRATE   O Ligurio, uscite qua!

LIGURIO   Come va?

FRATE   Bene. Le ne sono ite a casa disposte a fare ogni cosa, e non ci fia difficultà,[1] perché la madre s'andrà a stare seco, e vuolla mettere al letto lei.

NICIA   Dite voi el vero?

FRATE   Bembè, voi sete guarito del sordo?[2]

LIGURIO   Santo Chimenti[3] gli ha fatto grazia.

FRATE   E' si vuol porvi una immagine,[4] per rizzarci un poco di baccanella,[5] acciò che io abbia fatto quest'altro guadagno con voi.

NICIA   Non entriamo in cetere.[6] Farà la donna difficultà di fare quel ch'io voglio?

FRATE   Non, vi dico.

NICIA   Io sono el più contento uomo del mondo.

FRATE   Credolo. Voi vi beccherete un fanciul mastio,[7] e chi non ha non abbia.[8]

LIGURIO   Andate, frate, a le vostre orazioni, e, se bisognerà altro, vi verreno a trovare. Voi, messere, andate a lei, per tenerla ferma in questa opinione, ed io andrò a trovare maestro Callimaco, che vi mandi la pozione; ed a l'un'ora fate che io vi rivegga, per ordinare quello che si de' fare alle quattro.

NICIA   Tu di' bene. Addio!

FRATE   Andate sani.

Canzone [1]
dopo il terzo atto

Sì suave è l'inganno
al fin condotto imaginato e caro,[2]
ch'altrui spoglia d'affanno,
e dolce face ogni gustato amaro.[3]
O rimedio alto e raro,
tu mostri il dritto calle all'alme erranti;
tu, col tuo gran valore,
nel far beato altrui, fai ricco Amore;
tu vinci, sol co' tuoi consigli santi,
pietre, veneni e incanti.[4]

ATTO QUARTO

Scena prima

CALLIMACO *solo*

CALLIMACO   Io vorrei pure intendere quello che costoro hanno fatto. Può egli essere che io non rivegga Ligurio? E, nonché le ventitré, le sono le ventiquattro ore! In quanta angustia d'animo sono io stato e sto! Ed è vero che la Fortuna e la Natura tiene el conto per bilancio[1]: la non ti fa mai un bene, che, a l'incontro, non surga un male.[2] Quanto più mi è cresciuta la speranza, tanto mi è cresciuto el timore. Misero a me! Sarà egli mai possibile che io viva in tanti affanni e perturbato da questi timori e queste speranze? Io sono una nave vessata da dua diversi venti, che tanto più teme, quanto ella è più presso al porto.[3] La semplicità di messer Nicia mi fa sperare, la prudenzia e durezza[4] di Lucrezia mi fa temere. Ohimè, che io non truovo requie in alcun loco! Talvolta io cerco di vincere me stesso, riprendomi di questo mio furore,[5] e dico meco: – Che fai tu? Se' tu impazzato? Quando tu l'ottenga, che fia? Conoscerai el tuo errore, pentirati delle fatiche e de' pensieri che hai aùti. Non sai tu quanto poco bene si truova nelle cose che l'uomo desidera, rispetto a quello che l'uomo ha presupposto trovarvi? Da l'altro canto, el peggio che te ne va è morire ed andarne in inferno: e' son morti tanti degli altri! e' sono in inferno tanti

124

uomini da bene! Ha'ti tu a vergognare d'andarvi tu?
Volgi el viso alla sorte [6]; fuggi el male, o, non lo potendo fuggire, sopportalo come uomo; non ti pro-
sternere, non ti invilire come una donna. – E così mi
fo di buon cuore; ma io ci sto poco sù, perché da
ogni parte mi assalta tanto desìo d'essere una volta
con costei,[7] che io mi sento, dalle piante de' piè al
capo, tutto alterare: le gambe triemano, le viscere si
commuovono, el cuore mi si sbarba del petto, le
braccia s'abandonono, la lingua diventa muta, gli
occhi abarbagliano, el cervello mi gira.[8] Pure, se io
trovassi Ligurio, io arei con chi sfogarmi. – Ma ecco
che ne viene verso me ratto: el rapporto di costui mi
farà o vivere allegro qualche poco, o morire affatto.[9]

Scena seconda

LIGURIO, CALLIMACO

LIGURIO   Io non desiderai mai più tanto di trovare Callimaco, e non penai mai più tanto a trovarlo. Se io li
portassi triste nuove, io l'arei riscontro al primo.[1] Io
sono stato a casa, in Piazza, in Mercato, al Pancone
delli Spini, alla Loggia de' Tornaquinci, e non l'ho
trovato. Questi innamorati hanno l'ariento vivo sotto e piedi,[2] e non si possono fermare.

CALLIMACO   Che sto io ch'io non lo chiamo? E' mi par
pure allegro! Oh, Ligurio! Ligurio!

LIGURIO   Oh, Callimaco! dove se' tu stato?

CALLIMACO   Che novelle?

LIGURIO   Buone.

CALLIMACO   Buone in verità?

LIGURIO   Ottime.

CALLIMACO   È Lucrezia contenta?

LIGURIO   Sì.

CALLIMACO   El frate fece el bisogno?[3]

LIGURIO   Fece.

CALLIMACO   Oh, benedetto frate! Io pregherrò sempre
Dio per lui.

LIGURIO   Oh, buono! Come se Idio facessi le grazie del male, come del bene! El frate vorrà altro che prieghi!

CALLIMACO   Che vorrà?

LIGURIO   Danari.

CALLIMACO   Darégliene. Quanti ne gli hai tu promessi?

LIGURIO   Trecento ducati.

CALLIMACO   Hai fatto bene.

LIGURIO   El dottore ne ha sborsati venticinque.

CALLIMACO   Come?

LIGURIO   Bastiti che gli ha sborsati.

CALLIMACO   La madre di Lucrezia, che ha fatto?

LIGURIO   Quasi el tutto. Come la 'ntese che la sua figliuola aveva avere questa buona notte sanza peccato, la non restò mai di pregare, comandare, confortare[4] la Lucrezia, tanto che ella la condusse al frate, e quivi operò in modo, che la li consentì.

CALLIMACO   Oh, Iddio! Per quali mia meriti debbo io avere tanti beni? Io ho a morire per l'alegrezza!

LIGURIO   Che gente è questa? Ora per l'alegrezza, ora pel dolore, costui vuole morire in ogni modo. Hai tu ad ordine[5] la pozione?

CALLIMACO   Sì, ho.

LIGURIO   Che li manderai?

CALLIMACO   Un bicchiere d'ipocrasso, che è a proposito a racconciare lo stomaco, rallegra el cervello...[6] – Ohimè, ohimè, ohimè, i' sono spacciato!

LIGURIO   Che è? Che sarà?

CALLIMACO   E' non ci è remedio.

LIGURIO   Che diavol fia?

CALLIMACO   E' non si è fatto nulla, i' mi son murato in un forno.

LIGURIO   Perché? Ché non lo di'? Lèvati le mani dal viso.[7]

CALLIMACO   O non sai tu che io ho detto a messer Nicia che tu, lui, Siro ed io piglieremo uno per metterlo a lato a la moglie?[8]

LIGURIO   Che importa?

CALLIMACO   Come, che importa? Se io sono con voi, non potrò essere quel che sia preso; s'io non sono, e' s'avvedrà dello inganno.

LIGURIO   Tu di' el vero. Ma non c'è egli rimedio?

CALLIMACO Non, credo io.

LIGURIO Sì, sarà bene.

CALLIMACO Quale?

LIGURIO Io voglio un poco pensallo.

CALLIMACO Tu m'ha' chiaro: io sto fresco, se tu l'hai a pensare ora!

LIGURIO Io l'ho trovato.[9]

CALLIMACO Che cosa?

LIGURIO Farò che 'l frate, che ci ha aiutato infino a qui, farà questo resto.

CALLIMACO In che modo?

LIGURIO Noi abbiamo tutti a travestirci. Io farò travestire el frate: contrafarà la voce, el viso, l'abito; e dirò al dottore che tu sia quello; e' se 'l crederrà.

CALLIMACO Piacemi; ma io che farò?

LIGURIO Fo conto che tu metta un pitocchino[10] indosso, e con u' liuto in mano te ne venga costì, dal canto della sua casa, cantando un canzoncino.

CALLIMACO A viso scoperto?

LIGURIO Sì, ché se tu portassi una maschera, e' gli enterrebbe sospetto.[11]

CALLIMACO E' mi conoscerà.

LIGURIO Non farà, perché io voglio che tu ti storca el viso, che tu apra, aguzzi o digrigni la bocca, chiugga[12] un occhio. Pruova un poco.

CALLIMACO Fo io così?

LIGURIO No.

CALLIMACO Così?

LIGURIO Non basta.

CALLIMACO A questo modo?

LIGURIO Sì, sì, tieni a mente cotesto.[13] Io ho un naso in casa: i' voglio che tu te l'appicchi.

CALLIMACO Orbé, che sarà poi?

LIGURIO Come tu sarai comparso in sul canto, noi saren quivi, torrénti el liuto, piglierenti, aggirerenti, condurrenti in casa, metterenti al letto.[14] El resto doverrai tu fare da te!

CALLIMACO Fatto sta condursi costì.[15]

LIGURIO Qui ti condurrai tu.[16] Ma a fare che tu vi possa ritornare, sta a te, e non a noi.

CALLIMACO Come?

LIGURIO Che tu te la guadagni in questa notte, e che,

127

innanzi che tu ti parta, te le dia a conoscere, scuo-
prale lo 'nganno, mostrile l'amore li porti, dicale el
bene le vuoi, e come sanza sua infamia la può esser
tua amica, e con sua grande infamia tua nimica. È
impossibile che la non convenga teco, e che la voglia
che questa notte sia sola.

CALLIMACO Credi tu cotesto?

LIGURIO Io ne son certo. Ma non perdiàn più tempo: e'
son già dua ore. Chiama Siro, manda la pozione a
messer Nicia, e me aspetta in casa. Io andrò per il
frate: farollo travestire, e condurrollo qui, e trover-
reno el dottore, e fareno quello manca.

CALLIMACO Tu di' bene. Va' via.

Scena terza

CALLIMACO, SIRO

CALLIMACO O Siro!

SIRO Messere!

CALLIMACO Fàtti costì.

SIRO Eccomi.

CALLIMACO Piglia quel bicchiere d'argento, che è drento allo armario di camera, e, coperto con un poco di
drappo, portamelo, e guarda a non lo versare per la
via.

SIRO Sarà fatto.

CALLIMACO Costui è stato dieci anni meco, e sempre
m'ha servito fedelmente.[1] Io credo trovare, anche in
questo caso, fede in lui; e, benché io non gli abbi comunicato questo inganno, e' se lo indovina, ché gli è
cattivo bene,[2] e veggo che si va accomodando.[3]

SIRO Eccolo.

CALLIMACO Sta bene. Tira,[4] va' a casa messer Nicia,[5] e
digli che questa è la medicina, che ha a pigliare la
donna dipo' cena sùbito; e quanto prima cena, tanto
sarà meglio; e, come noi sareno in sul canto ad ordine, al tempo, ch'e' facci d'esservi. Va' ratto.

SIRO Io vo.

CALLIMACO   Odi qua. Se vuole che tu l'aspetti, aspettalo, e vientene qui con lui; se non vuole, torna qui da me, dato che tu glien'hai,[6] e fatto che tu gli arai l'ambasciata. Intendi?

SIRO   Messer, sì.

Scena quarta

CALLIMACO *solo*

CALLIMACO   Io aspetto che Ligurio torni col frate; e chi dice che gli è dura cosa l'aspettare, dice el vero. Io scemo ad ogni ora dieci libre, pensando dove io sono ora, dove io potrei essere di qui a dua ore, temendo che non nasca qualche caso, che interrompa el mio disegno. Che se fussi,[1] e' fia l'ultima notte della vita mia, perché o io mi gitterò in Arno, o io m'impiccherò, o io mi gitterò da quelle finestre, o io mi darò d'un coltello in sull'uscio suo. Qualche cosa farò io, perché io non viva più. Ma veggo io Ligurio? Egli è desso. Egli ha seco uno che pare scrignuto,[2] zoppo: e' fia certo el frate travestito. Oh, frati! Conoscine uno, e conoscigli tutti![3] Chi è quell'altro, che si è accostato a loro? E' mi pare Siro, che arà digià fatto l'ambasciata al dottore. Egli è esso. Io gli voglio aspettare qui, per convenire con loro.[4]

Scena quinta

SIRO, LIGURIO, CALLIMACO, FRA' TIMOTEO *travestito*

SIRO   Chi è teco, Ligurio?

LIGURIO   Un uom da bene.

SIRO   È egli zoppo, o fa le vista?

LIGURIO   Bada ad altro.

SIRO   Oh! gli ha el viso del gran ribaldo!

LIGURIO   Deh! sta' cheto, che ci hai fracido![1] Ove è Callimaco?

CALLIMACO   Io son qui. Voi sete e ben venuti!

LIGURIO   O Callimaco! avvertisci questo pazzerello di Siro: egli ha detto già mille pazzie.

CALLIMACO   Siro, odi qua: tu hai questa sera a fare tutto quello che ti dirà Ligurio; e fa' conto, quando e' ti comanda, ch'e' sia io[2]; e ciò che tu vedi, senti o odi, hai a tenere segretissimo, per quanto tu stimi la roba, l'onore, la vita mia ed il bene tuo.

SIRO   Così si farà.

CALLIMACO   Desti tu el bicchiere al dottore?

SIRO   Messer, sì.

CALLIMACO   Che disse?

SIRO   Che sarà ora ad ordine di tutto.

FRATE   È questo Callimaco?

CALLIMACO   Sono, a' comandi vostri. Le proferte tra noi sien fatte[3]: voi avete a disporre di me e di tutte le fortune mia,[4] come di voi.

FRATE   Io l'ho inteso, e credolo; e sommi messo a fare quel per te, che io non arei fatto per uomo del mondo.

CALLIMACO   Voi non perderete la fatica.

FRATE   E' basta che tu mi voglia bene.

LIGURIO   Lasciamo stare le cirimonie. Noi andreno a travestirci, Siro ed io. Tu, Callimaco, vien' con noi, per potere ire a fare e fatti tua. El frate ci aspetterà qui: noi torneren sùbito, ed andreno a trovare messer Nicia.

CALLIMACO   Tu di' bene. Andiamo.

FRATE   Io vi aspetto.

Scena sesta

FRA' TIMOTEO *travestito*

FRATE   E' dicono el vero quelli che dicono che le cattive compagnie conducono li uomini alle forche.[1] E molte volte uno càpita male così per essere troppo facile[2] e troppo buono, come per essere troppo tristo. Dio sa che io non pensavo ad iniuriare persona,[3] stavomi nella mia cella, dicevo el mio ufizio, intrattenevo e mia devoti: capitommi innanzi questo diavol di Ligurio,[4] che mi fece intignere el dito in uno errore, donde io vi ho messo el braccio, e tutta la persona, e non so ancora dove io mi abbia a capitare. Pure mi conforto che, quando una cosa importa a molti, molti ne hanno aver cura.[5] – Ma ecco Ligurio e quel servo che tornano.

Scena settima

FRA' TIMOTEO, LIGURIO, SIRO *travestiti*

FRATE   Voi sete e ben tornati.

LIGURIO   Stiàn[1] noi bene?

FRATE   Benissimo.

LIGURIO   E' ci manca el dottore. Andian verso casa sua: e' son più di tre ore, andian via!

SIRO   Chi apre l'uscio suo? È egli el famiglio?[2]

LIGURIO   No: gli è lui. Ah, ah, ah, uh!

SIRO   Tu ridi?

LIGURIO   Chi non riderebbe? Egli ha un guarnacchino[3] indosso, che non gli cuopre el culo. Che diavolo ha egli in capo? E' mi pare un di questi gufi de' canonici, ed uno spadaccin sotto: ah, ah! e' borbotta non so che. Tirianci da parte, ed udireno qualche sciagura della moglie.[4]

Scena ottava

MESSER NICIA *travestito*

NICIA   Quanti lezzi[1] ha fatto questa mia pazza! Ella ha mandato le fante[2] a casa la madre, e 'l famiglio in

131

villa. Di questo io la laudo; ma io non la lodo già
che, innanzi che la ne sia voluta ire al letto, ell'abbi
fatto tante schifiltà: – Io non voglio!... Come farò
io?... Che mi fate voi fare?... Ohimè, mamma mia!...
– E, se non che la madre le disse el padre del porro,[3]
la non entrava in quel letto. Che le venga la contina![4] Io vorrei ben vedere le donne schizzinose, ma
non tanto, ché ci ha tolto la testa, cervel di gatta![5]
Poi, chi dicessi: – Che impiccata sia la più savia donna di Firenze – la direbbe: – Che t'ho io fatto?[6] – Io
so che la Pasquina enterrà in Arezzo,[7] ed innanzi
che io mi parta da giuoco,[8] io potrò dire, come mona
Ghinga: – Di veduta, con queste mani.[9] – Io sto pur
bene! Chi mi conoscerebbe? Io paio maggiore, più
giovane, più scarzo[10]: e' non sarebbe donna, che mi
togliessi danari di letto.[11] – Ma dove troverrò io costoro?

Scena nona

LIGURIO, MESSER NICIA, FRA' TIMOTEO, SIRO

LIGURIO Buona sera, messere.

NICIA Oh! uh! eh!

LIGURIO Non abbiate paura, noi siàn noi.

NICIA Oh! voi sete tutti qui? S'io non vi conoscevo presto, io vi davo con questo stocco,[1] el più diritto che
io sapevo! Tu, se' Ligurio? e tu, Siro? e quell'altro? el
maestro,[2] eh?

LIGURIO Messer, sì.

NICIA Togli![3] Oh, e' si è contraffatto bene! e' non lo conoscerebbe Va-qua-tu![4]

LIGURIO Io gli ho fatto mettere dua noce in bocca, perché non sia conosciuto alla boce.[5]

NICIA Tu se' ignorante.

LIGURIO Perché?

NICIA Che non me 'l dicevi tu prima? Ed are'mene messo anch'io dua: e sai se gli importa non essere conosciuto alla favella!

132

LIGURIO   Togliete,[6] mettetevi in bocca questo.

NICIA   Che è ella?

LIGURIO   Una palla di cera.

NICIA   Dalla qua... Ca, pu, ca, co, che, cu, cu, spu... Che ti venga la seccaggine,[7] pezzo di manigoldo!

LIGURIO   Perdonatemi, ché io ve ne ho data una in scambio, che io non me ne sono avveduto.

NICIA   Ca, ca, pu, pu... Di che, che, che, che era?

LIGURIO   D'aloe.[8]

NICIA   Sia, in malora! Spu, pu... Maestro, voi non dite nulla?

FRATE   Ligurio m'ha fatto adirare.[9]

NICIA   Oh! voi contraffate bene la voce.

LIGURIO   Non perdiàn più tempo qui. Io voglio essere el capitano, ed ordinare l'essercito per la giornata. Al destro corno sia preposto Callimaco, al sinistro io, intra le dua corna starà qui el dottore; Siro fia retroguardo, per dar sussidio a quella banda che inclinassi.[10] El nome sia san Cuccù.[11]

NICIA   Chi è san Cuccù?

LIGURIO   È el più onorato santo, che sia in Francia. Andian via, mettiàn l'aguato a questo canto. State a udire: io sento un liuto.

NICIA   Egli è esso. Che vogliàn fare?

LIGURIO   Vuolsi mandare innanzi uno esploratore a scoprire chi egli è, e, secondo ci riferirà, secondo fareno.

NICIA   Chi v'andrà?

LIGURIO   Va' via, Siro. Tu sai quello hai a fare. Considera, essamina, torna presto, referisci.

SIRO   Io vo.

NICIA   Io non vorrei che noi pigliassimo un granchio, che fussi qualche vecchio debole o infermiccio,[12] e che questo giuoco si avessi a rifare domandassera.

LIGURIO   Non dubitate, Siro è valent'uomo. Eccolo, e' torna. Che truovi, Siro?

SIRO   Egli è el più bello garzonaccio, che voi vedessi mai! Non ha venticinque anni, e viensene solo, in pitocchino,[13] sonando el liuto.

NICIA   Egli è el caso,[14] se tu di' el vero. Ma guarda, che questa broda sarebbe tutta gittata addosso a te![15]

SIRO   Egli è quel ch'io vi ho detto.

LIGURIO Aspettian ch'egli spunti questo canto,[16] e sùbito gli sareno addosso.

NICIA Tiratevi in qua, maestro: voi mi parete uno uom di legno. Eccolo.

CALLIMACO "Venir vi possa el diavolo allo letto. Dapoi ch'io non vi posso venir io!"[17]

LIGURIO Sta' forte. Da' qua questo liuto!

CALLIMACO Ohimè! Che ho io fatto?

NICIA Tu 'l vedrai! Cuoprigli el capo, imbavaglialo!

LIGURIO Aggiralo!

NICIA Dàgli un'altra volta! Dàgliene un'altra! Mettetelo in casa![18]

FRATE Messer Nicia, io m'andrò a riposare, ché mi duole la testa, che io muoio. E, se non bisogna, io non tornerò domattina.

NICIA Sì, maestro, non tornate: noi potren far da noi.

Scena decima

FRA' TIMOTEO *travestito solo*

FRATE E' sono intanati in casa, ed io me n'andrò al convento. E voi, spettatori, non ci appuntate, perché[1] in questa notte non ci dormirà persona, sì che gli Atti non sono interrotti dal tempo[2]: io dirò l'uffizio; Ligurio e Siro ceneranno, ché non hanno mangiato oggi; el dottore andrà di camera in sala, perché la cucina vadia netta,[3] Callimaco e madonna Lucrezia non dormiranno, perché io so, se io fussi lui e se voi fussi lei, che noi non dormiremo.

Canzone[1]
dopo il quarto atto

Oh dolce notte, oh sante
ore notturne e quete,
ch'i disïosi amanti accompagnate;

in voi s'adunan tante
letizie, onde voi siete
sole cagion di far l'alme beate.
Voi, giusti premii date,
all'amorose schiere,
delle lunghe fatiche;
voi fate, o felici ore,
ogni gelato petto arder d'amore!

ATTO QUINTO

Scena prima

FRA' TIMOTEO *solo*

FRATE Io non ho potuto questa notte chiudere occhio, tanto è el desiderio, che io ho d'intendere come Callimaco e gli altri l'abbino fatta.[1] Ed ho atteso a consumare el tempo in varie cose: io dissi mattutino, lessi una vita de' Santi Padri, andai in chiesa ed accesi una lampana[2] che era spenta, mutai un velo ad una Nostra Donna, che fa miracoli. Quante volte ho io detto a questi frati che la tenghino pulita! E si maravigliono poi se la divozione manca! Io mi ricordo esservi cinquecento immagine,[3] e non ve ne sono oggi venti: questo nasce da noi, che non le abbiamo saputa mantenere la reputazione. Noi vi solavamo ogni sera doppo la compieta andare a procissione,[4] e facevànvi cantare ogni sabato le laude. Botavànci noi[5] sempre quivi, perché vi si vedessi delle immagine fresche; confortavamo[6] nelle confessioni gli uomini e le donne a botarvisi. Ora non si fa nulla di queste cose, e poi ci maravigliamo che le cose vadin fredde![7] Oh, quanto poco cervello è in questi mia frati! Ma io sento un gran romore da casa messer Nicia.[8] Eccogli, per mia fé! E' cavon fuora el prigione.[9] Io sarò giunto a tempo. Ben si sono indugiati alla sgocciolatura[10]: e' si fa appunto l'alba. Io voglio stare ad udire quel che dicono sanza scoprirmi.

MESSER NICIA, CALLIMACO, LIGURIO, SIRO *travestiti*

NICIA   Piglialo di costà, ed io di qua, e tu, Siro, lo tieni per il pitocco,[1] di drieto.

CALLIMACO   Non mi fate male!

LIGURIO   Non aver paura, va' pur via.

NICIA   Non andian più là.[2]

LIGURIO   Voi dite bene. Lasciànl'ir qui: diàngli dua volte,[3] che non sappi donde e' si sia venuto. Giralo, Siro!

SIRO   Ecco.

NICIA   Giralo un'altra volta.

SIRO   Ecco fatto.

CALLIMACO   El mio liuto!

LIGURIO   Via, ribaldo, tira via! S'io ti sento favellare, io ti taglierò el collo!

NICIA   E' si è fuggito. Andianci a sbisacciare[4]: e vuolsi che noi usciàn fuori tutti a buona ora, acciò che non si paia che noi abbiam vegghiato[5] questa notte.

LIGURIO   Voi dite el vero.

NICIA   Andate, Ligurio e Siro, a trovar maestro Callimaco,[6] e li dite che la cosa è proceduta bene

LIGURIO   Che li possiamo noi dire? Noi non sappiamo nulla. Voi sapete che, arrivati in casa, noi ce n'andamo nella volta[7] a bere: voi e la suocera rimanesti alle man' seco,[8] e non vi rivedemo mai se non ora, quando voi ci chiamasti per mandarlo fuora.

NICIA   Voi dite el vero. Oh! io vi ho da dire le belle cose! Mogliama era nel letto al buio. Sostrata m'aspettava al fuoco.[9] Io giunsi su con questo garzonaccio, e, perché e' non andassi nulla in capperuccia,[10] io lo menai in una dispensa, che io ho in sulla sala, dove era un certo lume annacquato,[11] che gittava un poco d'albore, in modo ch'e' non mi poteva vedere in viso.

LIGURIO   Saviamente.

NICIA   Io lo feci spogliare: e' nicchiava; io me li volsi come un cane,[12] di modo che gli parve mille anni di avere fuora e panni, e rimase ignudo. Egli è brutto di viso: egli aveva un nasaccio, una bocca torta...[13]

Ma tu non vedesti mai le più belle carne: bianco, morbido, pastoso! E dell'altre cose non ne domandare.

LIGURIO   E' non è bene ragionarne. Che bisognava vederlo tutto?

NICIA   Tu vuoi el giambo![14] Poi che io avevo messo mano in pasta, io ne volli toccare el fondo.[15] Poi volli vedere s'egli era sano: s'egli avessi aùto le bolle,[16] dove mi trovavo io? Tu ci metti parole![17]

LIGURIO   Avevi ragion voi.

NICIA   Come io ebbi veduto che gli era sano, io me lo tirai drieto, ed al buio lo menai in camera, messilo al letto; ed innanzi che mi partissi, volli toccare con mano come la cosa andava, ché io non sono uso ad essermi dato ad intendere lucciole per lanterne.

LIGURIO   Con quanta prudenzia avete voi governata questa cosa!

NICIA   Tocco e sentito che io ebbi ogni cosa, mi usci' di camera, e serrai l'uscio, e me n'andai alla suocera, che era al fuoco, e tutta notte abbiamo atteso a ragionare.

LIGURIO   Che ragionamenti son suti[18] e vostri?

NICIA   Della sciocchezza di Lucrezia, e quanto egli era meglio che, sanza tanti andirivieni, ella avessi ceduto al primo.[19] Dipoi ragionamo del bambino, che me lo pare tuttavia[20] avere in braccio, el naccherino![21] Tanto che io senti' sonare le tredici ore; e, dubitando[22] che il dì non sopragiugnessi, me n'andai in camera. Che direte voi, che io non potevo fare levare quel ribaldone?[23]

LIGURIO   Credolo!

NICIA   E' gli era piaciuto l'unto![24] Pure, e' si levò, io vi chiamai, e lo abbiamo condutto fuora.

LIGURIO   La cosa è ita bene.

NICIA   Che dirai tu, che me ne incresce?

LIGURIO   Di che?

NICIA   Di quel povero giovane, ch'egli abbia a morire sì presto,[25] e che questa notte gli abbia a costar sì cara.

LIGURIO   Oh! voi avete e pochi pensieri.[26] Lasciàtene la cura a lui.

NICIA   Tu di' el vero. – Ma e' mi par ben mille anni di trovare[27] maestro Callimaco, e rallegrarmi seco.

LIGURIO   E' sarà fra una ora fuora. Ma egli è già chiaro el giorno: noi ci andreno a spogliare; voi, che farete?

NICIA   Andronne anch'io in casa, a mettermi e panni buoni. Farò levare e lavare la donna,[28] farolla venire alla chiesa, ad entrare in santo.[29] Io vorrei che voi e Callimaco fussi là, e che noi parlassimo al frate, per ringraziarlo e ristorarlo[30] del bene che ci ha fatto.

LIGURIO   Voi dite bene: così si farà. A Dio.

Scena terza

FRA' TIMOTEO *solo*

FRATE   Io ho udito[1] questo ragionamento, e mi è piaciuto tutto, considerando quanta sciocchezza sia in questo dottore; ma la conclusione ultima[2] mi ha sopra modo dilettato. E poiché debbono venire a trovarmi a casa, io non voglio stare più qui, ma aspettargli alla chiesa, dove la mia mercatanzia varrà più. – Ma chi esce di quella casa? E' mi pare Ligurio, e con lui debb'essere Callimaco. Io non voglio che mi vegghino, per le ragioni dette: pur, quando e' non venissino a trovarmi, sempre sarò a tempo ad andare a trovare loro.

Scena quarta

CALLIMACO, LIGURIO

CALLIMACO   Come io ti ho detto, Ligurio mio, io stetti di mala voglia infino alle nove ore; e, benché io avessi gran piacere, e' non mi parve buono.[1] Ma, poi che io me le fu' dato a conoscere, e ch'io l'ebbi dato ad intendere l'amore che io le portavo,[2] e quanto facilmente, per la semplicità[3] del marito, noi potavamo viver felici sanza infamia alcuna,[4] promettendole che, qualunque volta Dio facessi altro di lui, di prenderla per donna[5]; ed avendo ella, oltre alle vere ragioni, gustato che differenzia è dalla ghiacitura mia a quella di Nicia, e da e baci d'uno amante giovane a quelli d'uno marito vecchio,[6] doppo qualche sospiro, disse: – Poiché l'astuzia tua, la sciocchezza del mio marito, la semplicità di mia madre e la tristizia[7] del mio confessoro mi hanno condutto a fare quello che mai per me medesima arei fatto, io voglio giudicare che venga da una celeste disposzione, che abbi voluto così, e non sono sufficiente[8] a recusare quello che 'l Cielo vuole che io accetti. Però, io ti prendo per signore, patrone, guida: tu mio padre, tu mio defensore, e tu voglio che sia ogni mio bene; e quel che 'l mio marito ha voluto per una sera, voglio ch'egli abbia sempre.[9] Fara'ti adunque suo compare,[10] e verrai questa mattina a la chiesa, e di quivi ne verrai a desinare con esso noi; e l'andare e lo stare starà a te, e potreno ad ogni ora e sanza sospetto convenire insieme. – Io fui, udendo queste parole, per morirmi per la dolcezza. Non potetti rispondere a la minima parte di quello che io arei desiderato. Tanto che io mi truovo el più felice e contento uomo che fussi mai nel mondo; e, se questa felicità non mi mancassi o per morte o per tempo,[11] io sarei più beato ch'e beati, più santo ch'e santi.

LIGURIO   Io ho gran piacere d'ogni tuo bene, ed ètti intervenuto quello che io ti dissi appunto. Ma che facciàn noi ora?

CALLIMACO   Andian verso la chiesa, perché io le promissi d'essere là, dove la verrà lei, la madre ed il dottore.

LIGURIO   Io sento toccare l'uscio suo: le sono esse, che escono fuora, ed hanno el dottore drieto.

CALLIMACO   Avviànci in chiesa, e là aspetteremole.

Scena quinta

MESSER NICIA, LUCREZIA, SOSTRATA

NICIA Lucrezia, io credo che sia bene fare le cose con timore di Dio, e non alla pazzeresca.[1]

LUCREZIA Che s'ha egli a fare, ora?

NICIA Guarda come la risponde! La pare un gallo![2]

SOSTRATA Non ve ne maravigliate: ella è un poco alterata.

LUCREZIA Che volete voi dire?

NICIA Dico che gli è bene che io vadia innanzi a parlare al frate, e dirli che ti si facci incontro in sull'uscio della chiesa, per menarti in santo,[3] perché gli è proprio, stamani, come se tu rinascessi.

LUCREZIA Che non andate?

NICIA Tu se' stamani molto ardita! Ella pareva iersera mezza morta.[4]

LUCREZIA Egli è la grazia vostra!

SOSTRATA Andate a trovare el frate. Ma 'e non bisogna, egli è fuora di chiesa.

NICIA Voi dite el vero.

Scena sesta

FRA' TIMOTEO, MESSER NICIA, LUCREZIA,
CALLIMACO, LIGURIO, SOSTRATA

FRATE Io vengo fuora, perché Callimaco e Ligurio m'hanno detto che el dottore e le donne vengono alla chiesa. Eccole.[1]

NICIA Bona dies,[2] padre!

FRATE Voi sete le ben venute, e buon pro vi faccia, madonna, che Dio vi dia a fare un bel figliuolo mastio![3]

LUCREZIA Dio el voglia!

FRATE E' lo vorrà in ogni modo.

NICIA Veggh'io in chiesa Ligurio e maestro Callimaco?

FRATE Messer sì.

NICIA   Accennategli.[4]

FRATE   Venite!

CALLIMACO   Dio vi salvi!

NICIA   Maestro, toccate la mano qui alla donna mia.

CALLIMACO   Volentieri.

NICIA   Lucrezia, costui è quello che sarà cagione che noi aremo uno bastone che sostenga la nostra vecchiezza.

LUCREZIA   Io l'ho molto caro, e vuolsi che sia nostro compare.

NICIA   Or benedetta sia tu! E voglio che lui e Ligurio venghino stamani a desinare con esso noi.

LUCREZIA   In ogni modo.

NICIA   E vo' dar loro la chiave della camera terrena d'in su la loggia, perché possino tornarsi quivi a loro comodità,[5] che non hanno donne in casa, e stanno come bestie.[6]

CALLIMACO   Io l'accetto, per usarla quando mi accaggia.[7]

FRATE   Io ho avere[8] e danari per la limosina.

NICIA   Ben sapete come, domine, oggi vi si manderanno.

LIGURIO   Di Siro non è uomo[9] che si ricordi?

NICIA   Chiegga, ciò che i' ho è suo. Tu, Lucrezia, quanti grossi[10] hai a dare al frate, per entrare in santo?

LUCREZIA   Io non me ne ricordo.

NICIA   Pure, quanti?

LUCREZIA   Dategliene dieci.

NICIA   Affogaggine![11]

FRATE   E voi, madonna Sostrata, avete, secondo che mi pare, messo un tallo in sul vecchio.[12]

SOSTRATA   Chi non sarebbe allegra?

FRATE   Andianne tutti in chiesa, e quivi direno l'orazione ordinaria.[13] Dipoi, doppo l'ufizio, ne andrete a desinare a vostra posta. – Voi, aspettatori, non aspettate che noi usciàn più fuora: l'ufizio è lungo, io mi rimarrò in chiesa, e loro, per l'uscio del fianco, se n'andranno a casa. Valete![14]

Note

Canzone

[1] Questa canzone è costituita da una "ripresa" ternaria, sul modello della ballata, e di tre strofe di otto endecasillabi e settenari alternati. Le rime sono parimenti alterne, solo che il verso chiave (d) di giuntura tra la fronte e la sirma rima con il verso precedente, secondo questo schema: a b B - c D c D - d - e f E. La canzone fu composta per la progettata recita della commedia a Faenza in occasione del carnevale del 1526 e su iniziativa dell'amico Guicciardini. Essa fu infatti spedita all'amico a Faenza con la lettera del 3 gennaio. Guicciardini aveva sollecitato con lettera del 20 dicembre 1525 a sostituire al *Prologo* originario un altro "conforme al poco ingegno delli auditori, e nel quale siano più presto dipinti loro che voi" (cfr. *Lettere*, cit., p. 447). Machiavelli con grande sollecitudine provvide a questa bisogna, ma la commedia, come si è detto nell'*Introduzione*, non fu rappresentata. La canzone apparve per la prima volta a stampa presso l'editore Cambiagi di Firenze nel contesto di tutte le opere (1782-1783).

[2] *eletta... abbiamo*: questa canzone era destinata a essere cantata da ninfe e da pastori secondo la nobile tradizione della letteratura bucolica.

[3] *giovin' leggiadri*: i pastori. La grazia leggiadra si accompagna naturalmente alla giovinezza, come in Poliziano, *Ballate* XXXIV: "E va leggiadra e presta / e costumata: / e spesso ne va alzata / per sin quasi al ginocchio".

[4] *con la nostra armonia*: con l'armonia del nostro canto.

[5] *il nome... governa*: Francesco Guicciardini, presidente della Romagna dal 1523 al 1526.

[6] *in la sembianza eterna*: nel volto di Cristo. Cfr. Dante, *Par.* XXXI, 107-108: "Signor mio Gesù Cristo, Dio verace, / or fu sì fatta la sembianza vostra?" "È un'iperbole poco 'machiavellica', ribadita da quel *superna* che segue" (Davico Bonino).

[7] *chi ve lo ha dato*: il papa Clemente VII (un Medici, Giulio de' Medici).

Prologo

¹ Il *Prologo* (Πρόλογος, prólogus) risale al teatro greco-latino e in forma di monologo o di dialogo preannuncia i fatti che si svolge-ranno nel contesto del dramma. Nel *Prologo* del teatro del Rinasci-mento, da Ariosto e Bibbiena in poi, all'antefatto si aggiungono le ra-gioni poetiche dell'autore. I prologhi in versi si alternano a quelli in prosa: per esempio la *Cassaria* di Ariosto (1508) presenta un *Prologo* in terza rima e un altro *Prologo* in versi sciolti, mentre i *Suppositi*, al-tra commedia ariostesca del 1509, presentano un *Prologo* in prosa e un altro in endecasillabi sciolti. Machiavelli per la *Mandragola* "scel-se, con una variante minima – un settenario al posto dell'endecasilla-bo nel verso 8 – il metro d'una delle più famose canzoni petrarche-sche, la prima in morte di Laùra, *Che debb'io far? che mi consigli, Amore?* È difficile provare, ma più difficile escludere una intenzione parodica nella scelta eccezionale di un tal metro per un prologo di commedia" (cfr. Dionisotti 1984, p. 641). Eccone lo schema: A b C - A b C - c - d d - E E.

² *questa benignità... grato*: la vostra benignità dipende dal fatto che vi riusciamo graditi.

³ *terra*: città, cioè Firenze. Nell'antico italiano letterario "terra" ha appunto il significato di borgo, città, da Dante (Mantova per esempio è detta "terra" in *Purg.* VI, 80) a Machiavelli (nel *Principe* III: i veneziani, "per acquistare dua terre in Lombardia, fecioro signore el re [Luigi XII di Francia] di dua terzi di Italia").

⁴ *l'apparato*: la scena. L'attore che recita il *Prologo* mostra al pubblico i diversi particolari della scena.

⁵ *quest'è... o Pisa*: Machiavelli allude forse alle due commedie di Lorenzo Strozzi, la *Commedia in versi* e la *Nutrice* rappresentate con la *Mandragola* nel 1518 e che si svolgono appunto a Roma e a Pisa ri-spettivamente. Roma è pure la città dove si svolgono i fatti della *Ca-landria* del Bibbiena (nell'*Argumento*: "la terra che vedete qui è Ro-ma"), e Pisa tornerà nel *Vecchio amoroso* di Giannotti. È fondamen-tale nel teatro comico rinascimentale l'insediamento locale dei fatti rappresentati, anche per ragioni linguistiche. Una battuta affine si legge nel *Prologo* dell'atto scenico tedesco tradotto in volgare col tito-lo *La Costanza da Casale di Monferrato* e trascritto nel *Viaggio in Ale-magna* di Francesco Vettori, rimasto inedito sino al XIX secolo: "Que-sta città che vedete sì grande è Roma, perché quivi intervenne il ca-so. Un'altra volta sarà un'altra città". Questo *Viaggio* fu il prodotto letterario dell'ambasciata fiorentina presso l'imperatore Massimilia-no d'Austria, dal giugno 1507 al giugno 1508. Machiavelli raggiunge-rà l'amico presso la corte cesarea in Tirolo tra il dicembre 1507 e il giugno 1508 per recargli nuove istruzioni.

⁶ *in sul Buezio*: sui libri di Boezio, esperto di diritto. L'antono-masia, Boezio per giurista, è frequente nelle rime del Burchiello e dei burchielleschi: "Questa cosa è provata – come dice Boezio al quarto testo – chi vuol vin dolce non imbotti agresto," dal sonetto caudato *Civette e pipistregli e tal ragione*, oppure "e tutti col Buezio in su la spalla", ultimo verso del sonetto *Questi ch'andaron già a studia-re a Atene*, e altrove. Cfr. L. Passarini (Pico Luri di Vassano), *Modi di dire proverbiali*, Tipografia tiberiana, Roma 1875, p. 80.

⁷ *fitta*: raffigurata, ma detta con intensità semantica, quasi a dire incisa o confitta.

144

⁸ *l'abito d'un frate*: l'abito di un servita, almeno a voler dar credito ad A.F. Grazzini detto il Lasca, che nel *Prologo* della sua commedia *Il frate*, scrive: "perciocché nella Mandragola recitatasi dalla Cazzuola venne in scena un fra Timoteo de' Servi che confortò santamente a ingravidar la moglie di messer Nicia" (cfr. di Grazzini il *Teatro*, Laterza, Bari 1953, p. 526). Che fra Timoteo fosse un servita sarebbe anche provato dall'operetta di Machiavelli, *Capitoli per una compagnia di piacere*, e precisamente da questo "capitolo": "Sieno obligate le donne ad andare quattro volte il mese a' Servi almeno..." (cfr. di Machiavelli *Opere letterarie*, ed. cit., p. 200). Ma Giorgio Inglese identifica via dell'Amore (v. 16) con una porzione dell'attuale via di sant'Antonino che sbocca nella piazza "vecchia" di Santa Maria Novella, e questa chiesa, come è ben noto, è la sede dei domenicani conventuali. In base a questo dato e anche al fatto che Timoteo, monologando in v, 1, parla di processione dopo la compieta, il che era un rito della liturgia domenicana, fa propendere Inglese per l'abito domenicano. Cfr. G. Inglese, *Mandragola*, in *Letteratura italiana, Le opere*, Einaudi, Torino 1992, p. 1013, nota 2. Ma è più probabile che il "frate mal vissuto" (v. 42) sia proprio un servita e non un domenicano, per due ragioni, perché via dell'Amore ("dove chi casca non si rizza mai", e qui Davico Bonino sospetta "l'allusione erotica") può ben essere appunto una via soltanto allusiva ed emblematica, e perché "con i Servi il Machiavelli ce l'aveva più fitta" (Guerri).

⁹ *el tempio... è posto*: il tempio sorge all'angolo opposto. Silvio D'Amico, *Storia del teatro drammatico* (Garzanti, Milano 1950, vol. II, pp. 35-36), rileva questa novità scenica, l'apparizione cioè di una chiesa.

¹⁰ *buon compagno*: cfr. la lettera di Machiavelli a F. Vettori del 5 gennaio 1514: "chi è stimato huomo da bene et che vaglia, ciò che e' fa per allargare l'animo e vivere lieto, gli arreca honore et non carico, et in cambio di essere chiamato buggerone o puttaniere, si dice che è universale, alla mano et buon compagno" (cfr. *Lettere*, cit., p. 315). Cfr. Raimondi 1972, p. 185.

¹¹ *a' segni ed a' vestigi*: guardando a come si manifesta e si presenta.

¹² *l'onor... porta*: è un verso di fattura e di suono petrarchesco. – *pregio*: cfr. Petrarca, *Rer. vulg. fragm.* CCLXIV, 101: "Più si disdice [mortal cosa amar] a chi più pregio brama". Carducci qui commenta (*Le rime di F. Petrarca*, Sansoni, Firenze 1910, p. 362, nota 101): "qui nel significato che i nostri rimatori del secolo XIII derivarono dal 'pretz' dei provenzali: lode, valore, perfezione morale".

¹³ *voi fussi,.. come lei*: l'attore si rivolge qui alle spettatrici, augurando loro di essere eroticamente amate come lo fu Lucrezia da parte di Callimaco.

¹⁴ *La favola... si chiama*: cfr. Terenzio, *Hecyra, Prologus*, 1: "Hecyra est huic nomen fabulae". Sulla Mandragola cfr. II, 6, nota 8.

¹⁵ *com'i' m'indovino*: come credo di prevedere.

¹⁶ *di malizia il cucco*: il cocco, il prediletto della malizia. Questi ultimi versi (40-43) ricordano sul piano della cadenza ritmica i vv. 37-39 del *Prologus* dell'*Heautontimorumenos* di Terenzio: "servos currens, iratus senex, / edax parasitus, sycophanta autem impudens, / avarus leno". Cfr. Raimondi 1972, p. 191.

¹⁷ *badalucco*: passatempo, svago. La parola deriva dal latino me-

dioevale *badaluchum*. Mario Baratto propone "ghiribizzo comico" (cfr. Baratto 1975, p. 119). Cfr. anche la lettera celebre di Machiavelli a Vettori del 10 dicembre 1513: "dipoi questo badalucco, ancora che dispettoso e strano, è mancato con mio dispiacere" (cfr. *Lettere*, cit., p. 302).

[18] *el suo tristo tempo*: cfr. l'*Asino d'oro*, cap. i, 7-8: "sì perché questa grazia [la poesia lirica] non s'impetra / in questi tempi".

[19] *dove voltare el viso*: cfr. qui, iv, 1: "Volgi el viso alla sorte", cioè guarda in faccia e sfida la fortuna; è l'esortazione che Callimaco indirizza a se stesso. E cfr. pure l'*Asino d'oro*, cap. iii, 85-87: "Ma perché il pianto a l'uom fu sempre brutto, / si debbe a' colpi de la sua fortuna – voltar il viso di lagrime asciutto".

[20] *interciso*: precluso, vietato, dal latino *intercidere*. Cfr. Dante, *Par.* xxx, 30: "non m'è il seguire al mio cantar preciso".

[21] *El premio che si spera*: cfr. l'*Asino d'oro*, cap. i, 10: "Né cerco averne prezzo, premio o merto".

[22] *per tutto traligna... el secol presente*: cfr. l'*Asino d'oro*, cap. i, 99: "Ma questo tempo dispettoso e tristo" ha fatto sì che "più tosto il mal che 'l bene ha sempre visto".

[23] *che 'l vento... ricuopra*: s'intenda, il vento e la nebbia della maldicenza.

[24] *dir male*: sulla maldicenza "dispettosa" cfr. l'*Asino d'oro*, cap. i, 91-121: in questi versi Machiavelli confessa di avere già nel passato "volta la mente – a morder questo e quello" e poi di essersi imposta la riconciliazione con gli uomini. Ma "questo tempo dispettoso e tristo" lo ha risospinto a ragliare e a usare "scherzi asinini", a "dir male" per dispetto contro la fortuna avversa e per vendetta contro il genere umano. Cfr. pure i *Capitoli per una compagnia di piacere*, e cioè i capitoli quarto e sesto: "Debbasi sempre dire male l'uno dell'altro" e "Non si possa mai per alcuno conto dire bene l'uno dell'altro" (cfr. *Opere letterarie*, ed. cit., p. 200).

[25] *in ogni parte... el "sì" sona*: evidente ricalco dantesco: "... le genti / del bel paese là dove 'l sì suona" (*Inf.* xxxiii, 80-81).

[26] *ancor che... sergieri*: Mario Martelli (1968, p. 210), propone di leggere *sergieri* nel significato di "inchini, salamelecchi", e dunque di preferire il ms. Rediano che reca "facci sergieri" in luogo di "facci el sergieri" recato dalla stampa e adottato dalle men recenti edizioni. L'emendamento in questione fu suggerito da Domenico De Robertis che lo suffragò sul testo di una lettera di Luigi Pulci a Lorenzo dei Medici del 27 aprile 1465 ("le scappucciate, gl'inchini, le 'nvenie, i sergeri") e sul testo della ballata xviii di Agnolo Poliziano (vv. 17-20): "Costor son certi be' ceri / ch'han più vento ch'una palla: / pien d'inchini e di sergeri / stanno in bruco ed in farfalla". Carducci nel suo commento polizianesco (cfr. *Le Stanze, l'Orfeo e le Rime di A. Poliziano*, Barbera, Firenze 1863, p. 303, nota 15) commenta: "*sergeri*, salamelecchi, tanto che codesti cortigiani 'stanno in bruco et in farfalla'". E infine cfr. L. Passarini, *Modi di dire proverbiali*, cit., p. 469.

[27] *Ma lasciam... vuole*: Fredi Chiappelli (1969, p. 256), richiama a questo verso il verso 115 del cap. i dell'*Asino d'oro*: "E ognuno a suo modo ciarli e frappi" (*frappi*, abbindoli con le ciarle).

[28] *qualche mostro*: "qualche sciocco. Anche questa è una facezia dei rimatori burleschi" (Guerri).

[29] *e dirà... argumento*: ancora Martelli (1968, p. 211) richiama

questi versi a un passo affine che si legge negli *Adelphoe* di Terenzio (*Prologus*, 22-24): "Dehinc ne expectetis argumentum fabulae: – senes qui primi venient, et partem aperient, – in agendo partem ostendent".

ATTO PRIMO

Scena prima

[1] *io ti voglio un poco*: Nino Borsellino (1974, 1976, p. 127), richiama questa battuta di Callimaco a quella di Simo nell'*Andria*, anch'essa in apertura: "Tu, Sosia, fatti in qua, io ti voglio parlare un poco". Traduce il testo terenziano: "Sosia, ades dum; paucis te volo" (I, 1-2).

[2] *che tu ti maravigliassi assai*: la stampa non reca l'*assai*, accertato invece dal codice Rediano. Martelli pensa a un'omissione per aplografia (cioè il *maravigliassi* ha provocato l'omissione da parte del copista del successivo *assai*, a causa dell'omofonia delle finali delle due parole. Cfr. *Nota al testo* in *Tutte le opere di N. Machiavelli*, ed. cit., pp. LI-LII).

[3] *per iudicare*: per il fatto che giudico...

[4] *cercare*: investigare.

[5] *che tu lo intenda mille una*: che tu lo ascolti un'altra volta.

[6] *per la passata del re Carlo*: per il passaggio, l'invasione dell'Italia da parte dell'esercito francese di Carlo VIII nel 1494. Cfr. l'*Arte della guerra* VII, in *Il teatro e tutti...*, cit., p. 517: "Considerate quante guerre sono state in Italia dalla passata del re Carlo ad oggi".

[7] *provincia*: la nazione italiana. Originariamente nella lingua latina *provincia* era un territorio fuori d'Italia retto da un magistrato romano; poi nel quadro del Sacro romano impero qualsiasi nazione costituita da un popolo omogeneo facente parte di quell'impero.

[8] *commesso di qua che...*: essendo affidato ad altri rimasti a Firenze (*di qua*) l'incarico di...

[9] *avendo compartito... al povero ed al ricco*: E. Raimondi coglie una rilevante affinità tra questo passo e quello, pure iniziale della commedia, dell'*Andria* (I, 1): "... di quelle cose che fanno la maggior parte de' giovanetti, di volgere l'animo a qualche piacere, come è nutrire cavagli, cani, andare allo Studio, non ne seguiva più una che un'altra, ma in tutte si travagliava mediocremente, di che io mi rallegravo". Si rilevi nell'uno e nell'altro testo una serie lessicale uguale, *studio, piacere, travagliare, cose*. Cfr. pure Borsellino (1974, 1976, p. 127): ci si rimanda all'*Andria* (I, 1): "Così era la sua vita: sopportare facilmente ognuno; andare a' versi a coloro con chi ei conversava; non essere traverso; non si stimare più che gli altri; e chi fa così, facilmente sanza invidia, si acquista laude e amici". – *terrazzano*: abitante della "terra", della città, cittadino, opposto qui a "forestiero".

[10] *nel ragionare insieme... o in Francia*: Raimondi (1972, pp. 179-181) ha accostato questo passo a uno affine della novella del Boccaccio, quella di Lodovico, madonna Beatrice ed Egano de' Galluzzi (cfr. *Decam.* VII, 7, 6): "E quivi dimorando, avvenne che certi cavalie-

ri li quali tornati erano dal Sepolcro, sopravvenendo ad un ragionamento di giovani, nel quale Lodovico era, e udendogli fra sé ragionare delle belle donne di Francia e d'Inghilterra e d'altre parti del mondo, cominciò l'un di loro a dir che per certo di quanto mondo egli
aveva cerco e di quante donne vedute aveva mai, una simigliante alla
moglie d'Egano de' Galluzzi di Bologna, madonna Beatrice chiamata, veduta non avea di bellezza..." Cfr. anche Vanossi 1970, p. 8.

[11] *se*: anche se. Si tratta di un *se* concessivo rinforzato (lat.
"etiam si"). Quanto al *se* concessivo cfr. Rohlfs 1966-1969, 781.

[12] *era per riavere*: era in grado di riscattare.

[13] *ed in me destò... a venire qui*: si legge nella sopra cit. novella di
Boccaccio (*Decam.* VII, 7, 7): "s'accese in tanto desiderio di doverla
vedere che ad altro non poteva tenere il suo pensiere..." Commenta a
questo luogo Vittore Branca (cfr. *Decameron*, vol. II, p. 252, nota 1):
"uno degli innamoramenti per fama, non raro nel tessuto medievale
del *Decameron*". In quanto al *mi messi a venire qui* il codice Rediano
reca *mi mossi a venire qui*, e F. Chiappelli ne propone l'adozione: "*mi
mossi* è d'aspetto puntuale, e quindi idoneo ad esprimere l'idea di deliberazione connessa necessariamente al significato del testo". Cfr.
Chiappelli 1969, p. 257.

[14] *ho trovato... che la verità*: ancora nella cit. novella del Boccaccio (*Decam.* VII, 7, 8): "... e troppo più bella gli parve assai che stimato non avea". Cfr. Raimondi 1972, p. 179.

[15] *Io non ti ho detto... lo ricerchi*: altra affinità con un passo della
lettera a F. Vettori del 10 giugno 1514, rilevata da Raimondi (1972,
p. 183): "Io non vi scrivo questo, perché io voglia che voi pigliate per
me o disagio o briga, ma solo per sfogarmene, et per non vi scrivere
più di questa materia, come odiosa quanto ella può" (cfr. *Lettere*, cit.,
p. 343).

[16] *Ehimè!... Dirotti*: così reca il codice Rediano, mentre la stampa
dava una sola battuta, quella di Callimaco: "Ahimè! nessuna o poche.
E dicoti..." Già Ridolfi aveva accolto la lezione del codice Rediano,
persuaso che il copista non potesse interpolare di sua testa e per ben
due volte i nomi di Siro e di Callimaco. In altre parole ritenne assai
probabilmente erronea la *lectio facilior* della stampa. Martelli ha accolto la lezione proposta da Ridolfi. Quanto poi a *ehimè! nessuna* il
codice Rediano reca *Henne nessuna* (ecci, ci è nessuna), lezione che
Ridolfi adottò in un primo tempo, ma poi ripiegò sulla lezione della
stampa.

[17] *la natura di lei... governare da lei*: Raimondi (1972, p. 174) richiama qui un passo affine dell'*Andria*: "alieno al tutto dal tôrre moglie" (v, 1). E Terenzio (*Andria*, 147-149): "... denique – ita tum disce-
do ab illo, ut qui se filiam – neget daturum" – *l'avere el marito ricchissimo*: così il codice Rediano. La stampa reca "avere el marito ricchissimo". Ridolfi accolse la lezione della stampa per perfezionare la
simmetria con il seguente "non avere parenti...", ma secondo Chiappelli (cfr. Chiappelli 1969, p. 257) "l'infinito sostantivato, frequentis-
simo nel M., è per lo più articolato in astratto positivo".

[18] *vegghia*: veglia, ossia i piacevoli intrattenimenti sino a notte
avanzata. Il nesso *gl* (lat. "vigilare") in posizione interna talvolta si
sonorizza nella doppia *g* nelle parlate dei territori di Firenze e di
Arezzo, come in "vegghia, vegghiare, stregghia, tegghia, ragghiare"
ecc. Cfr. Rohlfs 1966-1969, 250.

¹⁹ *persone meccaniche*: gli addetti ai lavori manuali. Ancora nei *Promessi sposi* del Manzoni, in linguaggio seicentesco, "vile meccanico" è l'ingiuria indirizzata a Ludovico (cap. IV).

²⁰ *E' non è mai... sperare*: cfr. Martelli 1968, p. 211. Vi si suggerisce questo affine luogo terenziano, in *Heautontimorumenos*, 675: "Nihil tam difficile est quin quaereundo investigari possiet".

²¹ *la semplicità*: la dabbenaggine. Si ricordi il "dottor poco astuto" del *Prologo*.

²² *buona compagna*: è stata donna di allegri e facili costumi. Cfr. la lettera di Vettori a Machiavelli del 18 gennaio 1514: "in una casa assai conveniente habita una donna vedova romana et di buon parentado, che è stata et è buona compagna..." Cfr. *Lettere*, cit., p. 317.

²³ *Ligurio*: i lapidari ci dicono che il "ligurio" è una pietra che lenisce i dolori di stomaco. Osserva Raimondi che "il nome del 'pappatore' Ligurio può essere posto in relazione con il terenziano 'ligurire' postillato da Beroaldo nel suo commento ad Apuleio come 'suaviora quaeque degustare', unde et ligatores dicti gulosi" (cfr. Raimondi 1972, p. 261).

²⁴ *l'uccella*: si fa beffe di lui. Infatti Ligurio farà pure il verso alla parlata tra dotta e volgarmente popolana di messer Nicia.

²⁵ *con le mane e co' piè*: con ogni forza. Anche nell'*Andria*: "so che si sforza con le mani e co' piè fare ogni male" (I, 1) e "io sono obligato in tuo servizio sforzarmi con le mani e co' piè" (IV, 1).

²⁶ *pappatori*: coloro che si fanno invitare a pranzo a sbafo, parassiti.

²⁷ *quando... per uno*: quando una pratica si fa in favore di qualcuno.

²⁸ *quando e' non riesca*: la stampa reca "quando non riesca", il codice Rediano reca la *e'*. La simmetria esige la reiterazione dei due *e'*, pronomi neutri a costrutto dilemmatico.

²⁹ *al bagno*: ai bagni termali.

³⁰ *Che è... cotesto?*: quale vantaggio il bagno vi arreca?

³¹ *in simili lati... festeggiare*: in simili luoghi non si pensa che a far festa e a divertirsi. Il linguaggio è burchiellesco. Si cfr. il sonetto del Burchiello "Qualunque al bagno vuol mandar la moglie / o per difetto o per farla impregnare, / mandi con lei il famiglio e la comare, / e mona Nencia che i parti ricoglie".

³² *sarebbe... questa cosa*: avrebbe esaminato a fondo questa faccenda.

³³ *Io mi vo' tirare...*: la conclusione di questa scena ripercorre il ritmo narrativo della conclusione della prima scena del primo atto dell'*Andria*, cioè del colloquio e del relativo programma operativo di Simo e di Sosia.

Scena seconda

¹ *alla donna*: a mia moglie, Lucrezia. *Donna*, da *domina* lat., signora. Così spesso nel *Decamerone*, dove si legge anche un "donna moglie" (IV, 6, 37).

² *mi spicco... da bomba*: mi distacco malvolentieri da casa mia. Cfr. Passarini, *Modi di dire proverbiali*, cit., p. 337: "Dicesi *bomba* il luogo d'onde si partivano e dove ritornavano i fanciulli nel loro giuo-

co di 'birri e ladri', di 'toccapome' e di altri [...]. Da ciò 'tornare a bomba', 'toccar bomba' ecc."

[3] *mi parvono... uccellacci*: F. Chiappelli preferisce la lezione del codice Rediano, "mi paiono", perché il presente qui "introduce più appropriatamente il giudizio generale che consegue a quell'impressione" (cfr. Chiappelli 1969, p. 258. – *uccellacci*, o uccelloni, balordi.

[4] *dar briga*: esservi d'impaccio.

[5] *non sete... di veduta*: non siete abituato a perdere di vista la cupola di Santa Maria del Fiore, cioè per antonomasia, Firenze. Cfr. A.F. Doni, *I marmi*, Laterza, Bari 1928, Parte I, Ragionamento VII, vol. I, p. 162: "e non voglio per tue baie perder la cupola di veduta".

[6] *la carrucola di Pisa*: Paolo Giovio nel *Dialogus de viris litteris illustribus* (scritto intorno al 1530), lodando nell'autore della *Mandragola* un degno continuatore di Aristofane, rilevava la figura di Nicia "ridiculus senex, qui suscipiendae prolis tam stolide quam sinistre cupidus, a pruriente iuvencula uxore in curuculam facetissime transmutatur". La "curucula" è l'uccello che è costretto a covare le uova del cuculo: cfr. Giovenale, *Sat.* VI, 275-278: "tu tibi tunc, curruca, places fletumque labellis – exsorbes: quae scripta et quot lecture tabellas, si tibi zelotypae retegantur scrinia moechae!" (tu credi che sia amore: ti piace, povero cornuto, e asciughi con i baci il suo pianto. Ma che parole e quanti bigliettini leggeresti, se ti fosse aperto il cassetto della gelosa adultera). Come si vede, *curruca* indica a un tempo l'uccello-balia e il "cornuto", e quest'ultimo significato ha la parola nella battuta di Ligurio. Infine cfr. il *Morgante* del Pulci, XIV, 60, 6-8: "Evi il cuculio con sua malizietta, che mette l'uova sue drento alla buca, – della sua bàlia, che è detta curuca". Cfr. E. Raimondi, *Machiavelli, Giovio e Aristofane*, cit., p. 392.

[7] *la Verucola*: Nicia il sempliciotto non ha colto l'ironia beffarda di Ligurio, che ha corrotta la parola volutamente, appunto per beffarsi del dottore. La Verucola, ossia il monte Verruca, a est di Pisa, sul quale era stata costruita una rocca. Vanossi (1970, p. 35) riconduce questo scambio di battute a un passo affine che si legge in *Decam.* VII, 9, 37-38, in virtù di un affine scambio di battute tra Bruno e il maestro Simone da Villa: "O maestro mio," diceva Bruno, "io. non me ne meraviglio, ché io ho bene udito dire che Porcograsso e Vannacenna non ne dicon nulla". Disse il maestro: "Tu vuoi dire Ipocrasso e Avicenna".

[8] *Che Arno... acqua acqua*: anche questo passo riecheggia la famosa battuta di Maso rivolta a Calandrino in *Decam.* VIII, 3, 13-15: "A cui Maso rispose: – Dì tu se io vi fui mai? sì vi sono stato così una volta come mille. Disse allora Calandrino: – E quante miglia ci ha? Maso rispose: – Haccene più di millanta, che tutta notte canta".

[9] *avendo voi... in tante neve*: si tratta di una locuzione gergale, tu che hai lasciato il tuo segno su tanti luoghi, che hai visitato tanti paesi. Cfr. L. Passarini, *Modi di dire proverbiali*, cit., p. 323 e B. Varchi, *L'Ercolano*, Società tipografica dei classici italiani, Milano 1804, I, p. 142: "Quando alcuno, per esser pratico del mondo, non è uomo da essere aggirato, né fatto fare, si dice: "egli se le sa; egli non ha bisogno di mondualdo, di procuratore; egli ha pisciato in più d'una neve, egli ha cotto il culo ne' ceci rossi ecc.".

[10] *Tu hai la bocca... di latte*: "sei ingenuo come un bambino" (Gaeta).

[11] *sgominare*: mettere sottosopra. Riprende e conclude il precedente "travasare".

[12] *con questi maestri*: il codice Rediano legge, in luogo di *maestri*, *babuassi*: lezione certamente efficace (anche oggi "babbuassi", sciocchi, babbei). Nell'edizione del 1965 da lui approntata, Ridolfi conserva la lezione della stampa, ritenendo che Machiavelli abbia corretta la lezione originaria per non offendere troppo i medici presenti fra gli spettatori. R. Tissoni e V. Romano (cfr. la nostra *Bibliografia essenziale*) preferiscono la lezione "babuassi", mentre Martelli (1968, pp. 207 sgg.) opta per la lezione della stampa.

Scena terza

[1] *Lui ricco... un regno*: F. Chiappelli (1969, p. 254, nota 1), richiama qui con qualche legittimità un passo di Jacopo Passavanti, in *Specchio di vera penitenza* (cfr. *Prosatori minori del Trecento*, I, Ricciardi, Milano-Napoli 1954, p. 90): "Io ricco, io sano, io bella donna, io assai e belli figliuoli, assai famiglia, né ingiuria, né danno mai non ricevetti da persona".

[2] *si vede... avere un pazzo*: si rilevino le coppie in contrapposizione: *uomo ben qualificato* si oppone a *bestia* e *prudente donna* a *un pazzo*.

[3] *appostando*: "spiando di nascosto alla posta" (Davico Bonino).

[4] *potrebbe venirvi... in modo che*: cfr., come propone Raimondi (1972, p. 185), la lettera di Vettori a Machiavelli del 9 febbraio 1514: "havevo a pensare che chome piaceva a me, piacerebbe anchora a altri e d'altra qualità non sono io, in modo la potrei godere pocho (cfr. *Lettere*, cit., p. 324).

[5] *di non durare*: di dover sopportare. È questa la costruzione latina dei verbi di timore: timet ne deseras se, teme che tu (non) l'abbandoni.

[6] *dimesticandosi*: facendosi domestica, cioè mansueta e trattabile.

[7] *uccellare*: ingannare. Questa parola che comunemente significa "beffare", qui va presa nel suo valore semantico più intensivo.

[8] *cercherei valermene*: cercherei di rivalermene. Questa è la lezione del codice Rediano; la stampa reca *di valermene*. F. Chiappelli (1969, p. 258): "ora il segno zero nella costruzione di verbi significanti intenzioni o sforzo è [...] una frequentissima propensione nel Machiavelli", come "non mi affaticherò referire", "ordinerò farlo" ecc.

[9] *c'è che 'l... col mio*: si dà affinità di sangue, di temperamento fra me e te. Cfr. la battuta di Panfilo nell'*Andria* (IV, 2): "i costumi s'affanno", i nostri temperamenti concordano (latino "conveniunt mores").

[10] *presso a quanto*: quasi quanto.

[11] *in grammatica*: in latino. Già nel *Convivio* dantesco (IV, cap. 6): "in gramatica, che significa tanto quanto 'legare parole', cioè 'auieo', [...] uno verbo molto lasciato da l'uso". E così sino a G.B. Gelli che nel quarto dei suoi *Ragionamenti di Giusto bottaio da Firenze* (cfr. *Opere*, Utet, Torino 1976, p. 178): "la grammatica o per me' dire il latino, è una lingua". Ma è termine anche burchiellesco: il capover-

so di un sonetto del Burchiello reca: "Son medico in volgar, non in gramatica".

[12] *vorreno*: vorremo. Questa forma in *eno* anziché in *emo* si trova negli scritti toscani, da Barberino a Pulci a Machiavelli. "L'origine di queste forme va vista nei casi di apocope dinnanzi a una particella enclitica incorporata; per esempio 'farenvi', 'ritroverenci'" (Rohlfs 1966-1969, 587).

[13] *innanzi... questa otta*: prima della stessa ora che si avrà domani. Come ci informa Timoteo (IV, 10), la commedia si svolge in una sola giornata, secondo la norma delle unità di tempo e di spazio.

[14] *Tu mi risusciti*: nell'*Andria* (II, 1): "Tu m'hai risucitato".

[15] *perché el tempo... dire*: la misura dell'incisività espressiva e linguistica della *Mandragola* si può rilevare paragonando questa battuta a quella dell'*Andria* (IV, 2): "Io ho paura che questo dì non mi basti a farlo, non che mi avanzi tempo a dirlo". Cfr. Raimondi 1972, p. 175.

[16] *Tu, vanne... m'aspetta*: cfr. *Andria* (III, 2): "vanne in casa, e quivi mi aspetta e ordina quello che fa bisogno".

Canzone

[1] È una canzone monostrofica secondo questo schema: a B b A A C d d C E E. L'impostazione e lo sviluppo affettivo e stilistico di questa canzone ci richiamano a diversi semenzai che qua e là ricorrono nelle lettere, per esempio questo nella lettera a Vettori del 10 giugno 1514: "*De amore vestro*, io vi ricordo che quelli sono straziati dallo Amore, che quando e' vola loro in grembo, lo vogliono o tarpare o legare. A costoro, perché egli è fanciullo e instabile, e' cava gli occhi, le fegate et il cuore. Ma quelli che quando e' viene godano seco et lo vezzeggiano, et quando e' se ne va lo lasciano ire, et quando e' torna lo accettano volentieri, et sempre sono da lui honorati et carezzati, et sotto il suo imperio trionfano" (cfr. *Lettere*, cit., p. 343).

[2] *di far... vera*: di poter testimoniare la verità.

[3] *si segue*: "con valore intensivo: si insegue" (Davico Bonino).

[4] *come spesso... e strugge*: cfr. Petrarca, *Rer. vulg. fragm.* CCXX, 13-14: "di que' belli occhi ond'io ho guerra e pace, / che mi cuocono il cor in ghiaccio e 'n foco"; e anche *ivi*, LXXII, 38-39: "ove 'l piacer s'accende, / che dolcemente mi consuma e strugge". E si ricordi anche "d'Amor la gran possanza / ch'io non posso durare / lungamente a soffrire, ond'io mi doglio" di Dante (*Rime*, XXXVIII).

ATTO SECONDO

Scena prima

[1] *costui*: Callimaco. Il dialogo tra Nicia e Ligurio si è già avviato.

[2] *dell'arte*: dell'arte sua, della medicina.

[3] *lecceto*: intrigo, perché in un bosco di lecci ci si muove a fatica.

Cfr. *Clizia* (v, 2): "sono, per tuo amore, entrato in questo lecceto".
Cfr. pure F. Sacchetti, *Trecentonovelle*, CLXXX: "Le parole conducono spesse volte gli uomeni nel lecceto".

⁴ *questa cura*: s'intenda qui, questa faccenda che vi sta a cuore.

⁵ *Di cotesta parte*: il codice Rediano presenta "In cotesta parte". Chiappelli rileva "la maggior correttezza sintattica del regime con *in*" (Chiappelli 1969, p. 258).

⁶ *non venderà... vesciche*: cfr. L. Passarini, *Modi di dire proverbiali*, cit., p. 20. Cfr. anche A.F. Doni, *I marmi*, cit., vol. I, p. 162: "non se ne farà nulla, perché io non compro vesciche". Ed ecco la definizione del Varchi in *L'Ercolano*, cit., vol. I, p. 138: "Vendere vesciche, cioè dire alcuna cosa per certa che certa non sia, acciocché egli credendolasi, te ne abbia ad avere alcuno obligo".

⁷ *uno uomo... in grembo*: un uomo del quale ci si può pienamente fidare. Cfr. la lettera di Machiavelli a Vettori del 29 aprile 1513: "et che 'l papa per questo se gli habbi ad gittare tucto in grembo" (cfr. *Lettere*, cit., pp. 256).

⁸ *al dirimpetto a noi*: così reca il codice Rediano, mentre la stampa in luogo di *a noi* reca *a voi*. La lezione voluta da Ridolfi, che qui si è adottata, in verità è stata accolta dagli editori recentissimi più per inerzia che a ragion veduta.

⁹ *"maestro Callimaco"*: il titolo di *magister* spettava al medico, quello di *doctor* all'avvocato. Come osserva Nicia con la battuta "fa' 'l tuo debito", a ciascuno si vuole attribuire il titolo che gli spetta, e così vogliono le buone convenienze sociali. Cfr. B. Varchi, *Storia fiorentina* IX, Società tipografica de' Classici italiani, Milano 1803, vol. III, p. 118: "solo a' cavalieri, a' dottori ed a' canonici si dà del messere, come a' medici del maestro".

¹⁰ *Non dir così... scingasi!*: questa battuta secondo Martelli e Ridolfi dovrebbe essere scissa in due: *Non dir così, fa' 'l tuo debito* sulla bocca di Nicia, e *Eh, s'e' l'ha per male, scingasi!* in bocca a Ligurio. Comunque la tradizione ms. è concorde nel recare una sola battuta. – *scingasi!*: si sciolga le brache e quindi se le abbassi. Cfr. L. Passarini, *Modi di dire proverbiali*, cit., p. 242, e A.F. Doni, *I marmi*, cit., vol. I, p. 162: "chi l'ha per mal, si scinga!" Cfr. pure l'*Asino d'oro*, cap. I, 121: "e chi lo vuol aver per mal, si scinga".

Scena seconda

¹ *Bona dies... magister*: la formula latina (buon giorno, signor maestro) di rispetto è poi sarcasticamente contraddetta dalla corruzione latina che segue ("alle guagnele").

² *Et vobis... doctor*: e buon giorno anche a voi, signor dottore.

³ *alle guagnele*: corruzione della formula latina *propter Evangelia*, in nome del Vangelo. È interiezione frequente dai tre ai cinquecentisti, da Boccaccio (per esempio *Decam.* VI, 6, 8 e VIII, 9, 70) a Bandello.

⁴ *fareno duo fuochi*: faremo due focolari che bruciano ciascuno per se stesso.

⁵ *briga*: intrigo da risolvere, fastidio; la gradazione semantica va da *briga* come "noia" (*Decam.* VI, 9, 11) a *briga* come "fastidio" (*ivi*, III, 3, 30) a *briga* come "lotta tra fazioni cittadine" (*ivi*, X, 8, 90).

⁶ *Gran mercé*: molte grazie.

⁷ *ad rem nostram*: alle nostre faccende. "Nicia è un giurista, e predilige le clausole del mestiere" (Davico Bonino).

⁸ *quel che... detto*: quanto era necessario riferirvi.

⁹ *nam cause... extrinseca*: la formula era comune nei trattati coevi di medicina, in buona parte ricalcata sui ricettari della scuola salernitana. Un grosso compendio della scienza medica cinquecentesca sarà per esempio la *Practica maior* di Giovanni Michele Savonarola, medico padovano (pubblicata a Venezia nel 1561). L'immobilità di questi formulari può essere riscontrata appunto sulla *Practica maior*, *Tractatus* VI, cap. XXI, pp. 262-264 (*De sterilitate*). Traduz.: infatti le cause della sterilità sono riposte o nel seme, o nella vagina, o nei testicoli, o nel pene, o in qualche altro impedimento esterno.

¹⁰ *ferrigno... rubizzo*: di tempra gagliarda e di sangue vigoroso. Cfr. G.M. Cecchi, *La Maiana*, atto III, scena 4 in *Commedie inedite*, Barbera, Firenze 1855, p. 404: "... Egli è – pur ferrigno, se bene un po' vecchietto".

¹¹ *quel disagio*: il disagio di *travasare* e *sgominare* la casa (I, 2).

¹² *respettivo*: rispettoso, riguardoso. Cfr. il *Principe*, Feltrinelli, Milano 1994⁴, III, p. 34: "perché el signore, presa occasione dalla ribellione, è meno respettivo ad assicurarsi...". Dal latino medioevale *respectivus*, derivato dal latino classico *respectus*.

¹³ *vo rattenuto*: procedo cautamente.

¹⁴ *mi tenessino un cerretano*: non mi avessero a giudicare un ciarlatano. Infatti "l'immagine della mandragola [della quale si parlerà più avanti] implica per un contemporaneo di Machiavelli l'idea di un raggiro, di un'impresa da cerretani" (Raimondi 1972, p. 256).

¹⁵ *voi veggiate el segno*: il segno, il sintomo diagnostico, che in questo caso è l'urina. Cfr. per esempio Boccaccio, *Decam.* II, 8, 42 e IX, 3, 15. V. Branca a questo proposito annota che "l'esame dell'orina costituiva uno dei mezzi diagnostici più usati" (*Decameron*, cit., vol. II, p. 464, nota 1). Questo "segno" è il protagonista delle *Cene* di A.F. Grazzini, I, 1.

¹⁶ *più fede... nelle spade*: maggior fede che non i bellicosi ungheresi nelle loro armi. Secondo Ridolfi (*Introduzione* alla *Mandragola* da lui edita a Firenze nel 1965, cit., p. 27, nota 20), Machiavelli avrebbe scritto "più fede in voi che gli Ungheri nello Spano", modo proverbiale comune in Firenze a cominciare dal XV secolo, "tanto che il Cecchi l'usò ripetutamente nelle sue commedie". Forse, a giudizio di Ridolfi, il copista non fiorentino non capì questa locuzione e la sostituì con una *lectio facilior*. Tuttavia Ridolfi, considerando che Machiavelli volente o nolente aveva accettato la lezione della stampa, e che questa lezione è comunque ribadita dal codice Rediano, si decise a lasciare nel testo da lui edito *nelle spade*. Tutti gli editori venuti dopo si sono attenuti alla lezione della stampa, tranne G. Inglese, curatore del testo nell'ediz. Rizzoli, Milano 1980, che ha scelto la lezione "nello Spano", con questa motivazione: "la congettura di Roberto Ridolfi è troppo calzante per non essere promossa nel testo" (p. 106). Di Pippo Spano, 1369-1426, condottiero fiorentino al servizio del re Sigismondo d'Ungheria, ritratto da Andrea del Castagno, discorse l'anonimo autore della *Novella del grasso legnaiuolo* (cfr. *Prosatori volgari del Quattrocento*, Ricciardi, Milano-Napoli 1955, p. 798).

Scena terza

[1] *ne de' far conto*: penso che lo stimi.

[2] *cacastecchi*: stitici, ma qui uomini spilorci e dappoco.

[3] *ho cacato... dua hac*: ho buttato fuori le mie budella (come accade allo stitico) per apprendere due formulette latine.

[4] *grossi*: "monetine d'argento del valore di circa cinque soldi" (Blasucci). Nell'*Andria* (II, 2) Davo accenna a un servo di Cremete, "che aveva comperato certe erbe e uno grosso di pesciolini per la cena del vecchio".

[5] *chi non ha lo stato*: chi in questa città non ha una posizione sociale elevata.

[6] *andare... d'un mogliazzo*: partecipare ai funerali o alle cerimonie di nozze.

[7] *sulla panca... a donzellarci*: la panca di via del Proconsolo dove si ritrovavano gli oziosi e gli sfaccendati a spassarsela o a baloccarsi, panca resa celebre dai poeti burleschi, da Burchiello a Grazzini. – *donzellarci*: baloccarsi come fanciulle.

[8] *ne li disgrazio*: li disgrado, non me ne prendo cura.

[9] *qualche balzello... sudare*: qualche tassa o altro malanno che mi farebbe sudare di rabbia e di pena. Il *porro di drieto*: chiara allusione a pratiche sodomitiche, inflitte nella letteratura burlesca per punizione o per beffa.

Scena quarta

[1] *noi faremo... pe' forni*: lo stesso Machiavelli spiega questa locuzione a Guicciardini in una lettera del 16-20 ottobre 1525 (cfr. *Lettere*, cit., pp. 438-439): "*Fare a' sassi pe' forni* non vuol dire altro che fare una cosa da pazzi, et però disse quel mio, che se tutti fossimo come messer Nicia, noi faremo a' sassi pe' forni, cioè noi faremo tutti cose da pazzi..."

[2] *impazzato... padrone*: si tratta di Callimaco impazzito d'amore.

[3] *uccellaccio*: si ricordi che Nicia aveva definiti i "dottori di medicina" *uccellacci* (I, 2), cioè stupidi. Dunque qui la parola reprobativa si ritorce sullo stesso Nicia per bocca di Siro.

Scena quinta

[1] *Io ho fatto... che te*: "rientrando in scena, Nicia pronuncia questa battuta rivolto ancora alla moglie, che si trova in casa" (Davico Bonino). La stampa reca: "... io arei preso più tosto per moglie una contadina. Che? se' costì, Siro? Viemmi dietro". Il codice Rediano reca invece: "io arei preso più tosto per moglie una contadina che te. To' costì, Siro. Viemmi dietro". Anche qui "il dispositivo scenico avvalora la lettura di R. (Rediano)" (Chiappelli 1969, p. 253). Infatti soltanto la battuta *To' costì, Siro* indica che il *segno* è stato consegnato a Siro.

[2] *mona*: monna, madonna (latino: "mea domina"). L'abbreviazione è toscana, come "sor" (signore) e "scia" (signora). Cfr. Rohlfs 1966-1969, 316.

³ *E non è... figliuoli*: questa battuta ci può ricordare, sempre in area narrativa, un'affine battuta di Sacchetti: "e non avendo alcuno figliuolo, e la donna avendone molto maggior voglia d'aver di lui..." (cfr. *Trecentonovelle*, CXXXI, 3-5).

⁴ *fracido*: infracidito, nel senso di "seccato". L'aggettivo come aggettivo verbale può assumere funzione participiale. Così ancora nella *Mandragola* (IV, 2), "tu m'ha chiaro" e nella *Clizia* (V, 1): "ad alcuno sia tocco". Una battuta affine nella *Sporta* di Gelli (I, 2): "tu m'hai oggimai fracido" (infastidito). Cfr. Rohlfs 1966-1969, 629.

Scena sesta

¹ *la donna*: Lucrezia.

² *sotto*: "forse, sotto le vesti. Nicia glielo ha passato durante la quinta scena, a quanto si deduce" (Davico Bonino).

³ *Nam mulieris... cum urinis*: è arduo individuare quale fra i molti ricettari e manuali di patologia costituisca la fonte diretta di Machiavelli. A ogni modo un vasto compendio con dati e termini affini a questi machiavelliani si trova nella *Practica maior* di Savonarola in *Tractatus*, cit., VI, cap. XIX, p. 234. Cfr. già nel *Trecentonovelle* di Sacchetti un'affine descrizione pato-fisiologica (nov. CLXVII): dall'analisi del "segno" si diagnostica la malattia. Traduz.: infatti l'urina della donna presenta sempre una maggiore densità e una maggiore bianchezza, e minor bellezza, di quella degli uomini. Sono causa tuttavia di questi caratteri, fra le altre cose, l'ampiezza dei canali e la mescolanza delle sostanze che insieme all'urina escono dalla vagina.

⁴ *potta di san Puccio!*: vagina di san Puccio e, con maggiore appropriazione, almeno quanto a sesso, "potta di santa Bella!". Puccio è vezzeggiativo di nomi quali Filippo e Iacopo. Il frizzo di questa esclamazione popolaresca sta nell'attribuire l'organo femminile a un uomo.

⁵ *mi raffinisce in tralle mani*: mi diventa più fine via via che lo frequento.

⁶ *mal coperta*: cioè non difesa dal freddo, come intende Nicia, ma, in verità, prevale l'evidente allusione all'insufficienza virile di Nicia. La locuzione è propria della tradizione burchiellesca. Ma anche Dante in uno dei sonetti indirizzati a Forese Donati *Chi udisse tossir la mal fatata* (vv. 7-8): "E non le val perché dorma calzata, / mercè del copertoio, c'ha cortonese". Il *copertoio* allude appunto all'insufficiente copertura del marito.

⁷ *oggi ad uno anno*: di qui a un anno.

⁸ *mandragola*: o "mandragora", erba velenosa della famiglia delle solanacee alla quale si attribuivano poteri parimenti soporiferi e fecondativi. Quale soporifero, essa è indicata in molti testi, tutti accessibili a Machiavelli, dal *Bellum Judaicum* (VII, 6, 3) di Flavio Giuseppe ai *Metamporphoseon libri* (X, II) di Apuleio, al commento di Filippo Beroaldo il Vecchio che sul finire del XV secolo commentò questo luogo di Apuleio (ma Beroaldo cita pure luoghi di Plinio, Columella, Frontino, Avicenna). La "mandragola" è citata come oggetto inverosimile o per lo meno non credibile nel *Morgante* di Pulci (XXII, 26, 6). Sabadino degli Arienti nella novella XXV de *Le Porretane* del 1483 (cfr. ediz. Laterza, Bari 1914, pp. 151-152), fra i più strani ed

estrosi ingredienti di un impiastro manipolato da uno stregone ricorda questa erba. Lo stesso Flavio Giuseppe nell'*op. cit.*, medesimo luogo, ci informa che la mandragola ha anche un effetto letale ("indubia mors imminet" su chi ne svelle le radici). Che questa foglia abbia effetti perniciosi ci attesta anche Battista Fregoso nel suo trattato *De dictis factisque memorabilibus collectanea* (Milano 1509, ma ne esiste anche una traduzione in volgare manoscritta conservata nella British Library di Londra (Harl. 3878): si consiglia a chi ne voglia svellere le radici di farle strappare a un cane, "nel quale passa tutto quello pericolo". Infine sulla facoltà fecondativa della mandragola, si può qui citare la *Genesi* (30, 14-17), dove si narra come Lea, la moglie di Giacobbe, rimanesse incinta del quinto figlio in virtù della mandragola recatale dal figlio Ruben che l'aveva raccolta in un prato. Circa quaranta anni dopo la composizione della *Mandragola*, Giovanni Michele Savonarola in *Practica maior*, col. 263 v, avverte che la corteccia della mandragola triturata può esser messa a bollire nell'acqua nella quale successivamente la donna sterile prenderà un bagno per guarire della sua sterilità. Cfr. il repertorio di ricettari ed erbari del xv secolo edito da Stefania Ragazzini (*Un erbario del xv secolo*, Olschki, Firenze 1983, pp. 156-157), e cfr. pure Aquilecchia 1976, pp. 97-126 ed E. Raimondi, *Il veleno della mandragola*, in Raimondi 1972, pp. 253-265.

⁹ *dua paia di volte*: quattro volte, ma qui, nel contesto del parlato, molte, e anzi, leggendo "infinite altre principesse", infinite volte. Cfr. I, 2, nota 8.

¹⁰ *più appropriato*: così la stampa. Il codice Rediano reca invece "a proposito". Quest'ultima locuzione è più frequente nel linguaggio machiavelliano.

¹¹ *Cotesto... cosa*: codesta cosa non sarà difficile, ardua.

¹² *che ha prima... seco*: che ha per primo rapporti carnali con lei.

¹³ *non lo camperebbe el mondo*: il fatto che la mandragola richieda un intermediario che attiri su di sé l'effetto letale è forse giunto a Machiavelli da Flavio Giuseppe (cfr. *Bellum Judaicum* VII, 6, 3) che propone di trasferire a un cane gli effetti mortali della pozione. Cfr. Aquilecchia 1976, pp. 97-126.

¹⁴ *Cacasangue!*: dissenteria, ma qui vale un'imprecazione di suono e di gusto fecale, come a dire "accidenti!"

¹⁵ *suzzacchera*: una bevanda fatta d'aceto e di zucchero, e qui vale per mistura sozza, ributtante. Cfr. A.F. Doni, *I marmi*, cit., vol. I, p. 162: "a me non darai tu cotesta suzzacchera, né apiccherai cotesta nespola".

¹⁶ *concio bene*: ben ridotto, detto sarcasticamente. Sull'uso dell'aggettivo verbale in luogo del participio passato cfr. qui, II, 5, nota 4. Cfr. G. Boccaccio, *Decam.* VII, 7, II: "ebbe con lui acconcio Anichino".

¹⁷ *femmina*: qui, donna di facili costumi. In generale in qualsiasi genere letterario "femmina" indica una donna di bassa condizione sociale.

¹⁸ *dubitate di fare*: temete di fare. "Dubitare" implica un'idea di timore in tutta la tradizione linguistica letteraria. Cfr. Dante, *Purg.* XX, 135: "Non dubbiar mentr'io ti guido".

¹⁹ *caso da Otto*: un crimine che dovrà essere giudicato dalla magistratura degli Otto di giustizia (la magistratura penale).

[20] *dà briga*: preoccupa. Si ricordi la battuta precedente di Nicia (qui, II, 2): "questo è di dare briga a me e ad altri". E cfr. corrispondente nota 5.

[21] *canti*: cantoni, rioni della città.

[22] *garzonaccio*: giovinastro scioperato.

[23] *ne manderete colui*: lo licenzierete, o anche lo caccerete via di qui.

[24] *mogliama*: mia moglie. Si tratta di una forma enclitica del pronome possessivo, frequente nei testi letterari: "signorso" in Dante (*Inf.* XXIX, 77), "mòglieta" in Boccaccio (*Decam.* VIII, 6) e in Machiavelli anche "mòglieta". Cfr. Rohlfs 1966-1969, 430.

[25] *Io, e danari... loro*: il testo a stampa reca: "Callimaco: Chi disporrà el confessoro? – Ligurio: Tu, io, e' danari, la cattività nostra, loro". Martelli per primo ha rilevato la collocazione errata, anzi assurda, di quel *tu* posto in bocca a Ligurio, perché Ligurio sa bene che Callimaco rimarrà estraneo – come rimane di fatto – all'irretimento di fra' Timoteo. Ha dunque trasferito il *tu* alla precedente battuta di Callimaco. Invece Martelli ha respinto l'articolo *la* dinnanzi a loro (come a dire "la cattiva natura loro"), come si legge nel codice Rediano, in quanto esso sarebbe "integrazione del tutto ingiustificata" (cfr. N. Machiavelli, *Tutte le opere*, ed. cit., *Nota al testo*, p. LII). – *cattività*: "malizia, furfanteria" (Blasucci). La cadenza della battuta ci richiama questo passo del Boccaccio: "come colei che l'avarizia sua e degli altri conoscea" (*Decam.* III, 3, 31; e cfr. Vanossi 1970, p. 48).

[26] *La le presta fede*: si fida di lei.

[27] *Orsù... ché si fa sera*: Raimondi qui cita due battute distinte dell'*Andria*: "io ti priego che noi avanziano tempo" (III, 3) e "E' si fa sera" (III, 4).

[28] *noi ti ritroviamo*: è questa la lezione del codice Rediano che Inglese e Martelli hanno adottato nelle loro edizioni. Il testo a stampa reca: "noi ti troviamo".

[29] *a casa la madre*: a casa della madre. "Nei nessi 'a casa', 'in casa', 'di casa', 'da casa', il sostantivo *casa* è decaduto alla funzione di preposizione". Ossia il genitivo è fatto caso d'apposizione. Cfr. Boccaccio, *Decam.* III, 5, 50: "a casa le buone femmine", e VII, 3, 23: "a casa la donna". Cfr. Rohlfs 1966-1969, 819. Si aggiungano altri esempi: nella *Cronica* del Compagni (XX) "da casa i Cerchi" e nel *Trecentonovelle* (CLXXIV): "in casa un buffone".

[30] *Poi ne andreno... Io son morto*: la conclusione di questo dialogo fra Ligurio e Callimaco richiama, secondo Martelli (cfr. 1968, p. 211) i versi 587-589 dello *Heautontimorumenos*: "Clitipho: Quo ego hinc abeam? Syrus: Quo lubet; da illis locum; – abi deambulatum. Clitipho: Deambulatum? Quo? Syrus: Vah! quasi desit locus; – abi sane istac, istorsum, quovis". Si rilevino le due vie che si dipartono dalla piazza a movimentare la scena. – *mia nota*: mia conoscente.

Canzone

[1] È una canzone monostrofica secondo l'abituale schema di endecasillabi e di settenari alternati: A A b c b c c d d E E.

[2] *credria... voli*: sarebbe disposto a credere persino che un asino voli. È un "adýnaton", cioè una figura d'impossibilità.

Scena prima

[1] *gli è ufizio... el migliore*: Raimondi cita in questo luogo la lettera di Machiavelli a Vettori del 20 dicembre 1514: "... tutti gli huomini savii, quando possono non giucare tutto il loro, lo fanno volentieri; et pensando al peggio che ne può riuscire, considerano nel male dove è manco male; et perché le cose della fortuna sono tutte dubbie, si accostano volentieri a quella fortuna che, faccendo il peggio che la sa, habbia il fine suo meno acerbo". Cfr. *Lettere*, cit., p. 366 e Raimondi 1972, p. 183. Ma cfr. anche i *Discorsi* I, 6 (in *Il teatro e tutti...*, cit., p. 144): "E però in ogni nostra diliberazione si debbe considerare dove sono meno inconvenienti, e pigliare quello per migliore partito, perché tutto netto, tutto sanza sospetto non si truova mai". Cfr. oltre III, 11, nota 4.

[2] *la merrò*: la menerò, la condurrò. La sincope della sillaba interna è frequente nei casi di assimilazione consonantica; così "ponere" dà "porre" e "tollere" dà "torre".

Scena seconda

[1] *Ella era... venti mattine*: Vanossi (1970, p. 12) compara questa battuta di Nicia con la novella CXXXI del *Trecentonovelle* di Sacchetti: "ed essendo detto alla donna da altre donne che 'l bagno si volea continuare, a voler fare figliuoli..." – *Ella era*: Chiappelli preferisce a questa lezione, che è della stampa, la lezione del codice Rediano: "Ell'è", "perché la dolcezza e la facilità di Lucrezia deve essere un carattere permanente (cfr. Chiappelli 1969, p. 259. – *facile*: docile. È latinismo; infatti *facilis* è anche "arrendevole" per traslato (facile ad assentire), come nell'emistichio tibulliano "facilis tenero amori". – *si botava*: faceva voto. Quanto alla labializzazione della *v*, consonante fricativa sonora, cfr. Rohlfs 1966-1969, 167. – *de' Servi*: nella chiesa dei Servi. Si è visto nel *Prologo* come essa sorgesse sull'angolo opposto della via dell'Amore.

[2] *Ben sapete*: ben dovete sapere, converrà che sappiate.

[3] *come se... nulla*: non appena le si dice qualche cosa.

[4] *io farò... altrove*: ricupererò questo danaro in altro modo.

[5] *trincati*: furbi matricolati, forse dal latino "tricae" (Cicerone: "in his tricis morari"), raggiri, intrighi.

[6] *Costui è sì... ogni cosa*: ovviamente questa battuta è rivolta agli spettatori, e Nicia non la intende.

[7] *facciàno*: "l'antica lingua letteraria toscana presenta *n* in luogo di *m* come consonante tematica, presso alcuni scrittori come Brunetto Latini, Pulci, Francesco da Barberino [...], Machiavelli, e anche Boiardo e Ariosto (cfr. Rohlfs 1966-1969, 530). Dante però rimproverava ai suoi coetanei fiorentini il "facciàno" per "facciamo" (cfr. *De vulg. eloq.* I, 13).

[8] *assordato*: divenuto sordo. Ligurio (III, 4) dirà al frate: "Dite forte, ché gli è in modo assordato, che non ode quasi nulla".

[9] *In buon'ora*: sta bene, sono d'accordo.

Scena terza

[1] *ritta ritta*: in piedi, cioè senza sedermi.

[2] *Togliete... del mio marito*: cfr. Boccaccio, *Decam.* III, 3, 32: "e per ciò vorrei che voi mi diceste per l'anime loro le quaranta messe di san Grigorio e delle vostre orazioni". – *Togliete*: prendete, nel significato originario latino.

[3] *pure le carne tirono*: più comunemente "il sangue è caldo". Quanto al plurale in *e*, esso è strettamente dipendente dalla terminazione latina: "claves" dà "le chiave". Ed è assai frequente nella lingua letteraria medioevale e ancora in testi toscani del XV e XVI secolo. Così lo stesso Machiavelli qui dirà "le fante", le fantesche (IV, 8).

[4] *quel che... faceva*: l'"omaccio" le imponeva atti sodomitici.

[5] *dolfi*: dolsi. L'*u* della forma latina (dolui) si è spesso consonantizzato in *v* (parvi, sparvi, dolvi, come in Dante, *Inf.* II, 51: "mi dolve") o in *f*. Cfr. Boccaccio, *Decam.* II, 7, 37: "La donna amaramente e della sua prima sciagura e di questa seconda si dolfe molto".

[6] *la voglia*: "il desiderio sessuale" (Davico Bonino).

[7] *Credete voi... in Italia?*: già nel 1513 si era temuta l'invasione dei turchi in Europa: cfr. le lettere di Vettori a Machiavelli del 27 giugno e del 5 agosto 1513, soprattutto l'ultima: "... temo che Iddio non voglia gastigare noi miseri cristiani, et in mentre che i principi nostri sono tutti irritati l'uno contro all'altro, [...] che questo nuovo Signore Turco non ci esca addosso et per terra et per mare, e faccia uscire questi preti di lezii, et gli altri uomini di delizie". Cfr. *Lettere*, cit., p. 274, e ancora pp. 263 sgg.

[8] *Naffe!*: o gnaffe! L'interiezione deriva da "in mia fè".

[9] *impalare*: il supplizio del palo confitto nell'ano dei prigionieri, i quali così morivano dissanguati. M. Baratto congettura che in "lo impalare" ci sia "un gioco più sottile, di tipo osceno", alludendo la donna alla pratica erotica anale che il marito le imponeva (cfr. Baratto 1975, p. 114).

[10] *accia*: una certa misura di canapa da filare.

[11] *Fate col buon dì*: ha lo stesso significato della successiva battuta di Timoteo, "andate sana".

Scena quarta

[1] *le più fastidiose*: intorno alle donne fastidiose esiste una vasta letteratura narrativa e gnomica dal XIII al XVI secolo, e basti pensare a Boccaccio e a Sacchetti (per esempio, *Trecentonovelle*, CXII). Anche nella *Favola* machiavelliana (quella di Belfagor arcidiavolo) la conclusione calca sui "tanti fastidi, dispetti e periculi" connessi al "giogo matrimoniale". Cfr. *Opere letterarie*, ed. cit., p. 196.

[2] *non è il mele sanza le mosche*: proverbio diffuso nel teatro comico, per esempio in *La sporta* di G.B. Gelli (III, 4): "Guardate se gli hanno saputo trovare un modo da poter avere il mele senza le mosche". E anche nella letteratura confidenziale, come in questa lettera del Caro: "In somma non è mel senza mosche" (*Lettere familiari*, Le

Monnier, Firenze 1957, vol. I, p. 270). – *mele*: miele. La dittongazione di *e* in sillaba libera passa generalmente a *ie*, cioè si dittonga (da *decem* dieci, da *pes* piede ecc.), ma non mancano resistenze conservative della *e* semplice ("ceco", "celo", "tepido", "mele"). Cfr. Rohlfs 1966-1969, 84 e 85.

³ *hanno a fare... ducati*: sono sul punto di distribuire diverse centinaia di ducati. Il prezzo da pagarsi viene dissimulato dalla "limosina" pia.

⁴ *d'un caso*: in merito a un caso.

⁵ *in serbanza*: in custodia, sotto tutela.

⁶ *cervellinaggine*: sventatezza, leggerezza. "Cervellino" si legge in B. Cellini, *La vita scritta per lui medesimo*, I, 85: "quel cervellino di maestro Bernardino", detto poche pagine prima "mediconzolino" e "medico babbuasso".

⁷ *Che chiacchiera!*: che storia! Ovviamente Nicia parla fra sé e sé. Non è qui accoglibile la variante "giacchera" nel significato di giarda o di beffa.

⁸ *sconciare*: abortire. Cfr. F. Sacchetti, *Rime* XXVI: "Che tal si sconcia grossa e tal si sface / E tal, se'l porta, un piccinaco face".

⁹ *Guardate... a' parenti*: cfr. l'*Andria* (III, 3) che ha una battuta affine: "ma, se si corregge, guarda quanti beni: in prima tu restituirai ad uno tuo amico uno figliuolo, tu arai uno genero fermo, e la tua figliuola marito". Cfr. Martelli 1968, p. 247 e Raimondi 1972, p. 175.

¹⁰ *sanza senso*: inanimata.

¹¹ *mi accenna*: mi fa un cenno. "Il verbo, non più per allontanare, ma per avvicinare e riunire i personaggi, ritorna in V, 6: 'accennategli'" (Davico Bonino).

Scena quinta

¹ *che tempo ha?*: quanti anni ha?

² *Perché se l'abbia!*: perché se la tenga (la mia maledizione).

³ *nel gagno*: il gagno è la tana delle bestie selvatiche, ma qui, metaforicamente, pasticcio, intrigo. Cfr. A.F. Grazzini, *La gelosia*, V, 10: "Misericordia! ei mi par esser nel gagno..." Questa medesima parola con questo significato la si trova ancora nel *Fermo e Lucia* di Manzoni.

⁴ *se questi... quarteruoli*: se queste monete (le monete versate da Ligurio) sono ducati e non quarteruoli, cioè dischetti di ottone senza valore (il termine è strettamente toscano antico), se queste monete non sono false.

⁵ *io ne farò... di loro*: ne farà un uso tutto a mio utile, meglio di quanto potesse fare chi me li ha dati (i ducati).

Scena sesta

¹ *si è sconcia per se stessa*: ha abortito da sola.

² *questa limosina... alla Grascia*: l'elemosina finirà al fisco. Di fatto la Grascia era in Firenze l'ufficio addetto agli approvvigionamenti: era stata istituita nel XIII secolo. Nella *Sporta* di Gelli (IV, 2): "uno famiglio della grascia". Insomma si vuol dire che "la limosina la dovrà

incassare pur sempre lui; così oggi si usa dire scherzosamente: 'questo va a beneficio dello stato'" (M. Bonfantini).

[3] *Io sono... con voi*: sono in parola con voi, ho un impegno da assolvere a vostro favore.

[4] *da me e voi*: a faccia a faccia fra noi due.

[5] *Come disse... l'erpice*: cfr. la lettera di Machiavelli a Guicciardini del 16-20 ottobre 1525: "Lo erpice è un lavorìo di legno quadro che ha certi denti et adoperonlo i nostri contadini, quando e' vogliono ridurre le terre a seme, per pianarle. Il Burchiello allega l'erpice di Fiesole per il più antico che sia in Toscana [...]. Et pianando un giorno un contadino la terra, una botta [una rana], che non era usa a vedere sì gran lavorìo, mentre che ella si maravigliava et baloccava per vedere quello che era, la fu sopraggiunta dallo erpice, che le grattò in modo la schiena, che la vi si pose la zampa più di due volte, in modo che, nel passare che fece l'erpice addossole, sentendosi la botta stropicciar forte, gli disse: 'Senza tornata'; la qual voce dette luogo al proverbio che dice, quando si vuole che uno non torni, 'come disse la botta all'erpice'" (cfr. *Lettere*, cit., pp. 439-440). Il sonetto del Burchiello al quale accenna Machiavelli ha per *incipit* il verso "Temendo che 'l Turbante non passasse" e reca i versi 5-8: "E l'erpice di Fiesole vi trasse / all'inferigno odor d'una cosaccia; / e e' ranocchi ne feccion alle braccia / a culo ignudo, colle selle basse..."

Scena settima

[1] *obliàco*: ubriaco. Anche in *Andria* (I, 4): "Veramente ella è una donna pazza e obliàca [...] solo perché le si inobliàcano insieme" e (IV, 4): "Per Dio, che tu se' obliàco!". Martelli (1968, p. 225): "La medesima voce è stata affidata, nella tradizione della *Mandragola*, alla preziosa testimonianza del Rediano, che legge appunto *obliàco* con *o* protonica per *u*, e passaggio, dovuto a ipercorrettismo, di *br* a *bl*, e non *obliato*, come hanno letto l'editore della commedia e i suoi recensori". Ma il gruppo consonantico *bl* rispecchia in verità un'ascendenza provenzale sul modello assemblar (nell'antico italiano "assembrare"). Cfr. Rohlfs 1966-1969, 247.

[2] *beuto*: bevuto. Una forte tendenza alla caduta della *v* si nota nel toscano popolare (pioe, pensao, aanza ecc.). Il latino "bibere" è divenuto di regola "bevere".

[3] *rimagnàn*: restiamo d'accordo.

[4] *bisognava... come el Danese*: si allude qui a un'avventura di Uggieri il Danese, principe di Danimarca, che, dietro consiglio di una fata, impeciò le sue proprie orecchie e quelle del cavallo per non udire le grida di Bravieri, assistito dal demonio. Nelle *chansons* dell'VIII secolo questo cavaliere appare nelle vesti di un fedele vassallo di Carlo Magno, ma nei cantari del XIII secolo Ogier le Danois appare invece nelle vesti di ribelle. È anche personaggio di una novella anonima quattrocentesca *Geta e Birria*, ricordata da Machiavelli nella lettera a Vettori del 10 dicembre 1513 (cfr. *Lettere*, cit., p. 302). A Machiavelli il personaggio danese può anche essere giunto attraverso due sonetti del Burchiello, *Deh lastricate ben questi taglieri* e *Alessandro lasciò 'l fieno e la paglia* (qui, v. 16: "dove il Danese finse d'esser sordo").

[5] *e Dio... proposito*: la stampa reca "a che proposito!", il codice

Rediano *con che proposito!* Martelli ha scelto qui la lezione R, come propone Chiappelli: "Dato che qui *proposito* vuol dire 'scopo segreto', 'intenzione', la lezione di R ci sembra preferibile" (cfr. Chiappelli 1969, p. 259).

[6] *come... a piuolo*: "a cavicchio (*piuolo*), come una frittella infilzata nel suo stecco (*zugo*)" (Guerri), come un idiota impalato ad aspettare. *Zugo* è appunto una frittella che nella tradizione burchiellesca acquista significato erotico, avendo essa la forma del membro virile. Cfr. G.M. Cecchi, in Passarini, *Modi di dire proverbiali*, cit., p. 276: "Dicesi adunque quando uno ferma uno che l'aspetti in un luogo e 'ndugia a irvi, egli m'ha piantato a piuolo. L'aggiungervi 'come un zugo' (che si prende anche per uomo balordo) è per dileggiare, quasi come se io fossi uno zugo". Lo stesso Cecchi reca per esempio in *L'assiuolo* (I, 2): "Sì! ella ci ha piantati come duo zughi", ma anche in molti altri luoghi del suo teatro.

[7] *in mala... per loro*: lo stesso significato del "mal che Dio gli dia", che si legge nella scena quinta del terzo atto.

Scena ottava

[1] *Fate... venghino*: è necessario che le donne vengano qui.

[2] *mi ricrii*: mi ricrei, mi dai una nuova vita.

[3] *vi dirò... detto*: il codice Rediano reca "quello che io arò fatto" in luogo di *quello che l'hanno detto*. Giorgio Inglese, nella sua edizione della *Mandragola* (Rizzoli, Milano 1980), preferisce la lezione rediana, basandosi sulla battuta in II, 6, dove si legge "vi raguaglieremo di quello che noi areno fatto". L'Inglese ritiene quella della stampa una *lectio facilior*. Ma Ridolfi e Martelli hanno preferito la lezione della stampa.

Scena nona

[1] *chi si abbi... l'uno l'altro*: chi di noi due abbia frodato il compagno. Per limitarci al teatro cinquecentesco, cfr. *Gli ingannati* degli Accademici Intronati di Siena, IV, 8 ("Oimè! A questo modo son giontato io?").

[2] *se io... quella*: se ero disposto a consentire alla prima faccenda (quella più delicata e repellente dell'aborto).

[3] *questo giunto... utile*: la beffa (patita) mi ha arrecato un utile.

[4] *per trarre*: per ricavare danaro.

[5] *la cosa... secreta*: la stampa reca "la cosa conviene che stia secreta". Il codice Rediano, sopprimendo il *che*, meglio risponde alla norma machiavelliana di sopprimere le congiunzioni introduttive di proposizioni e il *di* che introduce gli infiniti delle proposizioni implicite.

[6] *dubito... difficultà*: "Il latino, per il desiderio che la cosa temuta non si verifichi, usava la negazione *ne* nelle proposizioni dipendenti dai verbi del temere: 'timeo ne dicat', temo che dica. La stessa costruzione si ebbe nell'italiano del passato [...]; in modo analogo si spiega l'uso di *non* dopo 'negare, dubitare, impedire, vietare, guardarsi da...'" (cfr. Rohlfs 1966-1969, 970). Cfr. fra i mille esempi, *De-*

cam. x , 8, 43 ("ma io temo [...] chè i parenti suoi non la dieno prestamente ad un altro") e x, 10, 59 ("io non dubito punto che voi non dobbiate con lei vivere il più consolato signore del mondo").

[7] *la giugnerò in sulla bontà*: la incalzerò con parole e sentimenti di bontà.

[8] *e' se ne predica*: si dicono grandi e pubbliche lodi di lei.

[9] *in terra... è signore*: secondo la sentenza latina "monoculus in regno caecorum".

[10] *la quale... una bestia*: malvagia cioè o testarda, qualità ambedue alleate di fra' Timoteo.

Scena decima

[1] *Io credo... persona del mondo*: tanto Martelli (1968, p. 271) quanto Raimondi (1972, p. 174) accostano questa battuta di Sostrata ad analoghe battute dell'*Andria*: "E chi non crederebbe che ti conoscessi..." (III, 2) e "Io credo che tu, o Cremete, creda che noi siamo tutti allegri" (v, 4). E cfr. anche la *Clizia*: "Io credo che tu creda che m'incresca di te e di me" (v, 2). – *persona del mondo*: nessuno al mondo. "Anche 'persona', che generalmente significa qualcuno [ed è codesto un gallicismo], preceduta da negazione poté esprimere il concetto di 'nessuno'" (Rohlfs 1966-1969, 498). Cfr. Boccaccio, *Decam*. IX, 9, 34: "tu sai che tu non ami persona", e v, 7, 13: "una casetta antica [...] nella quale persona non dimorava".

[2] *in gelosia e sospesa*: sospettosa e in apprensione.

[3] *per andare a' Servi*: nella quale chiesa, come si ricorderà, "un di que' fratacchioni le cominciò andare da torno..." (III, 2).

[4] *questo vituperio*: il vituperio di soggiacere a uno sconosciuto.

[5] *se io fussi... concesso*: non mi sarebbe lecito ingravidare avendo uno sconosciuto per amante, anche se dovessi, novella Eva, ripopolare *ab initio* la terra.

Scena undecima

[1] *essamine*: esami (lat. *examina*). "È normale nella lingua toscana lo sdoppiamento di *x*, consonante radicale latina, nelle sibilanti geminate *ss*" (Rohlfs 1966-1969, 225). Cfr. la *Favola* dello stesso Machiavelli: "... avere sopra questo caso [...] maturo esamine" (cfr. *Opere letterarie*, ed. cit., p. 185).

[2] *strane... dimestiche*: secondo una costruzione frequente nel *Decameron*, questi ultimi tre aggettivi si contrappongono, uno per uno, ai precedenti tre. Così per esempio già nell'*Introduzione*, 77: "... dove per diletto e per riposo andiamo, noia e scandalo non ne segua".

[3] *generalità*: norma generale, valida in ogni caso.

[4] *dove è un bene... di quel male*: cfr. una sentenza affine e corrispondente nelle *Lettere* machiavelliane in III, 1, nota 1.

[5] *e' si truova... non muoiono*: Timoteo offre una possibilità di salvezza al "garzonaccio" al fine di persuadere la pietosa Lucrezia, mentre Callimaco, al fine di persuadere Nicia, aveva "garantita" la morte del "garzonaccio".

[6] *la volontà... non el corpo*: questa lezione di etica, che potremmo

dire piuttosto pagana che non cristiana, si riscontra infatti nei testi antichi e per esempio in Livio, *Ab Urbe cond.* I, 58, 9-10, dove gli amici di Collatino confortano Lucrezia stuprata dal figlio di Tarquinio il Superbo: "mentem peccare, non corpus, et unde consilium afuerit, culpam abesse".

[7] *Dice la Bibia... non peccorono*: l'episodio delle figlie di Lot che ebbero commercio carnale con il padre è narrata nella Bibbia, *Genesi*, 19, 30-37.

[8] *per questo.. sacrato*: cioè in nome del mio stato sacrale di sacerdote.

[9] *tanta conscienzia vi è... el mercoledì*: peccato veniale concedersi a un amante, obbedendo all'ordine del marito, e peccato veniale il mangiare carne il mercoledì. – *tanta conscienzia*: si ricordi la battuta precedente di Sostrata ("se fra' Timoteo ti dice che non ti sia carico di conscienzia"...).

[10] *che*: in modo che. La congiunzione consecutiva non richiede sempre gli avverbi dimostrativi della modalità (sì, così, tal, talmente, tanto ecc.) Cfr. Rohlfs 1966-1969, 790.

[11] *questo... anno*: l'anno prossimo, quando nascerà il figlio.

[12] *moccicona*: stupidella, sciocchina, come una bambina con il moccio. Si cfr. Pulci, *Morgante*, XXIV, ott. 99 ("Or fate lima lima a' mocciconi", v. 3). Gelli, *Lo errore*, V, 1 ("E' piagne, ora, il moccicone! Ei bisognava pensarvi prima, svergognataccio!") e Annibal Caro, *Apologia degli Academici di Banchi di Roma*, in *Opere*, Laterza, Bari 1912, vol. I, p. 128 ("si truovano de' mocciconi e de' babbuassi che lo stanno a sentire e che gli credono").

[13] *L'orazione dell'Angiolo Raffaello*: Raimondi (1972, pp. 203-204) indica il testo al quale allude il frate: è il libro di Tobia (6, 14-22) nel quale l'arcangelo Raffaele detta a Tobia i comandamenti divini secondo i quali egli regolerà i suoi rapporti con la casta Sara. Egli le si potrà accostare soltanto "transacta autem tertia nocte [...] amore filiorum magis quam libidine ductus".

Scena duodecima

[1] *non ci fia difficultà*: Lucrezia ha acconsentito, e dunque Timoteo può sciogliere gli antichi dubbi (si cfr. III, 9: "è ben vero che io dubito non ci avere difficultà").

[2] *Bembè... del sordo*: il frate si rivolge a Nicia, chiedendogli se è guarito della sordità. Infatti Nicia dimostra di aver seguito la conversazione. – *Bembè*: embè, ebbene. Si tratta di una epentesi nasale al principio della parola: *em-be*, dove *be* è il tronco di "bene".

[3] *Santo Chimenti*: san Clemente.

[4] *una immagine*: un ritratto votivo.

[5] *per rizzarci... baccanella*: per farvi sopra un poco di chiasso (baccano, *baccanella*) e trarre altro lucro dal traffico degli ex voto.

[6] *Non entriano in cetere*: non entriamo in altri vani discorsi. – *in cetere*: è locuzione latina giuridica corrotta, perché parodiata, ed emblematica sulla bocca di Nicia. Cfr. anche Pulci, *Morgante* XXIV, ott. 21 e *Clizia*, II, 3: "se noi entriamo in cetere".

[7] *mastio*: maschio. "Nelle forme del toscano popolare si ha il passaggio da *ski* a *sti*: cfr. nei vernacoli toscani "fistiare", "stiaffo", "stiavo" e la forma letteraria *mastio* (Rohlfs 1966-1969, 291).

[8] *chi non ha non abbia*: chi non potrà avere figli maschi, ebbene non li abbia. "Ma è evidente l'ironia di questo proverbio, almeno nel dettato, assurdamente tautologico" (Davico Bonino).

Canzone

[1] Questa pure è una canzone monostrofica, così ordinata: a B a B b C d D C c.

[2] *al fin... caro*: che aspira a un termine vagheggiato, e dunque caro.

[3] *dolce... amaro*: fa, rende dolce qualsiasi gusto o sapore amaro. – *Face*: le forme "faccio", "faci", "face", "facimo", "facite", sono le forme regolari neolatine dal verbo latino *facio*. "Faci" e "face" ci dà Dante (*Inf.* X, 16 e I, 56). – *gustato*: gusto, sapore. Già in Jacopone, *Laude* LXXXI, 18-19: "Chi te crede tenero, / per sua scienzia avere, / nel cor non può sentire / che sia lo tuo gustato".

[4] *Veneni e incanti*: "non si può non pensare alla mandragola, al senso stesso della vicenda" (G.M. Anselmi). E "le quattro canzoni oscillano, per lessico e immagini, tra dantismo e petrarchismo" (Davico Bonino). E infatti "sì soave è l'inganno" è verso di fattura petrarchesca, e il "dritto calle" è locuzione dantesca.

ATTO QUARTO

Scena prima

[1] *tiene... per bilancio*: trascrive nel libro del bilancio (dei mercanti) i crediti a fianco dei debiti, cioè l'avere e il dare sul quaderno contabile.

[2] *la non ti fa mai... un male*: cfr. *Discorsi* I, 6: "Ed in tutte le cose umane si vede questo, chi le esaminerà bene, che non si può mai cancellare uno inconveniente che non ne surga un altro". Oppure *ivi*, III, 37: "E' pare che nelle azioni degli uomini [...] si truovi, oltre alle altre difficultà, nel volere condurre la cosa alla sua perfezione, che sempre propinquo al bene sia qualche male, il quale con quel bene sì facilmente nasca che pare impossibile potere mancare dell'uno volendo l'altro". Cfr. *Discorsi*, in *Il teatro e tutti...*, cit., pp. 144 e 486.

[3] *Io sono... al porto*: cfr. Dante, *Convivio* I, cap. 3: "Veramente io sono stato legno sanza vela e sanza governo, portato a diversi porti e foci e liti dal vento secco che vapora la dolorosa povertade". Cfr. pure il sonetto di Petrarca *Passa la nave mia colma d'oblio* (*Rer. vulg. fragm.* CLXXXIX). L'immagine della nave nella tempesta intesa a raffigurare la vita procellosa dell'uomo si trova già nei testi della "scuola siciliana" (per esempio "Giorno non ho di posa / come nel mare l'onda: / core, ché non ti smembri?", da *S'io trovassi pietanza* di Enzo re).

[4] *la prudenzia e durezza*: "la saggezza e l'intransigenza" (Berardi). Si ricordi la battuta di Callimaco (I, 1): "la natura di lei, che è onestissima ed al tutto aliena dalle cose d'amore".

[5] *riprendomi... furore*: mi rimprovero questa follia d'amore.

[6] *Volgi el viso alla sorte*: cfr. le lettere di Machiavelli a Vettori del 4 febbraio 1514 e allo stesso del 18 marzo 1513: "mostrate il viso alla fortuna" e "quanto al volgere il viso alla fortuna". Cfr. *Lettere*, cit., pp. 323 e 234. "La locuzione, del tutto simile al 'si mostrava il volto alla Fortuna' di *Istorie fiorentine* IV, 7, appartiene al lessico politico-eroico di Machiavelli, a indicare uno dei gesti essenziali dell'uomo 'virtuoso'" (Anselmi).

[7] *d'essere... con costei*: "ha la stessa pregnanza del 'fare seco' di II, 6" (Davico Bonino).

[8] *le gambe triemano... mi gira*: Raimondi (1972, p. 201), colloca queste effusioni amorose nell'area dell'elegia erotica, da Catullo e Tibullo in avanti. Ma il testo poetico più proponibile è il *De rerum natura* di Lucrezio, III, 152-158. Si cfr. pure un testo in prosa, e cioè il *Dialogo della infinità di Amore* di Tullia d'Aragona: "gli amanti or piangono, or ridono: anzi [...] piangono e ridono in un medesimo tempo, hanno speranza e timore, sentono gran caldo e gran freddo, vogliono e disvogliono parimente, abbracciando sempre ogni cosa e non istringendo mai nulla, veggono senza occhi, non hanno orecchie ed odono, gridano senza lingua, volano senza moversi, vivono morendo..." (cfr. *Trattati d'amore del Cinquecento*, Laterza, Bari 1968, p. 216, rist. anast.). Ma gli effetti fisici sono propriamente di derivazione lucreziana ("consentire animam totam per membra videmus / sudoresque ita palloremque exsistere toto / corpore et infringi linguam vocemque aboriri, / caligare oculos, sonere auris, succidere artus..."). – *mi si sbarba*: mi si sradica. "Barbe" sono le radici. Cfr. *Principe*, cit., VII, p. 53: "Di poi li stati che vengano subito [...] non possono avere le barbe e correspondenzie loro". Cfr. pure la lettera a Vettori del 4 febbraio 1514, in *Lettere*, cit., pp. 320-323, che descrive appunto gli effetti sconvolgenti dell'amore.

[9] *el rapporto... morire affatto*: Martelli (1968, p. 211) ha accostato questa battuta a una affine di Terenzio (*Phormio*, 483): "Nam per eius unam, ut audio, aut vivam aut moriar sententiam...".

Scena seconda

[1] *io l'arei... al primo*: lo avrei incontrato immediatamente. – *al primo*, dal latino *in primum* o *in primo*, con funzione avverbiale. – *riscontro*: significa qui "imbattersi in", come vuole l'uso toscano, ripreso ancora da Manzoni nei *Promessi sposi*, e in quanto all'aggettivo verbale in funzione di participio passato cfr. II, 5, nota 4.

[2] *hanno l'ariento... e piedi*: hanno l'argento vivo sotto i piedi, cioè il mercurio. Cfr. Pulci, *Morgante* V, 47, 5-7: "Rinaldo non aspetta la richiesta, / ché come argento vivo stava saldo: / or qua or là facea saltar Baiardo". E così XIX, 98, 3-4: "Io credo che tu abbi argento vivo, / Margutte, ne' calcatti e negli usatti".

[3] *fece el bisogno?*: fece egli quanto gli era stato richiesto di fare?

[4] *pregare... confortare*: *gradatio* efficace, entrata nella tradizione narrativa con Boccaccio. Infatti "Sostrata prima prega, poi ordina, e solo dopo aver piegato la figlia, la conforta" (Davico Bonino). Il codice Rediano qui reca "la non restò mai di pregare, comandare, infestare la Lucrezia". Tissoni (cfr. *Bibliografia essenziale*) osserva che

nella stampa il "confortare" interrompe la successione accrescitiva dei verbi "pregare" e "comandare". E osserva anche che nelle *Istorie fiorentine* (IV, 28) si legge: "messer Rinaldo [...] non cessava di pregare ed infestare tutti i cittadini". Ma, si era osservato, la *gradatio* è salva anche nella stampa, preferita da Ridolfi e da Martelli.

[5] *ad ordine*: pronta all'uso.

[6] *Un bicchiere... el cervello*: "l'*hypocras* era un vin brulé, un vino bollito con zucchero e spezie. Aveva proprietà digestive (*è a proposito a racconciare lo stomaco*) e blandamente energetiche (*rallegra el cervello*)" (Davico Bonino). Il codice Rediano reca: "che è a proposito, e netta lo stomaco, rallegra el cuore". Inglese nella sua edizione del 1980 osserva che "cuore" è parola decaduta rispetto a *cervello*, ma che l'*a proposito*, usato assolutamente, come lo è nel codice Rediano, è più coerente all'uso machiavelliano. Comunque Ridolfi e Martelli adottano la lezione offerta dalla stampa.

[7] *Lèvati... dal viso*: onde parlare con franchezza, schiettamente.

[8] *piglieremo... la moglie?*: cfr. II, 6: il rimedio, "fare dormire subito con lei un altro che tiri", era stato proposto a Nicia, per persuaderlo ad assentire all'adulterio, proprio da Callimaco.

[9] *Io voglio un poco... l'ho trovato*: cfr. *Andria*, IV, 1: "Davo: Io vo pensando. – Panfilo: Hem? or ci pensi? – Davo: Io l'ho già trovato". L'accostamento è proposto da Raimondi (1972, p. 175). – *Tu m'ha chiaro*: mi hai chiarita ogni cosa. La battuta è ironica, come a dire: "Ho bell'e capito". In quanto all'uso dell'aggettivo per il participio cfr. II, 5, nota 4.

[10] *pitocchino*: mantello corto.

[11] *se tu portassi... sospetto*: Tissoni (cfr. *Bibliografia essenziale*) ritiene conveniente correggere: "gli enterrebbe 'n sospetto". Ma codesto anacoluto è frequente nella tradizione letteraria. Per esempio nella *Novella del Grasso Legnaiuolo* si legge: "Allora el Grasso gli entrò sospetto" (cfr. *Prosatori volgari del Quattrocento*, Ricciardi, Milano-Napoli 1955, p. 778). E nell'*Andria* (III, 2): "come ti sarebbe entrato questo sospetto?" Cfr. M. Martelli, *Nota al testo*, in *Tutte le opere*, ed. cit., p. LVII.

[12] *chiugga*: chiuda. Si tratta di un regolare sviluppo fonetico rispetto al latino. Dante reca "vegna", "tegna", "caggia", "veggia", e così "cheggia", "feggia" (da "fiedere"), "deggia" ecc. Cfr. Rohlfs 1966-1969, 556. Quanto a questa mimica facciale cfr. Terenzio, *Phormio*, 210-212: Antifo deforma il suo viso dietro i suggerimenti di Geta.

[13] *Non basta... a mente cotesto*: cfr. il cit. *Phormio*: "Antifo: satine sic est? – Geta: non. – Antifo: quid si sic? – Geta: propemodum. – Antifo: quid sic? – Geta: sat est. – Geta: em, istuc serva..."

[14] *torrènti... al letto*: ti toglieremo il liuto, ti piglieremo, ti faremo girar qua e là per disorientarti, ti condurremo a casa e ti porteremo a letto. Anche qui in luogo di *torremo* ecc. leggiamo *torreno*, così come nel presente *iamo* è sostituito da *iano*. "L'origine di queste forme (consuete in Barberino, Pulci, Boiardo) va vista nei casi di apocope dinanzi a una particella enclitica incorporata, per esempio *farenvi*, *ritroverenci*" (Rohlfs 1966-1969, 587).

 Fatto sta... costì: quel che conta, dopo l'avventurosa traversata della città, travestito, è di giungere sino a qui.
 Qui ti... tu: sta a te, è affar tuo il recarti qui.

Scena terza

 m'ha servito fedelmente: lo stesso Siro aveva dichiarato che "e servi [...] debbono servirgli [i padroni] con fede" (I, 1).
 gli è cattivo bene: egli è ben malizioso.
 si va accomodando: questa tresca si viene adattando alla situazione.
 Tira: muoviti su, presto! Cfr. anche v, 2: "Via, ribaldo, tira via!"
 a casa messer Nicia: a casa di messer Nicia. Cfr. II, 6, nota 28.
 dato... glien'hai: visto che tu gli hai consegnata la pozione.

Scena quarta

 Che se fussi: se dovesse nascere mai qualche caso...
 scrignuto: gobbo. Infatti negli scrittori toscani dal XIII al XVI secolo lo *scrigno* è la gobba. Cfr. per esempio Pulci, *Morgante* XVIII, 185, 4: "ch'ella è del Dormi ostier quella scrignuta".
 Conoscine... tutti!: è locuzione proverbiale, ma può anche essere un ricalco terenziano: "Unum cognoris: omnis noris" (*Phormio*, 265).
 per... con loro: per trovarmi insieme a loro.

Scena quinta

 ci hai fracido!: ci hai seccato. Cfr. II, 5, nota 4.
 ch'e' sia io: questa è la lezione proposta da Ridolfi. Ma la stampa e il codice Rediano recano "ch'io sia io". Chiappelli propone il restauro, perché "il costrutto con iterazione del pronome soggetto [...] è testimoniato nella stessa *Mandragola* più d'una volta (II, 1: "io ti dirò ben io"; II, 2 "io vo' rispondere io"; IV, 9: "no' siam noi")". Cfr. Chiappelli 1969, p. 259.
 Le proferte... fatte: ci si scambiano reciprocamente le promesse o le proposte.
 tutte... mia: tutti i miei beni. "Come forma del plurale per tutti i generi si trova inoltre negli antichi scrittori fiorentini *mia, tua, sua*: 'i casi mia', 'le mani mia' nel Cellini; 'questi mia frati', 'tutti e' mia beni' (e poco oltre, 'e fatti tua') in Machiavelli (Rohlfs 1966-1969, 427).

Scena sesta

 E' dicono... alle forche: secondo Vanossi (1970, p. 43) questo passo ci richiama al principio del fatale corrompersi dell'uomo illustrato da Machiavelli nei sui *Discorsi* (I, 46) (in *Il teatro e tutti...*, cit., p. 235): "E l'ordine di questi accidenti è, che mentre che gli uomini

cercono di non temere, cominciono a fare temere altrui; e quella ingiuria che gli scacciano da loro, la pongono sopra un altro; come se fusse necessario offendere o essere offeso".

[2] *facile*: arrendevole, sempre consenziente. Anche di Lucrezia il marito asserisce che "era la più dolce persona del mondo e la più facile" (III, 2).

[3] *ad... persona*: a offendere nessuno. Cfr. III, 10, nota 1.

[4] *capitommi... Ligurio*: nel monologo che si legge in III, 9, Timoteo aveva detto: "Questo tristo di Ligurio ne venne a me..."

[5] *Pure... aver cura*: "Timoteo modifica e ribalta *a parte subiecti* la massima di Ligurio (III, 4) che era concepita *a parte obiecti*: 'ed io credo che quel sia bene che facci bene a' più, e che e più se ne contentino'" (Davico Bonino).

Scena settima

[1] *Stiàn*: stiamo. Cfr. III, 2, nota 10.

[2] *el famiglio*: il domestico, s'intende, di Nicia.

[3] *guarnacchino*: la guarnacca era un mantello lungo, foderato, da cui il diminutivo mantelluccio.

[4] *Qualche... della moglie*: una rivolta o un diniego di Lucrezia.

Scena ottava

[1] *lezzi*: capricci. Invece in lettera di Vettori a Machiavelli del 5 agosto 1513: "questo nuovo signore Turco [temo che] non ci esca addosso et per terra et per mare, e faccia uscire questi preti di lezii, et gli altri uomini di delitie". Altrove (in lettera dello stesso Vettori a Machiavelli del 3 agosto 1510) *lezii* significa "tergiversazioni": "vorrei che [...] cacciassi il Papa di Roma e che uscissimo di lezii". Cfr. *Lettere*, cit., pp. 274 e 212.

[2] *le fante*: le fantesche. Quanto al plurale in *e* cfr. III, 3, nota 3.

[3] *el padre del porro*: "Dire a uno il padre del porro, e cantargli il vespro o il mattutino degli Ermini, significa riprenderlo e accusarlo alla libera, e protestargli quello che avvenire gli debba, non si mutando" (cfr. B. Varchi, *L'Ercolano*, cit., vol. I, p. 183). Una variante sui "porri" leggiamo nel rimario del Burchiello: "I pesci tra le coscie ci troviamo, / e le padelle fra i ginocchi stanno; / le mele in casa fino al cul ci danno, / i granchi fra le dita, e' porri in mano". Si può pensare a un'allusione erotica; infatti Nicia ha questa battuta: "io arei [...] qualche porro di drieto" (II, 3).

[4] *la contina*: la febbre cronica. Jacopone da Todi: "A me la fevre quartana, la contina e la terzana (cfr. *Laude* XLVIII, 2). E Cecco Angiolieri: "Ched e' morisse ma'de la contina / que' ch'è demonio e chiamasi Angiolieri" (cfr. sonetto CII, 7).

[5] *cervel di gatta*: riprende il termine *cervellinaggine* attribuito da Ligurio alla giovane incinta (III, 4).

[6] *Poi, chi dicessi... io fatto?*: si mostrerebbe stupita se alcuno le dicesse di farsi impiccare. Cfr. la *Sporta* di Gelli, V, 5: "che chi dicesse scoppiar possa la più savia donna di Firenze, diresti: 'che t'ho io fatto?'".

⁷ *Io so... in Arezzo*: motto popolare, registrato da L. Passarini, in *Modi di dire proverbiali*, cit., p. 145, e significa: ce la farò a prendermi la ragazza.

⁸ *innanzi... da giuoco*: prima che io rinunci al gioco.

⁹ *potrò dire... queste mani*: potrò dire che l'ho vista con queste mani. Cfr. A.F. Doni, *I marmi*, cit., vol. I, parte I, Ragionamento VII, p. 162: "se ben la vecchiaia vien con ogni mal mendo, io ho a queste cose, come disse colui, sempre gli occhi a le mani". Quanto a mona Ghinga, essa era una mezzana ricorrente nella tradizione popolare burchiellesca.

¹⁰ *maggiore... più scarzo*: più alto, più giovane e più snello.

¹¹ *mi togliessi... di letto*: si facesse pagare da me la prestazione erotica.

Scena nona

¹ *stocco*: è lo *spadaccin* di cui parla Ligurio qui, in questo atto, nella settima scena.

² *el maestro*: Callimaco. *Magister*, come si è visto, è il medico.

³ *Togli*: To', piglia anche questa!

⁴ *Va-qua-tu!*: "soprannome di un famoso carceriere di Firenze, ricordato anche nella *Novella del Grasso legnaiuolo*" (Blasucci). In verità il personaggio ricorre nella *Sporta* di Gelli, V, 1: "vi sono certe catapecchie dove non la troverebbe Va-qua-tu". E ancora G.B. Gelli, *Ragionamenti di Giusto bottaio*, II, cit., p. 156. Nel commento burlesco di G.M. Cecchi sopra i sonetti di Berni si parla di un tale che "fece uno studiare indiavolato in diverse professioni, onde s'acquistò il nome di Vaqquattù dottor sottile; e divenne tanto valente ch'e' non era dubbio niuno che egli non sapesse solvere. Intanto ch'e' si fece il proverbio generale che, quando uno voleva dire che una cosa era difficile a interpretarsi, si diceva, come ancora oggi si dice: 'e' non la intendere' Vaqquattù". Cfr. *Lezione o vero cicalamento di Maestro Bartolino dal Canto de' Bischeri*, Romagnoli, Bologna 1868, p. 53; e cfr. D. Guerri, *Per la storia di monna Tessa*, in "La nuova Italia", 20 luglio 1933.

⁵ *boce*: voce. Cfr. III, 2, nota 3.

⁶ *Togliete*: prendete. Un battibecco affine e parimenti ricco di vivacità farsesca si incontra in *Decam.* VIII, 6, 44-49: anche Boccaccio narra che Bruno e Buffalmacco danno da inglutire due galle di sterco di cane preparate in aloè a Calandrino, al quale hanno rubato un porco.

⁷ *seccaggine*: secchezza, arsura, ma qui malanno in generale.

⁸ *aloe*: o aloè, pianta liliacea, dalle cui foglie carnose si estraggono succhi amari e quindi una droga medicinale, purgante ed eupeptica.

⁹ *Ligurio... adirare*: si ricordi che fra' Timoteo è travestito da Callimaco, mentre Callimaco è travestito da quel tale "garzonaccio" che sarà menato al letto di Lucrezia.

¹⁰ *Io voglio... che inclinassi*: Ligurio ha organizzato il "campo" come un campo militare, pronto a scattare per un'azione bellica. *Le dua corna* costituiscono le due ali dell'esercito, e il dottore, Nicia, starà al centro dello schieramento, per essere, l'allusione è evidente,

cornificato, e Siro starà alla retroguardia. Cfr. *Clizia*, i, 2, dove si ripetono immagini belliche, e – probabile modello, secondo M. Martelli (1968, p. 211) – Terenzio, *Eunuchus*, 711-713: "in medium huc agmen cum vecte i, Donax; – tu, Simalio, in sinistrum cornum; – tu, Syrisce, in dexterum". – *dua corna*: il toscano antico presenta diverse varianti, "doi, dui, duo (*Inf.* xii, 84), dua". Machiavelli reca "dua mesi", "dua cose", "dua diversi venti" ecc. Ancora oggi in Lucchesia e altrove in Toscana si dice "sono dua", "ne ho trovato dua".

[11] *san Cuccù*: in francese *cocu* è cornuto, e cornuto sarà assai presto Nicia.

[12] *fussi... infermiccio*: cfr. lettera di Machiavelli a Vettori del 10 agosto 1513: "un re vecchio, stracco, infermiccio" (cfr. *Lettere*, cit., p. 277).

[13] *in pitocchino*: cfr. iv, 2, nota 13. Questo personaggio che se ne viene solo, suonando il liuto, è ovviamente Callimaco travestito da "garzonaccio".

[14] *Egli è el caso*: "costui fa al caso nostro" (Davico Bonino).

[15] *Ma guarda... addosso a te*: ma bada che tutta la vergogna cadrebbe su di te, se ti fossi sbagliato nello scegliere il "garzonaccio".

[16] *spunti questo canto*: spunti da questo angolo di via.

[17] *Venir... venir io*: Callimaco canta e si accompagna con il liuto. Debenedetti nel commento alla sua *Mandragola* (1910, ed. cit.) riproduce il testo di questa canzoncina, conservato in un codice del xv secolo: "Venir ti possa el diavolo allo letto / da poi che io non vi posso venir io, / et rompidi due chostole del petto / e l'altre membra che t'à fatto Idio, / et tiriti per monti e per valli, / et spichati el chapo dalle spalle".

[18] *Sta' forte... in casa*: dialogo veloce cui corrisponde ovviamente una gestualità altrettanto energica. Si ricordi il progetto di Ligurio (iv, 2): "Come tu sarai comparso in sul canto, noi saren quivi, torrènti el liuto, piglierenti, aggirerenti, condurrenti in casa..." – *volta*: rivoltata.

Scena decima

[1] *non ci... perché*: non ci biasimate per il fatto che...

[2] *sì che gli Atti... dal tempo*: l'azione drammatica non sarà interrotta dall'intervallo tra il quarto e il quinto atto; e Timoteo, "attraverso questa difesa di regolarità teatrale, richiama maliziosamente il pensiero degli spettatori ai ludi notturni di Callimaco e Lucrezia" (Blasucci). La "regolarità" presupponeva l'unità di azione, di tempo e di luogo.

[3] *perché... netta*: perché la cucina – allusione maliziosa al talamo – venga sgomberata da Nicia. – *vadia*: vada. "Accanto a 'vadi' (cfr. *Purg.* iii, 115) la lingua antica aveva pure 'vàdia' (da Sacchetti a Machiavelli), tuttora usato nel vernacolo fiorentino" (Rohlfs 1966-1969, 556).

Canzone

¹ Metro: a b C a b C c d e f F.

Scena prima

¹ *l'abbino fatta*: abbiano realizzata l'impresa (erotica).

² *lampana*: lampada a olio per il sacramento.

³ *immagine*: quadri votivi. Anche il Burchiello si stupiva del grande numero di "miracoli di cera" nella chiesa fiorentina dei Servi (cfr. sonetto *Non son tanti babbion nel Mantovano*). È abbastanza regolare nella lingua letteraria antica il plurare femminile in *e*, e così il vernacolo fiorentino reca "le torre", "le veste", "le gente" ecc., e Dante ha "force" (forbici), "merce" e "prece". Cfr. Rohlfs 1966-1969, 366.

⁴ *Noi vi solavamo... a procissione*: il rito è proprio della liturgia domenicana, e tuttavia le probabilità maggiori sono che Timoteo sia un servita. Cfr. *Prologo*, nota 8. – *compieta*: l'ultimo ufficio della giornata liturgica.

⁵ *Botavànci noi*: pure noi facevamo voti. Quanto alla labializzazione della *v* cfr. III, 2, nota 3.

⁶ *confortavamo*: esortavamo confortando.

⁷ *le cose vadin fredde!*: i fedeli siano pigri o riluttanti a frequentare la chiesa e la liturgia. Borsellino (1974-1976, p. 136) richiama qui alcuni versi dell'*Asino d'oro* (cap. v, 119-121): "E' son ben necessarie l'orazioni: / e matto al tutto è quel ch'al popol vieta / le cerimonie e le sue divozioni..."

⁸ *da casa... Nicia*: dalla casa di messer Nicia. Cfr. II, 6, nota 28.

⁹ *el prigione*: il prigioniero, il "garzonaccio", cioè Callimaco travestito.

¹⁰ *indugiati alla sgocciolatura*: si sono intrattenuti sino all'ultima goccia del mozzicone di candela. "Forse non è da escludere il doppio senso osceno" (Gaeta).

Scena seconda

¹ *per il pitocco*: per il lembo del mantelluccio. Ligurio aveva imposto a Callimaco di indossarlo (IV, 2): "Fo conto che tu ti metta un pitocchino indosso".

² *Non andian più là*: non dilunghiamoci oltre, non perdiamo altro tempo.

³ *diàngli dua volte*: diamogli altre due rigirate, cioè facciamolo girare su se stesso.

⁴ *sbisacciare*: spogliarci, toglierci di dosso i travestimenti, quasi "bisacce". Si ricordi che è sopraggiunta la mattina, la notte d'amore di Callimaco e di Lucrezia è trascorsa, e i travestimenti sono ormai inutili.

173

⁵ *vegghiato*: vegliato. Nella Toscana fra il XIII e il XVI secolo il nesso *gl* si è risolto nel gutturale duro ("vegghiare, stregghia, tegghia"); anzi alcune di queste forme vivono ancora nella lingua letteraria ("ragghiare, mugghiare"). Cfr. Rohlfs 1966-1969, 250.

⁶ *Andate... maestro Callimaco*: questa è la lezione del codice Rediano, seguita da Ridolfi, da Martelli e da Inglese. La stampa reca: "Andate, voi e Siro, a trovar maestro Callimaco".

⁷ *volta*: cantina, e anche dispensa e cucina. In una lettera a Gucciardini del 3 agosto 1525 si legge: "[La casa] ha sotto due volte da vino vantaggiate", cioè due buone cantine. Cfr. *Lettere*, cit., p. 425.

⁸ *rimanesti... seco*: Nicia e Sostrata, sua suocera, erano rimasti a vegliare presso il camino.

⁹ *al fuoco*: presso il caminetto.

¹⁰ *e' non... in capperuccia*: capperuccia e capperuccio, cappuccio, il cappuccio del mantello. Che niente rimanesse nascosto sotto il cappuccio significa che tutto dovesse apparire chiaro. Cfr. *Clizia*, III, 7: "che non ci andassi nulla in capperuccia". E Burchiello: "Anzi quando s'empiean le capperucce" (sonetto *Io trovo che 'l Frullana e messer Otto*).

¹¹ *lume annacquato*: lume pallido.

¹² *come un cane*: ringhioso.

¹³ *un nasaccio... torta*: proprio come avevano imposto le istruzioni di Ligurio: "io voglio che tu ti storca el viso, che tu apra, aguzzi e digrigni la bocca" (IV, 2).

¹⁴ *Tu vuoi el giambo!*: vuoi scherzare! Cfr. L. Passarini, *Modi di dire proverbiali*, cit., p. 451 e B. Varchi, *L'Ercolano*, cit., I, p. 188: "Quando uno cerca pure di volerci persuadere quello che non volemo credere, per levarloci dinanzi e tòrci quella seccaggine dagli orecchi, usiamo dire: 'tu vuoi la baja, o la berta, o la ninna, o la chiacchiera, o la giacchera, o la giostra, o il giambo'".

¹⁵ *ne volli... el fondo*: volli esaminare anche le parti più intime del corpo nudo del falso garzonaccio.

¹⁶ *avessi... le bolle*: le vesciche, segni di sifilide. La caduta della *v* in *aùto* è assai frequente nel toscano popolare e a Firenze si diceva e si dice pure "pensào, aànza, dàa" ecc.: cfr. Rohlfs 1966-1969, 215.

¹⁷ *Tu ci metti parole!*: sai soltanto usare parole, parlare. Cfr. B. Varchi, *L'Ercolano*, cit., I, p. 192: "Quando uno conforta un altro a dover fare alcuna cosa che egli fare non vorrebbe, e allega sue ragioni, delle quali colui non è capace, suole spesso avere per risposta: 'tu ci metti parole tu; a nessuno confortatore non dolse mai testa'".

¹⁸ *son suti*: sono stati. Sull'infinito si è modellato anche l'antico *essuto*, abbreviato in *suto* (cfr. *Novellino*, Boccaccio, Compagni, Guittone, Angiolieri, Brunetto Latini, Villani, sino, appunto, a Machiavelli).

¹⁹ *al primo*: sin dal principio.

²⁰ *tuttavia*: sin d'ora, già adesso.

²¹ *el naccherino!*: da "nacchere", castagnette, il festoso, il chiassoso, e dunque bambinello, fantolino.

²² *dubitando*: temendo. Cfr. III, 9, nota 6.

²³ *fare... ribaldone*: costringere quel grosso ribaldo a levarsi dal letto.

²⁴ *l'unto*: il grasso delle carni e i sughi, ma qui vale l'atto sessuale. Cfr. Boccaccio, *Decam.* VII, 1, 27: "va nell'orto, a piè del pesco

grosso troverai unto, bisunto e cento cacherelli della gallina mia". In un sonetto burchiellesco un marito dice alla moglie: "Al tempo di dovizia / tu ne portasti l'olio, il grasso e l'unto".

[25] *abbia.. sì presto*: sappiamo (II, 6) che il garzonaccio ribaldone si sarebbe infettato a causa della mandragola e sarebbe morto entro otto giorni.

[26] *avete... pensieri!*: avete ben poco da pensare se vi preoccupate di quel giovane!

[27] *trovare*: incontrarmi con...

[28] *Farò... lavare la donna*: come aveva suggerito di fare Ligurio: "farete lavare la vostra donna" (II, 6).

[29] *entrare in sancto*: o "menare in sancto". Cfr. V. Borghini, *Trattato della Chiesa e dei vescovi fiorentini*, in *Discorsi*, Firenze 1584, p. 427: "mettendosi, come è l'usanza, dopo il parto la donna in chiesa, si dice ancora, ritenendo con l'antica usanza il vecchio nome, 'mettere in santo'". Si tratta dunque del rito della benedizione delle puerpere.

[30] *ristorarlo*: dargli un ristoro e cioè, in questo caso, un compenso.

Scena terza

[1] *Io ho udito*: "secondo una consuetudine scenica, che data da Plauto e Terenzio, Timoteo, come decine di personaggi di commedia, ha udito non visto" (Davico Bonino).

[2] *la conclusione ultima*: la promessa del compenso (tanto più generoso se verrà trattato in chiesa, cioè in un luogo sacro).

Scena quarta

[1] *benché... buono*: benché ardessi del desiderio di possedere l'amata, esso tuttavia non mi parve onesto.

[2] *l'ebbi... le portavo*: Callimaco esegue fedelmente le proposte di Ligurio: si fa conoscere, scopre l'inganno, le dimostra il suo amore. Cfr. IV, 2.

[3] *semplicità*: cfr. I, 1, nota 22. La dabbenaggine è la qualità principe di messer Nicia, cui fanno seguito vanità e saccenteria.

[4] *sanza infamia alcuna*: anche Ligurio aveva assicurato Callimaco ch'egli, amante di Lucrezia, poteva esserlo "sanza sua infamia" (IV, 2).

[5] *qualunque... per donna*: se qualche giorno Dio avesse destinato altrimenti di Nicia (lo avesse fatto morire), egli l'avrebbe sposata. – *donna*: domina, signora, cioè moglie e padrona.

[6] *che differenzia... marito vecchio*: cfr. *Decam.* III, 6, 50: "e conoscendo allora la donna quanto più saporiti fossero i basci dello amante che quegli del marito, voltata la sua durezza in dolce amore verso Ricciardo, teneressimamente da quel giorno innanzi l'amò...". – *ghiacitura*: ancora *Decam.* IV, 2, 32: "con donna Lisetta trovandosi, che era fresca e morbida, altra giacitura faccendole che il marito, molte volte la notte volò senza ali".

[7] *tristizia*: malvagità.

[8] *non sono sufficiente*: non sono capace. "C'è una contrapposizione, in quel *sufficiente*, tra individuo e destino (*celeste disposizione*)" (Davico Bonino).

[9] *Però io ti prendo... abbia sempre*: una cadenza affine si riscontra nel discorso di Panfilo nell'*Andria* (I, 5) che ricorda le ultime parole di Criside morente: "Pertanto io ti priego per questa mano destra [...] che tu non la scacci da te e non l'abbandoni: se io t'ho amato come fratello, se costei ti ha stimato sempre sopra tutte le cose, se la ti ha obedito in ogni cosa, io ti dò a costei marito, amico, tutore, padre". E così recita il modello originale, l'*Andria* di Terenzio, 295: "te isti virum do, amicum tutorem patrem...". Cfr. E. Raimondi 1972, p. 176, e G. Sasso, in *Mandragola*, Rizzoli, Milano 1980, p. 53. Infine altra affinità si riscontra nella citata novella di Boccaccio, *Decam.* III, 6, 48-49, dove Catella si piega e si arrende a Ricciardo, dopo che in un primo tempo lo aveva respinto, promettendogli di vendicarsi di lui. Il testo terenziano è per così dire mediato dal modello della prosa boccacciana. Infine la commedia di G.M. Cecchi, *L'assiuolo*, edita nel 1550, sembra qui (v, 1) riprendere la cadenza del discorso di Lucrezia: "Poiché la pazzia sua, la gelosia mia, e l'astuzia vostra mi hanno condotto a far quello ch'io da per me mai arei fatto, i' non posso dir altro, se non che così fusse destinato da chi di noi può disporre..."

[10] *compare*: "propriamente chi è legato da un vincolo spirituale, essendo stato padrino di battesimo o di cresima o testimone a nozze; ma si usava anche indicare parentela non stretta o grande familiarità" (cfr. *Decameron*, a cura di V. Branca, Le Monnier, Firenze 1952, vol. II, p. 173, nota 5).

[11] *non mi mancassi... per tempo*: non mi venisse mai meno o per morte o per sazietà, provocata dallo scorrere lungo del tempo.

Scena quinta

[1] *alla pazzeresca*: all'impazzata.

[2] *La pare un gallo*: è tutta ringalluzzita. "Oggi diremmo: ha alzato la cresta" (Davico Bonino).

[3] *per menarti in santo*: cfr. v, 2, nota 29.

[4] *Ella... mezza morta*: in *Andria*, I, 4 si legge pure "mezzo morto" detto di Panfilo. Cfr. Raimondi 1972, p. 174. Quanto al rinascere, oltre alla trovata beffarda di far dire proprio a Nicia che la moglie sua era rinata dopo la notte amorosa con l'amante, si ricordi che Lucrezia stessa aveva lamentato che all'indomani non sarebbe stata viva (III, 11).

Scena sesta

[1] *Io vengo... Eccole*: la battuta è detta tra sé e sé.

[2] *Bona dies*: Così Nicia, uomo dotto e di mondo, aveva anche salutato Callimaco (II, 2).

[3] *mastio*: maschio. Cfr. III, 12, nota 7.

[4] *Accennategli*: fate loro un cenno perché vengano qui.

[5] *tornarsi... comodità*: ritrovarsi qui, nella camera terrena, a lor piacere.

⁶ *stanno... bestie*: anche Sostrata aveva detto alla figlia che una donna senza prole, "resta come una bestia" (III, 11).

⁷ *accaggia*: accada, ovviamente di averne bisogno. Lo sviluppo del nesso *di* nel palatale sonoro risale in Toscana già al II secolo d.C., per cui si è passati dal latino *radius* al neolatino "raggio" ecc. Cfr. Rohlfs 1966-1969, 276.

⁸ *Ho avere*: devo avere, mi toccano.

⁹ *non è uomo*: non c'è nessuno. Nel toscano antico al francese *on dit* corrisponde "uomo dice". Dante: "ch'uom si toglie"; Petrarca: "qual uom dice"; "come uomo dice" ecc. Cfr. Rohlfs 1966-1969, 516.

¹⁰ *grossi*: monete d'argento di valore non alto, come dimostra un passo del Boccaccio, *Decam.* VIII, 10, 27: "sì come colui che da lei [...] aveva avuto quello che valeva ben trenta fiorin d'oro, senza aver potuto fare che ella da lui prendesse tanto che valesse un grosso".

¹¹ *Affogaggine!*: come a dire mi volete affogare, oggi diremmo accipicchia! o capperi! Cfr. lettera di Machiavelli a Luigi Guicciardini dell'8 dicembre 1509: "Affogaggine, Luigi, et guarda quanto la fortuna in una medesima faccenda dà a li huomini diversi fini" (cfr. *Lettere*, cit., p. 204).

¹² *avete... in sul vecchio*: avete innestato un germoglio su un vecchio tronco, cioè vi siete ringiovanita. "Ma non andrà poi dimenticato che 'il tallo' appartiene anche alla nomenclatura erotica burlesca" (Anselmi).

¹³ *l'orazione ordinaria*: la preghiera canonica.

¹⁴ *Valete*: state bene! In modi affini chiudono l'*Andria* e la *Clizia*, cioè con questa sorta di congedo benevolo e augurale. *Vale, valeas, valete* sono le formule con le quali si chiudevano le lettere nel genere epistolografico latino classico e postclassico.

CLIZIA

Personaggi

PALAMEDE
CLEANDRO
EUSTACHIO
NICOMACO
PIRRO
SOFRONIA
DAMONE
DORIA
SOSTRATA
RAMONDO

Canzona [1]

Quanto sia lieto el giorno,
che le memorie antiche
fa ch'or per voi sien mostre e celebrate,[2]
si vede, perché intorno
tutte le gente amiche
si sono in questa parte [3] ragunate.
Noi, che la nostra etate
ne' boschi e nelle selve consumiamo,
venuti ancor qui siamo,
io ninfa e noi pastori,
e giàm [4] cantando insieme e nostri amori.
   Chiari giorni e quïeti!
Felice e bel paese,
dove del nostro canto el suon s'udia!
Pertanto, allegri e lieti,
a queste vostre imprese
faren col cantar nostro compagnia,
con sì dolce armonia,
qual mai sentita più non fu da voi:
e partirenci poi,
io ninfa e noi pastori,
e tornerenci a' nostri antichi amori.

Prologo [1]

PROLOGO Se nel mondo tornassino i medesimi uomini,
   come tornano i medesimi casi, non passerebbono
   mai cento anni, che noi non ci trovassimo un'altra

volta insieme a fare le medesime cose che ora.[2] Questo si dice, perché già in Atene,[3] nobile ed antichissima città in Grecia, fu un gentile uomo, al quale, non avendo altri figliuoli che uno maschio, capitò a sorte una picciola fanciulla in casa, la quale da lui infino alla età di diciassette anni fu onestissimamente allevata. Occorse dipoi che in uno tratto[4] egli ed il figliuolo se ne innamororno: nella concorrenzia[5] del quale amore assai casi e strani accidenti nacquono; i quali trapassati, il figliuolo la prese per donna,[6] e con quella gran tempo felicissimamente visse. Che direte voi, che questo medesimo caso, pochi anni sono, seguì ancora in Firenze? E, volendo questo nostro autore l'uno delli dua rappresentarvi, ha eletto[7] el fiorentino, iudicando che voi siate per prendere maggiore piacere di questo che di quello: perché Atene è rovinata, le vie, le piazze, i luoghi non vi si ricognoscono; dipoi, quelli cittadini parlavano in greco, e voi quella lingua non intenderesti. Prendete, pertanto, el caso seguìto in Firenze, e non aspettate di riconoscere o il casato o gli uomini, perché lo autore, per fuggire carico,[8] ha convertiti i nomi veri in nomi fitti.[9] Vuol bene, avanti che la comedia cominci, voi veggiate le persone,[10] acciò che meglio, nel recitarla, le cognosciate. – Uscite qua fuora tutti, che 'l popolo vi vegga. Eccogli. Vedete come e' ne vengono suavi?[11] Ponetevi costì in fila, l'uno propinquo all'altro. Voi vedete. Quel primo è Nicomaco, un vecchio tutto pieno d'amore. Quello che gli è allato è Cleandro, suo figliuolo e suo rivale. L'altro si chiama Palamede, amico a Cleandro.· Quelli dua che seguono, l'uno è Pirro servo, l'altro Eustachio fattore de' quali ciascuno vorrebbe essere marito della dama[12] del suo padrone. Quella donna, che viene poi, è Sofronia, moglie di Nicomaco. Quella appresso è Doria, sua servente. Di quegli ultimi duoi che restano, l'uno è Damone, l'altra è Sostrata, sua donna. Ècci[13] un'altra persona, la quale, per avere a venire ancora da Napoli, non vi si mosterrà![14] Io credo che basti, e che voi gli abbiate veduti assai. Il popolo vi licenzia: tornate dentro.

Questa favola si chiama "Clizia", perché così ha

nome la fanciulla, che si combatte.[15] Non aspettate di vederla, perché Sofronia, che l'ha allevata, non vuole per onestà che la venga fuora. Pertanto, se ci fussi alcuno che la vagheggiassi, arà pazienza. E' mi resta a dirvi, come lo autore di questa commedia è uomo molto costumato, e saprebbegli male, se vi paressi, nel vederla recitare, che ci fussi qualche disonestà. Egli non crede che la ci sia; pure, quando e' paressi a voi, si escusa in questo modo. Sono trovate le commedie, per giovare e per dilettare alli spettatori.[16] Giova veramente assai a qualunque uomo, e massimamente a' giovanetti, cognoscere la avarizia d'uno vecchio, il furore d'uno innamorato, l'inganni d'uno servo, la gola d'uno parassito, la miseria d'uno povero, l'ambizione d'uno ricco, le lusinghe d'una meretrice, la poca fede di tutti gli uomini. De' quali essempli le commedie sono piene, e possonsi tutte queste cose con onestà grandissima rappresentare. Ma, volendo dilettare, è necessario muovere gli spettatori a riso: il che non si può fare mantenendo il parlare grave e severo, perché le parole, che fanno ridere, sono o sciocche, o iniuriose, o amorose; è necessario, pertanto, rappresentare persone sciocche, malediche, o innamorate: e perciò quelle commedie, che sono piene di queste tre qualità di parole, sono piene di risa; quelle che ne mancano, non truovano chi con il ridere le accompagni.

Volendo, adunque, questo nostro autore dilettare, e fare in qualche parte gli spettatori ridere, non inducendo [17] in questa sua commedia persone sciocche, ed essendosi rimasto [18] di dire male, è stato necessitato ricorrere alle persone innamorate ed alli accidenti, che nello amore nascano. Dove se fia alcuna cosa non onesta, sarà in modo detta che queste donne potranno sanza arrossire ascoltarla. Siate contenti, adunque, prestarci gli orecchi benigni: e, se voi ci satisfarete ascoltando, noi ci sforzeremo, recitando, di satisfare a voi.

ATTO PRIMO

Scena prima

PALAMEDE, CLEANDRO

PALAMEDE Tu esci sì a buon'ora di casa?

CLEANDRO Tu, donde vieni sì a buon'ora?

PALAMEDE Da fare una mia faccenda.

CLEANDRO Ed io vo a farne un'altra, o, a dire meglio, a cercarla di fare, perché, s'io la farò, non ne ho certezza alcuna.

PALAMEDE È ella cosa che si possa dire?

CLEANDRO Non so; ma io so bene che la è cosa, che con difficultà si può fare.

PALAMEDE Orsù, io me ne voglio ire, ché io veggo come lo stare accompagnato t'infastidisce; e per questo io ho sempre fuggito la pratica tua,[1] perché sempre ti ho trovato mal disposto e fantastico.[2]

CLEANDRO Fantastico no, ma innamorato sì.

PALAMEDE Togli![3] Tu mi racconci la cappellina in capo![4]

CLEANDRO Palamede mio, tu non sai mezze le messe.[5] Io sono sempre vivuto disperato, ed ora vivo più che mai.

PALAMEDE Come così?

CLEANDRO Quello ch'io t'ho celato per lo adrieto,[6] io ti voglio manifestare ora, poiché mi sono redutto al termine che mi bisogna soccorso da ciascuno.

PALAMEDE Se io stavo mal volentieri teco in prima, io

starò peggio ora, perché io ho sempre inteso, che tre sorte di uomini si debbono fuggire: cantori, vecchi ed innamorati. Perché, se usi con uno cantore e narrigli uno tuo fatto, quando tu credi che t'oda, e' ti spicca uno "ut,[7] re, mi, fa, sol, la", e gorgogliasi una canzonetta in gola. Se tu sei con uno vecchio, e' ficca el capo in quante chiese e' truova, e va a tutti gli altari a borbottare uno paternostro. Ma di questi duoi lo innamorato è peggio, perché non basta che, se tu gli parli, e' pone una vigna[8] che t'empie gli orecchi di rammarichii e di tanti suoi affanni, che tu sei sforzato a moverti a compassione: perché, s'egli usa con una cantoniera,[9] o ella lo assassina troppo, o ella lo ha cacciato di casa, sempre vi è qualcosa che dire; s'egli ama una donna da bene, mille invidie, mille gelosie, mille dispetti lo perturbano; mai non vi manca cagione di dolersi. Pertanto, Cleandro mio, io userò tanto teco,[10] quanto tu arai bisogno di me, altrimenti io fuggirò questi tuoi dolori.

CLEANDRO   Io ho tenute occulte queste mie passioni infino ad ora per coteste cagioni, per non essere fuggito come fastidioso o uccellato[11] come ridiculo, perché io so che molti, sotto spezie di carità,[12] ti fanno parlare, e poi ti ghignano drieto. Ma, poiché ora la Fortuna m'ha condotto in lato,[13] che mi pare avere pochi rimedii, io te lo voglio conferire, per sfogarmi in parte, e anche perché, se mi bisognassi il tuo aiuto, che tu me lo presti.

PALAMEDE   Io sono parato, poiché tu vuoi, ad ascoltar tutto, e così a non fuggire né disagi né pericoli, per aiutarti.

CLEANDRO   Io lo so. Io credo che tu abbia notizia di quella fanciulla, che noi ci abbiamo allevata.

PALAMEDE   Io l'ho veduta. Donde venne?

CLEANDRO   Dirottelo. Quando, dodici anni sono, nel 1494, passò il re Carlo[14] per Firenze, che andava con uno grande essercito alla impresa del Regno,[15] alloggiò in casa nostra uno gentile uomo della compagnia di monsignor di Fois,[16] chiamato Beltramo di Guascogna. Fu costui da mio padre onorato, ed egli, perché uomo da bene era, riguardò[17] ed onorò la casa nostra; e dove molti feciono una inimicizia con quelli Franzesi avevano in casa,[18] mio padre e costui contrassono una amicizia grandissima.

PALAMEDE Voi avesti una gran ventura più che gli altri, perché quelli che furono messi in casa nostra ci feciono infiniti mali.

CLEANDRO Credolo; ma a noi non intervenne così. Questo Beltramo ne andò con il suo re a Napoli; e, come tu sai, vinto che Carlo ebbe quel regno, fu constretto a partirsi, perché 'l papa, imperadore, Viniziani e duca di Milano se gli erano conlegati contro.[19] Lasciate, pertanto, parte delle sue gente a Napoli, con il resto se ne venne verso Toscana; e, giunto a Siena, perch'egli intese la Lega avere uno grossissimo essercito sopra il Taro, per combatterlo allo scendere de' monti, gli parve da non perdere tempo in Toscana; e perciò, non per Firenze, ma per la via di Pisa e di Pontremoli, passò in Lombardia.[20] Beltramo, sentito il romore de' nimici, e dubitando, come intervenne, non avere a fare la giornata con quelli,[21] avendo in tra la preda fatta a Napoli questa fanciulla, che allora doveva avere cinque anni, d'una bella aria[22] e tutta gentile, deliberò di tòrla d'inanzi a' pericoli, e per uno suo servidore la mandò a mio padre, pregandolo che per suo amore dovessi tanto tenerla, che a più commodo tempo mandassi per lei[23]; né mandò a dire se la era nobile o ignobile: solo ci significò che la si chiamava Clizia. Mio padre e mia madre, perché non avevano altri figliuoli che me, sùbito se ne innamororono.

PALAMEDE Innamorato te ne sarai tu!

CLEANDRO Lasciami dire! E come loro cara figliuola la trattorono. Io, che allora avevo dieci anni, mi cominciai, come fanno e fanciulli, a trastullare seco, e le posi uno amore estraordinario, il quale sempre con la età crebbe; di modo che, quando ella arrivò alla età di dodici anni, mio padre e mia madre cominciorono ad avermi gli occhi alle mani,[24] in modo che, se io solo gli parlavo, andava sottosopra la casa. Questa strettezza[25] (perché sempre si desidera più ciò che si può avere meno) raddoppiò lo amore, ed hammi fatto e fa tanta guerra, che io vivo con più affanni, che s'io fussi in inferno.

PALAMEDE   Beltramo mandò mai per lei?

CLEANDRO   Di cotestui non si intese mai nulla: crediamo che morissi nella giornata del Taro.[26]

PALAMEDE   Così dovette essere. Ma dimmi: che vuoi tu
fare? A che termine sei? Vuo'la tu tòr per moglie, o
vorrestila per amica? Che t'impedisce, avendola in
casa? Può essere che tu non ci abbia rimedio?

CLEANDRO   Io t'ho a dire dell'altre cose, che saranno
con mia vergogna, perciò ch'io voglio che tu sappi
ogni cosa.

PALAMEDE   Di' pure.

CLEANDRO   E' mi vien voglia – disse colei – di ridere, ed
ho male! – Mio padre se n'è innamorato anch'egli.

PALAMEDE   Chi, Nicomaco?!

CLEANDRO   Nicomaco, sì.

PALAMEDE   Puollo fare Iddio?

CLEANDRO   E' lo può fare Iddio e' santi!

PALAMEDE   Oh! questo è il più bel caso, ch'io sentissi
mai: e' non se ne guasta se non una casa.[27] Come vi-
vete insieme? che fate? a che pensate? tua madre sa
queste cose?

CLEANDRO   E' lo sa mia madre, le fante, e famigli: egli è
una tresca el fatto nostro![28]

PALAMEDE   Dimmi: infine, dove è ridotta la cosa?

CLEANDRO   Dirottelo. Mio padre, per moglie, quando
bene e' non ne fussi innamorato, non me la concede-
rebbe mai, perché è avaro, ed ella è sanza dota. Dubita anche che la non sia ignobile. Io, per me, la tor-
rei per moglie, per amica, ed in tutti quelli modi
ch'io la potessi avere. Ma di questo non accade ragionare ora. Solo ti dirò dove noi ci troviamo.

PALAMEDE   Io l'arò caro.

CLEANDRO   Tosto che mio padre si innamorò di costei,
che debbe essere circa uno anno, e desiderando di
cavarsi questa voglia, che lo fa proprio spasimare,
pensò che non c'era altro rimedio che maritarla ad
uno che poi gliene accomunassi,[29] perché tentare
d'averla prima che maritata gli debbe parere cosa
impia e brutta; e, non sapendo dove si gittare, ha
eletto per il più fidato a questa cosa Pirro, nostro
servo; e menò tanta segreta questa sua fantasia, che
ad uno pelo la fu per condursi,[30] prima che altri se

ne accorgessi. Ma Sofronia, mia madre, che prima un pezzo[31] dello innamoramento si era avveduta, scoperse questo agguato, e con ogni industria, mossa da gelosia ed invidia, attende a guastare.[32] Il che non ha potuto far meglio, che mettere in campo uno altro marito, e biasimare quello[33]; e dice volerla dare ad Eustachio, nostro fattore. E benché Nicomaco sia di più autorità, nondimeno l'astuzia di mia madre, gli aiuti di noi altri, che, sanza molto scoprirci, gli facciamo, ha tenuta la cosa in ponte[34] più settimane. Tuttavia Nicomaco ci serra forte,[35] ed ha deliberato, a dispetto di mare e di vento,[36] fare oggi questo parentado, e vuole che la meni[37] questa sera, ed ha tolto a pigione quella casetta, dove abita Damone, vicino a noi; e dice che gliene vuole comperare, fornirla di masserizie, aprirgli una bottega, e farlo ricco.

PALAMEDE A te che importa che l'abbia più Pirro che Eustachio?

CLEANDRO Come, che m'importa? Questo Pirro è il maggiore ribaldello[38] che sia in Firenze, perché, oltre ad averla pattuita con mio padre, è uomo che mi ebbe sempre in odio, di modo ch'io vorrei che l'avessi più tosto el diavolo dell'inferno. Io scrissi ieri al fattore, che venissi a Firenze: maravigliomi ch'e' non venne iersera. Io voglio star qui, a vedere s'io lo vedessi comparire. Tu, che farai?

PALAMEDE Andrò a fare una mia faccenda.

CLEANDRO Va', in buon'ora.

PALAMEDE Addio. Temporéggiati il meglio puoi, e, se vuoi cosa alcuna, parla.

Scena seconda

CLEANDRO *solo*

CLEANDRO Veramente chi ha detto che lo innamorato ed il soldato si somigliono ha detto il vero. El capitano vuole che i suoi soldati sien giovani, le donne vogliono che i loro amanti non sieno vecchi. Brutta cosa vedere un vecchio soldato,[1] bruttissima è vederlo innamorato. I soldati temono lo sdegno del capitano, gli amanti non meno quello delle loro donne. I soldati dormono in terra allo scoperto, gli amanti su per muricciuoli.[2] I soldati perseguono infino a morte i loro nimici, gli amanti i loro rivali. I soldati, per la oscura notte, nel più gelato verno[3] vanno per il fango, esposti alle acque ed a' venti, per vincere una impresa, che faccia loro acquistare la vittoria; gli amanti, per simil' vie e con simili e maggior' disagi, di acquistare la loro amata cercano. Ugualmente, nella milizia e nello amore è necessario il secreto, la fede e l'animo; sono e pericoli uguali, ed il fine il più delle volte è simile: il soldato more in una fossa, lo amante more disperato. Così dubito io che non intervenga a me. Ed ho la dama[4] in casa, veggola quanto io voglio, mangio sempre seco! Il che credo che mi sia maggior dolore: perché, quanto è più propinquo l'uomo ad uno suo desiderio, più lo desidera, e, non lo avendo, maggior dolore sente. A me bisogna pensare per ora di sturbare queste nozze; dipoi, nuovi accidenti mi arrecheranno nuovi consigli e nuova fortuna. – È egli possibile che Eustachio non venga di villa? E scrissigli che ci fussi infino iersera![5] Ma io lo veggo spuntare là, da quel canto. Eustachio! o Eustachio!

Scena terza

EUSTACHIO, CLEANDRO

EUSTACHIO   Chi mi chiama? O Cleandro!

CLEANDRO   Tu hai penato tanto a comparire!

EUSTACHIO   Io venni infino iersera, ma io non mi sono appalesato,[1] perché, poco innanzi che io avessi la tua lettera, ne avevo avuta una da Nicomaco, che mi imponeva uno monte di faccende; e perciò io non volevo capitargli innanzi, se prima io non ti vedevo.

CLEANDRO   Hai ben fatto. Io ho mandato per te, perché Nicomaco sollecita queste nozze di Pirro; le quale tu sai non piacciono a mia madre, perché, poiché di questa fanciulla si ha a fare bene ad uno uomo nostro, vorrebbe che la si dessi a chi la merita più. Ed invero le tue condizioni sono altrimenti fatte[2] che quelle di Pirro; ché, a dirlo qui fra noi, egli è uno sciagurato.

EUSTACHIO   Io ti ringrazio; e veramente io non avevo il capo a tòr donna, ma, poiché tu e madonna volete, io voglio ancora io. Vero è ch'io non vorrei anche arrecarmi nimico Nicomaco, perché poi, alla fine, el padrone è egli.

CLEANDRO   Non dubitare, perché mia madre ed io non siamo per mancarti, e ti trarremo d'ogni pericolo. Io vorrei bene che tu ti rassettassi uno poco. Tu hai cotesto gabbano, che ti cade di dosso, hai el tocco[3] polveroso, una barbaccia... Va' al barbieri, làvati el viso, sétolati[4] cotesti panni, acciò che Clizia non ti abbia a rifiutare per porco.[5]

EUSTACHIO   Io non sono atto a rimbiondirmi.[6]

CLEANDRO   Va', fa' quel ch'io ti dico, e poi te ne vai in quella chiesa vicina, e quivi mi aspetta. Io me ne andrò in casa, per vedere a quel che pensa el vecchio.[7]

Canzona [1]

Chi non fa prova, Amore,
della tua gran possanza, indarno spera
di far mai fede vera
qual sia del Cielo il più alto valore;
né sa come si vive insieme e more,
come si segue el danno, il ben si fugge,
come s'ama se stesso
men d'altrui, come spesso
paura e speme i cori adiaccia e strugge:
né sa come ugualmente uomini e dèi
paventan l'arme di che armato sei.

ATTO SECONDO

Scena prima

NICOMACO *solo*

NICOMACO   Che domine[1] ho io stamani intorno agli occhi? E' mi pare avere e bagliori, che non mi lasciono vedere lume, e iersera io arei veduto el pelo nell'uovo. Are' io beuto troppo? Forse che sì. O Dio, questa vecchiaia ne viene con ogni mal mendo![2] Ma io non sono ancora sì vecchio, ch'io non rompessi una lancia[3] con Clizia. È egli però possibile che io mi sia innamorato a questo modo? E, quello che è peggio, mogliama se ne è accorta, ed indovinasi perch'io voglia dare questa fanciulla a Pirro. Infine, e' non mi va solco diritto.[4] Pure, io ho a cercare di vincere la mia. – Pirro! o Pirro! vien' giù, esci fuora!

Scena seconda

PIRRO, NICOMACO

PIRRO   Eccomi!
NICOMACO   Pirro, io voglio che tu meni questa sera moglie in ogni modo.
PIRRO   Io la merrò[1] ora.

NICOMACO   Adagio un poco! – A cosa, a cosa, – disse 'l
     Mirra.[2] E' bisogna anche fare le cose in modo che la
     casa non vadia sottosopra. Tu vedi: mogliama non
     se ne contenta, Eustachio la vuole anch'egli, parmi
     che Cleandro lo favorisca, e' ci si è vòlto contro Id-
     dio e 'l diavolo. Ma sta' tu pur forte nella fede di vo-
     lerla; non dubitare, ch'io varrò per tutti loro,[3] per-
     ché, al peggio fare, io te la darò a loro dispetto, e chi
     vuole ingrognare, ingrogni![4]
PIRRO   Al nome di Dio, ditemi quel che voi volete che io
     facci.
NICOMACO   Che tu non ti parta di quinci oltre, acciò
     che, s'io ti voglio, che tu sia presto.[5]
PIRRO   Così farò; ma mi era scordato dirvi una cosa.
NICOMACO   Quale?
PIRRO   Eustachio è in Firenze.
NICOMACO   Come, in Firenze? Chi te l'ha detto?
PIRRO   Ser Ambruogio, nostro vicino in villa, e mi dice
     che entrò dentro alla porta iarsera con lui.
NICOMACO   Come, iarsera? Dove è egli stato stanotte?
PIRRO   Chi lo sa?
NICOMACO   Sia, in buon'ora. Va' via, fa' quello ch'io t'ho
     detto. Sofronia arà[6] mandato per Eustachio, e que-
     sto ribaldo ha stimato più le lettere sue che le mie,
     che gli scrissi che facessi mille cose, che mi rovina-
     no, se le non si fanno. Al nome di Dio, io ne lo pa-
     gherò![7] Almeno sapessi io dove egli è, e quel che fa!
     Ma ecco Sofronia, che esce di casa.

Scena terza

SOFRONIA, NICOMACO

SOFRONIA   Io ho rinchiusa Clizia e Doria in camera. E'
     mi bisogna guardare questa povera fanciulla dal fi-
     gliuolo, dal marito, da' famigli: ognuno l'ha posto il
     campo intorno.[1]
NICOMACO   Ove si va?
SOFRONIA   Alla messa.

NICOMACO   Ed è per carnesciale[2]: pensa quel che tu farai di quaresima!

SOFRONIA   Io credo che s'abbia a fare bene d'ogni tempo, e tanto è più accetto farlo in quelli tempi che[3] gli altri fanno male. Ma e' mi pare che, a fare bene, noi ci facciamo da cattivo lato![4]

NICOMACO   Come? Che vorresti tu che si facessi?

SOFRONIA   Che non si pensassi a chiacchiere; e, poiché noi abbiamo in casa una fanciulla buona, d'assai, e bella, abbiamo durato fatica ad allevarla, che si pensi di nolla gittare or via; e, dove prima ogni uomo ci lodava, ogni uomo ora ci biasimerà, veggendo che noi la diàno ad uno ghiotto,[5] sanza cervello, e non sa fare altro che un poco radere, che è un'arte che non ne viverebbe una mosca![6]

NICOMACO   Sofronia mia, tu erri. Costui è giovane, di buono aspetto (e, se non sa, è atto a imparare), vuol bene a costei: che son tre gran parte[7] in uno marito, gioventù, bellezza ed amore. A me non pare che si possa ire più là, né che di questi partiti se ne truovi ad ogni uscio. Se non ha roba, tu sai che la roba viene e va; e costui è uno di quegli, che è atto a farne venire; ed io non lo abbandonerò, perch'io fo pensiero, a dirti il vero, di comperarli quella casa, che per ora ho tolta a pigione da Damone, nostro vicino, ed empierolla di masserizie; e di più, quando mi costassi quattrocento fiorini, per metterliene...[8]

SOFRONIA   Ah, ah, ah!

NICOMACO   Tu ridi?

SOFRONIA   Chi non riderebbe? Dove liene vuoi tu mettere?

NICOMACO   Sì, che vuoi tu dire?... per metterliene in su 'n una bottega, non sono per guardarvi.[9]

SOFRONIA   È egli possibile però che tu voglia con questo partito strano[10] tòrre al tuo figliuolo più che non si conviene, e dare a costui più che non merita? Io non so che mi dire: io dubito che non ci sia altro, sotto.

NICOMACO   Che vuoi tu che ci sia?

SOFRONIA   Se ci fussi chi non lo sapessi, io glielo direi; ma, perché tu lo sai, io non te lo dirò.

NICOMACO   Che so io?

SOFRONIA   Lasciamo ire! Che ti muove a darla a costui?

Non si potrebbe con questa dote o con minore maritarla meglio?

NICOMACO   Sì, credo. Nondimeno, e' mi muove l'amore,
ch'io porto all'una ed all'altro, che avendoceli alleva-
ti tutti a dua, mi pare da benificarli tutti a dua.

SOFRONIA   Se cotesto ti muove, non ti hai tu ancora allevato Eustachio, tuo fattore?

NICOMACO   Sì, ho; ma che vuoi tu che la faccia di cotestui,[11] che non ha gentilezza veruna ed è uso a stare
in villa fra' buoi e tra le pecore? Oh! se noi gliene
dessimo, la si morrebbe di dolore.

SOFRONIA   E con Pirro si morrà di fame. Io ti ricordo
che le gentilezze delli uomini consistono in avere
qualche virtù, sapere fare qualche cosa, come sa Eustachio, che è uso alle faccende in su' mercati, a fare
masserizia, ad avere cura delle cose d'altri e delle
sua, ed è uno uomo, che viverebbe in su l'acqua, tanto che tu sai che gli ha un buono capitale. Pirro, dal-
l'altra parte, non è mai se non in sulle taverne, su pe'
giuochi, un cacapensieri, che morrebbe di fame nello Altopascio.[12]

NICOMACO   Non ti ho io detto quello che io li voglio dare?

SOFRONIA   Non ti ho io risposto che tu lo getti via? Io ti
concludo questo, Nicomaco, che tu hai speso in nu-
trir costei, ed io ho durato fatica in allevarla; e per
questo, avendoci io parte, io voglio ancora io intendere come queste cose hanno ad andare: o io dirò
tanto male e commetterò tanti scandoli, che ti parrà
essere in mal termine, che non so come tu ti alzi el
viso. Va', ragiona di queste cose con la maschera![13]

NICOMACO   Che mi di' tu? Se' tu impazata? Or mi fa' tu
venir voglia di dargliene[14] in ogni modo; e, per cotesto amore, voglio io che la meni stasera, e merralla,
se ti schizzassino gli occhi!

SOFRONIA   O la merrà, o e' non la merrà.

NICOMACO   Tu mi minacci di chiacchiere; fa' ch'io non
dica.[15] Tu credi forse che io sia cieco, e che io non
conosca e giuochi di queste tua bagatelle?[16] Io sapevo bene che le madre[17] volevano bene a' figliuoli, ma
non credevo che le volessino tenere le mani alle loro
disonestà![18]

196

SOFRONIA Che di' tu? Che cosa è disonestà?

NICOMACO Deh! non mi fare dire. Tu m'intendi, ed io
t'intendo. Ognuno di noi sa a quanti dì è san Biagio.[19] Facciamo, per tua fé, le cose d'accordo, ché, se
noi entriamo in cetere,[20] noi sareno la favola del popolo.

SOFRONIA Entra in che cetere tu vuoi. Questa fanciulla
non s'ha a gittar via, o io manderò sottosopra, non
che la casa, Firenze.

NICOMACO Sofronia, Sofronia, chi ti pose questo nome non sognava! Tu se' una soffiona,[21] e se' piena di
vento!

SOFRONIA Al nome d'Iddio, io voglio ire alla messa! Noi
ci rivedreno.

NICOMACO Odi un poco: sarebbeci modo a raccapezzare [22] questa cosa, e che noi non ci facessimo tenere
pazzi?

SOFRONIA Pazzi no, ma tristi [23] sì.

NICOMACO Ei ci sono in questa terra tanti uomini dab-
bene, noi abbiamo tanti parenti, e' ci sono tanti buoni religiosi! Di quello che noi non siamo d'accordo
noi, domandianne loro, e per questa via o tu o io ci
sgarereno.[24]

SOFRONIA Che? vogliamo noi cominciare a bandire [25]
queste nostre pazzie?

NICOMACO Se noi non vogliamo tòrre amici o parenti,
togliamo uno religioso, e non si bandiranno; e ri-
mettiamo in lui questa cosa in confessione.

SOFRONIA A chi andremo?

NICOMACO E' non si può andare ad altri che a fra' Timoteo, che è nostro confessoro di casa, ed è uno
santerello,[26] ed ha fatto già qualche miracolo.

SOFRONIA Quale?

NICOMACO Come, quale? Non sai tu che, per le sue orazioni, mona Lucrezia di messer Nicia Calfucci, che
era sterile, ingravidò?

SOFRONIA Gran miracolo, un frate fare ingravidare una
donna! Miracolo sarebbe, se una monaca la facessi
ingravidare ella![27]

NICOMACO È egli possibile che tu non mi attraversi
sempre la via con queste novelle?

SOFRONIA Io voglio ire alla messa, e non voglio rimettere le cose mia in persona.[28]

NICOMACO   Orsù, va' e torna: io ti aspetterò in casa. Io
credo che sia bene non si discostare molto, perché
non trafugassino Clizia in qualche lato.

Scena quarta

SOFRONIA *sola*

SOFRONIA   Chi conobbe Nicomaco uno anno fa, e lo
pratica ora, ne debbe restare maravigliato, considerando la gran mutazione, che gli ha fatta, perché so-
leva essere uno uomo grave, resoluto, respettivo.[1]
Dispensava il tempo suo onorevolmente, e si levava
la mattina di buon'ora, udiva la sua messa, provede-
va al vitto del giorno; dipoi, s'egli aveva faccenda in
piazza, in mercato, o a' magistrati, e' le faceva;
quanto che no, o e' si riduceva con[2] qualche cittadino tra ragionamenti onorevoli, o e' si ritirava in casa
nello scrittoio,[3] dove raguagliava sue scritture,[4] rior-
dinava suoi conti; dipoi, piacevolmente con la sua
brigata desinava; e, desinato, ragionava con il figliuolo, ammunivalo, davagli a conoscere gli uomini, e con qualche essemplo antico e moderno gl'inse-
gnava vivere; andava dipoi fuora, consumava tutto il
giorno o in faccende o in diporti gravi ed onesti; ve-
nuta la sera, sempre l'Avemaria lo trovava in casa:
stavasi un poco con esso noi al fuoco, se gli era di
verno; dipoi, se n'entrava nello scrittoio, a rivedere
le faccende sue; alle tre ore si cenava allegramente.
Questo ordine della sua vita era uno essemplo a tutti
gli altri di casa, e ciascuno si vergognava non lo imi-
tare. E così andavano le cose ordinate e liete. Ma, dipoi che gli entrò questa fantasia di costei, le faccende sue si straccurano,[5] e poderi si guastono, e trafi-
chi rovinano; grida sempre, e non sa di che; entra ed
esce di casa ogni dì mille volte, sanza sapere quello
che si vada faccendo; non torna mai ad ora, che si
possa cenare o desinare a tempo; se tu gli parli, o e'
non ti risponde, o e' ti risponde non a proposito. I

servi, vedendo questo, si fanno beffe di lui, il figliuolo ha posto giù la reverenzia, ognuno fa a suo modo,
ed infine niuno dubita di fare [6] quello che vede fare a
lui: in modo che io dubito, se Iddio non ci remedia,
che questa povera casa non rovini. Io voglio pure
andare alla messa, a raccomandarmi a Dio quanto
io posso. – Io veggo Eustachio e Pirro, che si bistic-
ciano: be' mariti che si apparecchiano a Clizia!

Scena quinta

PIRRO, EUSTACHIO

PIRRO   Che fa' tu in Firenze, trista cosa? [1]

EUSTACHIO   Io non l'ho a dire a te.

PIRRO   Tu se' così razzimato! [2] Tu mi pari un cesso ripu-
lito!

EUSTACHIO   Tu hai sì poco cervello, che io mi maraviglio ch'e fanciulli non ti gettino drieto [3] e sassi.

PIRRO   Presto ci avvedremo chi arà più cervello, o tu o
io.

EUSTACHIO   Prega Iddio che 'l padrone non muoia, ché
tu andrai un dì accattando!

PIRRO   Hai tu veduto Nicomaco?

EUSTACHIO   Che ne vuoi tu sapere, se io l'ho veduto o
no?

PIRRO   E' toccherà bene a te a saperlo, che se e' non si
rimuta, [4] se tu non torni in villa da te, e' vi ti farà portare a' birri.

EUSTACHIO   E' ti dà una gran briga questo mio essere in
Firenze!

PIRRO   E' dà più briga ad altri che a me.

EUSTACHIO   E però ne lascia el pensiero ad altri.

PIRRO   Pure le carne tirano. [5]

EUSTACHIO   Tu guardi, e ghigni.

PIRRO   Guardo che tu saresti el bel marito.

EUSTACHIO   Orbè, sai quello ch'io ti voglio dire? "Ed anche il duca murava!" [6] Ma, s'ella prende te, la sarà sa-
lita in su' muriccciuoli. [7] Quanto sarebbe meglio che

Nicomaco la affogassi in quel suo pozzo! Almeno la poverina morrebbe ad uno tratto.

PIRRO   Doh! villan poltrone, profumato nel litame! Part'egli avere carni, da dormire allato a sì dilicata figlia?

EUSTACHIO   Ell'arà bene carni teco! che, se la sua trista sorte te la dà, o ella in uno anno diventerà puttana, o ella si morrà di dolore: ma del primo [8] ne sarai tu d'accordo seco, ché, per uno becco pappataci,[9] tu sarai desso!

PIRRO   Lasciamo andare! Ognuno aguzzi e sua ferruzzi [10]: vedreno a chi e' dirà meglio. Io me ne voglio ire in casa, ch'io t'arei a rompere la testa.

EUSTACHIO   Ed io mi tornerò in chiesa.

PIRRO   Tu fai bene a non uscire di franchigia! [11]

Canzona [1]

Quanto in cor giovinile è bello amore,
tanto si disconviene
in chi degli anni suoi passato ha il fiore.[2]
  Amore ha sua virtute agli anni uguale,[3]
e nelle fresche etati assai s'onora,
e nelle antiche poco o nulla vale:
sì che, o vecchi amorosi, el meglio fora
lasciar la impresa a' giovinetti ardenti,
ch'a più fort'opra intenti,
far ponno al suo signor [4] più largo onore.

ATTO TERZO

Scena prima

NICOMACO, CLEANDRO

NICOMACO Cleandro! o Cleandro!

CLEANDRO Messere!

NICOMACO Esci giù, esci giù, dico io! Che fai tu, tanto el dì,[1] in casa? Non te ne vergogni tu, che dài carico[2] a cotesta fanciulla? Sogliono a simili dì di carnasciale e giovani tuoi pari andarsi a spasso veggendo le maschere, o ire a fare al calcio.[3] Tu se' uno di quelli uomini, che non sai far nulla, e non mi pari né morto né vivo.

CLEANDRO Io non mi diletto di coteste cose, e non me ne dilettai mai, e piacemi più lo stare solo, che con coteste compagnie; e tanto più stavo ora volentieri in casa, veggendovi stare voi, per potere, se voi volevi cosa alcuna, farla.

NICOMACO Deh! guarda dove l'aveva![4] Tu se' el buon figliuolo! Io non ho bisogno di averti tuttodì drieto! Io tengo dua famigli ed uno fattore, per non avere a comandare a te.[5]

CLEANDRO Al nome d'Iddio! e' non è però che quello ch'io fo no 'l faccia per bene.

NICOMACO Io non so per quel che tu te 'l fai, ma io so bene che tua madre è una pazza, e rovinerà questa casa. Tu faresti el meglio a ripararci.

CLEANDRO O lei, o altri.[6]

NICOMACO Chi altri?

CLEANDRO Io non so.

NICOMACO E' mi pare bene che tu no 'l sappi. Ma che di' tu di questi casi di Clizia?[7]

CLEANDRO Vedi che vi capitamo![7]

NICOMACO Che di' tu? Di' forte, ch'io t'intenda.

CLEANDRO Dico ch'io non so che me ne dire.

NICOMACO Non ti par egli che questa tua madre pigli un granchio, a non volere che Clizia sia moglie di Pirro?

CLEANDRO Io non me ne intendo.

NICOMACO Io son chiaro![8] tu hai preso la parte sua! E' ci cova sotto altro che favole! Parrebbet'egli però che la stessi bene con Eustachio?

CLEANDRO Io non lo so, e non me ne intendo.

NICOMACO Di che diavolo t'intendi tu?

CLEANDRO Non di cotesto.

NICOMACO Tu ti sei pur inteso di far venire in Firenze Eustachio, e trafugarlo,[9] perché io non lo vegga, e tendermi lacciuoli, per guastare queste nozze. Ma te e lui caccerò io nelle Stinche[10]; a Sofronia renderò io la sua dota, e manderolla via, perché io voglio essere io signore di casa mia, e ognuno se ne sturi gli orecchi! E voglio che questa sera queste nozze si faccino, o io, quando non arò altro rimedio, caccerò fuoco in questa casa. Io aspetterò qui tua madre, per vedere s'io posso essere d'accordo con lei; ma, quando io non possa, ad ogni modo ci voglio l'onor mio, ché io non intendo ch'e paperi menino a bere l'oche.[11] Va', pertanto, se tu desideri el bene tuo e la pace di casa, a pregarla che facci a mio modo. Tu la troverrai in chiesa, ed io aspetterò te e lei qui in casa. E, se tu vedi quel ribaldo di Eustachio, digli che venghi a me, altrimenti non farà bene e casi suoi.[12]

CLEANDRO Io vo.

Scena seconda

CLEANDRO, *solo*

CLEANDRO O miseria di chi ama! Con quanti affanni passo io il mio tempo! Io so bene che qualunque[1] ama una cosa bella, come è Clizia, ha di molti rivali, che gli dànno infiniti dolori; ma io non intesi mai che ad alcuno avvenissi di avere per rivale il padre; e, dove molti giovani hanno trovato appresso al padre qualche remedio, io vi truovo el fondamento e la cagione del male mio; e, se mia madre mi favorisce, la non fa per favorire me, ma per disfavorire la impresa del marito. E perciò io non posso scoprirmi in questa cosa gagliardamente,[2] perché sùbito la crederebbe che io avessi fatto quelli patti con Eustachio, che mio padre ha fatti con Pirro; e, come la credesse questo, mossa dalla conscienzia, lascerebbe ire l'acqua alla china,[3] e non se ne travaglierebbe più, e io al tutto sarei spacciato, e ne piglierei tanto dispiacere, ch'io non crederrei più vivere. Io veggio mia madre, che esce di chiesa: io voglio parlare seco, ed intendere la fantasia sua, e vedere quali rimedii ella apparecchi contro a' disegni del vecchio.

Scena terza

CLEANDRO, SOFRONIA

CLEANDRO Dio vi salvi, madre mia!
SOFRONIA O Cleandro! Vieni tu di casa?
CLEANDRO Madonna sì.
SOFRONIA Sèvvi tu stato tuttavia,[1] poi ch'io vi ti lasciai?
CLEANDRO Sono.
SOFRONIA Nicomaco, dove è?
CLEANDRO È in casa, e per cosa che sia accaduta non è uscito.
SOFRONIA Lascialo fare, al nome d'Iddio! Una ne pensa

el ghiotto, e l'altra el tavernaio.[2] Hatt'egli detto cosa alcuna?

CLEANDRO   Un monte di villanie; e parmi che gli sia entrato el diavolo addosso. E' vuole mettere nelle Stinche Eustachio e me, a voi vuole rendere la dota, e cacciarvi via, e minaccia, nonché altro, di cacciare fuoco in casa, e mi ha imposto ch'io vi truovi e vi persuada a consentire a queste nozze, altrimenti non si farà per voi.[3]

SOFRONIA   Tu, che ne di'?

CLEANDRO   Dicone quello che voi, perché io amo Clizia come sorella, e dorrebbemi infino all'anima, che la capitassi in mano di Pirro.

SOFRONIA   Io non so come tu te la ami[4]; ma io ti dico bene questo, che s'io credessi trarla delle mani di Nicomaco, e metterla nelle tua, che io non me ne impaccerei. Ma io penso che Eustachio la vorrebbe per sé, e che il tuo amore, per la sposa tua (che siamo per dartela presto), si potessi cancellare.[5]

CLEANDRO   Voi pensate bene; e però io vi prego, che voi facciate ogni cosa, perché queste nozze non si faccino; e, quando non si possa fare altrimenti che darla ad Eustachio, dìesili;[6] ma, quando si possa, sarebbe meglio, secondo me, lasciarla stare così, perché l'è ancora giovinetta, e non le fugge il tempo: potrebbono e cieli farle trovare e sua parenti, e, quando e' fussino nobili, arebbono un poco obligo[7] con voi, trovando che voi l'avessi maritata o ad uno famiglio, o ad uno contadino!

SOFRONIA   Tu di' bene: io ancora ci avevo pensato, ma la rabbia di questo vecchio mi sbigottisce. Nondimeno, e' mi si aggirano tante cose per il capo, che io credo che qualcuna gli guasterà ogni suo disegno. Io me ne voglio ire in casa, perché io veggo Nicomaco aliare[8] intorno all'uscio. Tu va' in chiesa, e di' ad Eustachio che venga a casa, e non abbia paura di cosa alcuna.

CLEANDRO   Così farò.

Scena quarta

NICOMACO, SOFRONIA

NICOMACO   Io veggo mogliama, che torna: io la voglio un poco berteggiare,[1] per vedere, se le buone parole mi giovano. O fanciulla mia, ha' tu però a stare sì malinconosa,[2] quando tu vedi la tua speranza? Sta' un poco meco!

SOFRONIA   Lasciami ire!

NICOMACO   Férmati, dico!

SOFRONIA   Io non voglio: tu mi par' cotto![3]

NICOMACO   Io ti verrò drieto.

SOFRONIA   Se' tu impazzato?

NICOMACO   Pazzo, perch'io ti voglio troppo bene?

SOFRONIA   Io non voglio che tu me ne voglia.

NICOMACO   Questo non può essere!

SOFRONIA   Tu m'uccidi! Uh, fastidioso!

NICOMACO   Io vorrei che tu dicessi il vero.

SOFRONIA   Credotelo.

NICOMACO   Eh! guatami un poco, amor mio.

SOFRONIA   Io ti guato, ed odoroti anche: tu sai di buono! Bembè, tu mi riesci![4]

NICOMACO   Ohimè, ché la se ne è avveduta! Che maladetto sia quel poltrone, che me l'arrecò dinanzi!

SOFRONIA   Onde son venuti questi odori,[5] di che sai tu, vecchio impazzato?

NICOMACO   E' passò dianzi uno di qui, che ne vendeva: io gli trassinai,[6] e mi rimase di quello odore addosso.

SOFRONIA   Egli ha già trovato la bugia! Non ti vergogni tu di quello che tu fai da uno anno in qua? Usi sempre con sei giovanetti, vai alla taverna, ripariti in casa femmine, e dove si giuoca, spendi sanza modo.[7] Begli essempli, che tu dài al tuo figliuolo! Date moglie a questi valenti uomini!

NICOMACO   Ah! moglie mia, non mi dir tanti mali ad un tratto! Serba qualche cosa a domani! Ma non è egli ragionevole che tu faccia più tosto a mio modo, che io a tuo?

SOFRONIA   Sì, delle cose oneste.

NICOMACO   Non è egli onesto maritare una fanciulla?

SOFRONIA   Sì, quando ella si marita bene.

NICOMACO   Non starà ella bene con Pirro?

SOFRONIA   No.

NICOMACO   Perché?

SOFRONIA   Per quelle cagioni, ch'io t'ho dette altre volte.

NICOMACO   Io m'intendo di queste cose più di te. Ma, se io facessi tanto con Eustachio, ch'e' non la volessi?

SOFRONIA   E se io facessi con Pirro tanto, che non la volessi anch'egli?

NICOMACO   Da ora innanzi, ciascuno di noi si pruovi, e chi di noi dispone el suo,[8] abbi vinto.

SOFRONIA   Io son contenta. Io vo in casa a parlare a Pirro, e tu parlerai con Eustachio, che io lo veggo uscir di chiesa.

NICOMACO   Sia fatto.

Scena quinta

EUSTACHIO, NICOMACO

EUSTACHIO   Poiché Cleandro mi ha detto che io vadia[1] a casa e non dubiti, io voglio fare buono cuore,[2] ed andarvi.

NICOMACO   Io volevo dire a questo ribaldo una carta[3] di villanie, e non potrò, poiché io l'ho a pregare. Eustachio!

EUSTACHIO   O padrone!

NICOMACO   Quando fusti tu in Firenze?

EUSTACHIO   Iarsera.

NICOMACO   Tu hai penato tanto a lasciarti rivedere! Dove se' tu stato tanto?

EUSTACHIO   Io vi dirò. Io mi cominciai iermattina a sentir male: e' mi doleva el capo, avevo una anguinaia,[4] e parevami avere la febbre; ed essendo questi tempi sospetti di peste, io ne dubitai forte; e iersera venni a Firenze, e mi stetti all'osteria, né mi volli rappresentare,[5] per non fare male a voi o a la famiglia vostra, se pure e' fussi stato desso.[6] Ma, grazia di Dio, ogni cosa è passata via, e sentomi bene.

NICOMACO E' mi bisogna fare vista di crederlo. Ben facesti tu! Se' or bene guarito?

EUSTACHIO Messer sì.

NICOMACO Non del tristo.[7] Io ho caro che tu ci sia. Tu
sai la contenzione, che è tra me e mogliama circa al
dar marito a Clizia: ella la vuole dare a te, ed io la
vorrei dare a Pirro.

EUSTACHIO E dunque, volete meglio a Pirro che a me?

NICOMACO Anzi, voglio meglio a te che a lui. Ascolta un
poco. Che vuoi tu fare di moglie? Tu hai oggimai
trentotto anni, ed una fanciulla non ti sta bene; ed è
ragionevole[8] che, come la fussi stata teco qualche
mese, che la cercassi un più giovane di te, e viveresti
disperato. Dipoi, io non mi potrei più fidare di te,
perderesti lo aviamento,[9] diventeresti povero, ed an-
dresti, tu ed ella, accattando.

EUSTACHIO In questa terra, chi ha bella moglie non può
essere povero: e del fuoco e della moglie si può essere liberale con ognuno, perché quanto più ne dài,
più te ne rimane.

NICOMACO Dunque, vuoi tu fare questo parentado, per
farmi dispiacere?

EUSTACHIO Anzi, lo vo' fare, per fare piacere a me!

NICOMACO Or tira,[10] vanne in casa. Io ero pazzo, s'io
credevo avere da questo villano una risposta piacevole. Io muterò teco verso.[11] Ordina di rimettermi e
conti, e di andarti con Dio; e fa' stima d'essere il
maggior nimico, ch'io abbia, e ch'io ti abbia a fare il
peggio, che io posso.

EUSTACHIO A me non dà briga nulla,[12] purch'io abbia
Clizia.

NICOMACO Tu arai le forche!

Scena sesta

PIRRO, NICOMACO

PIRRO Prima ch'io facessi ciò che voi volete, io mi lascerei scorticare![1]

NICOMACO   La cosa va bene. Pirro sta nella fede. Che hai tu? Con chi combatti tu, Pirro?

PIRRO   Combatto ora con chi voi combattete sempre.

NICOMACO   Che dic'ella? Che vuol ella?

PIRRO   Pregami che io non tolga Clizia per donna.

NICOMACO   Che l'hai tu detto?

PIRRO   Che io mi lascerei prima ammazzare, che io la rifiutassi.

NICOMACO   Ben dicesti.

PIRRO   Se io ho ben detto, io dubito non avere mal fatto,[2] perché io mi sono fatto nimico la vostra donna, ed il vostro figliuolo, e tutti gli altri di casa.

NICOMACO   Che importa a te? Sta' bene con Cristo, e fatti beffe de' santi![3]

PIRRO   Sì, ma se voi morissi, i santi mi tratterebbono assai male.

NICOMACO   Non dubitare, io ti farò tal parte, ch'e santi ti potranno dare poca briga: e, se pur e' volessino, e magistrati e le legge ti difenderanno, purch'io abbia facultà, per tuo mezzo, di dormire con Clizia.[4]

PIRRO   Io dubito che voi non possiate, tanta infiammata vi veggio contro la donna.[5]

NICOMACO   Io ho pensato che sarà bene, per uscire una volta di questo farnetico,[6] che si getti per sorte di chi sia Clizia: da che la donna non si potrà discostare.

PIRRO   Se la sorte vi venissi contro?

NICOMACO   Io ho speranza in Dio, che la non verrà.

PIRRO   O vecchio impazzato! vuol che Dio tenga le mani[7] a queste sua disonestà! Io credo, che se Dio s'impaccia di simil' cose, che Sofronia ancora speri in Dio.

NICOMACO   Ella si speri! E, se pur la sorte mi venissi contro, io ho pensato al rimedio. Va', chiamala, e dilli che venga fuora con Eustachio.

PIRRO   O Sofronia! Venite, voi ed Eustachio, al padrone.

Scena settima

SOFRONIA, NICOMACO, EUSTACHIO, PIRRO

SOFRONIA   Eccomi: che sarà di nuovo?

NICOMACO   E' bisogna pur pigliare verso [1] a questa cosa. Tu vedi, poiché costoro non si accordano, e' conviene che noi ci accordiano.

SOFRONIA   Questa tua furia è estraordinaria. Quel che non si farà oggi, si farà domani.

NICOMACO   Io voglio farla oggi.

SOFRONIA   Faccisi, in buon'ora. Ecco qui tutti a duoi e competitori. Ma come vuoi tu fare?

NICOMACO   Io ho pensato, poiché noi non consentiàno l'uno all'altro, che la si rimetta nella Fortuna.

SOFRONIA   Come, nella Fortuna?

NICOMACO   Che si ponga in una borsa e nomi loro, ed in un'altra el nome di Clizia ed una polizza [2] bianca; e che si tragga prima el nome d'uno di loro, e che, a chi tocca Clizia, se l'abbia, e l'altro abbi pazienza. Che pensi tu? Non rispondi?

SOFRONIA   Orsù, io son contenta.

EUSTACHIO   Guardate quel che voi fate.

SOFRONIA   Io guardo, e so quel ch'io fo. Va' 'n casa, scrivi le polizze, e reca dua borse, ch'io voglio uscire di questo travaglio, o io enterrò [3] in uno maggiore.

EUSTACHIO   Io vo.

NICOMACO   A questo modo ci accordereno noi. Prega Dio, Pirro, per te.

PIRRO   Per voi!

NICOMACO   Tu di' bene, a dire per me: io arò una gran consolazione che tu l'abbia.

EUSTACHIO   Ecco le borse e le sorte. [4]

NICOMACO   Da' qua. Questa, che dice? Clizia. E quest'altra? È bianca. Sta bene. Mettile in questa borsa di qua. Questa, che dice? Eustachio. E quest'altra? Pirro. Ripiegale, e mettile in quest'altra. Serrale, tienvi sù gli occhi, Pirro, che non ci andassi nulla in capperuccia [5]: e' ci è chi sa giucare di macatelle! [6]

SOFRONIA   Gli uomini sfiducciati non son buoni.

NICOMACO   Son parole, coteste! Tu sai che non è ingannato, se non chi si fida. Chi vogliàn noi che tragga?

SOFRONIA   Tragga chi ti pare.

NICOMACO   Vien' qua, fanciullo.

SOFRONIA   E' bisognerebbe che fussi vergine.

NICOMACO   O vergine o no, io non v'ho tenute le mani.
Tra' di questa borsa una polizza, detto che io ho certe orazioni: – O santa Apollonia,[7] io prego te e tutti e
santi e le sante avvocate de' matrimonii, che conce-
diate a Clizia tanta grazia, che di questa borsa esca
la polizza di colui, che sia per essere più a piacere
nostro. – Trài, col nome di Dio! Dàlla qua. Ohimè, io
son morto! Eustachio.

SOFRONIA   Che avesti? O Dio! fa' questo miracolo, acciò
che costui si disperi.

NICOMACO   Tra' di quell'altra. Dàlla qua. Bianca. Oh, io
sono resucitato! Noi abbiam vinto, Pirro! Buon pro
ti faccia! Eustachio è caduto morto. Sofronia, poiché Dio ha voluto che Clizia sia di Pirro, vogli anche tu.

SOFRONIA   Io voglio.

NICOMACO   Ordina le nozze.

SOFRONIA   Tu hai sì gran fretta: non si potrebb'egli in-
dugiare a domani?

NICOMACO   No, no, no! Non odi tu che no? Che? vuoi tu
pensare a qualche trappola?

SOFRONIA   Vogliàn noi fare le cose da bestie? Non ha ella a udir la messa del congiunto?[8]

NICOMACO   La messa della fava![9] La la può udire un altro dì! Non sai tu che si dà le perdonanze [10] a chi si
confessa poi, come a chi s'è confessato prima?

SOFRONIA   Io dubito che la non abbia l'ordinario delle
donne.[11]

NICOMACO   Adoperi lo strasordinario [12] delli uomini! Io
voglio che la meni stasera. E' par che tu non mi intenda.

SOFRONIA   Menila, in mal'ora! Andianne in casa, e fa'
questa imbasciata tu a questa povera fanciulla, che
non fia da calze.[13]

NICOMACO   La fia da calzoni! Andiano dentro.

SOFRONIA   Io non voglio già venire, perché io vo' trovar
Cleandro, perché e' pensi, se a questo male è rimedio alcuno.

Canzona [1]

Chi già mai donna offende,
a torto o a ragion, folle è se crede
trovar per prieghi o pianti in lei merzede.
Come la scende in questa mortal vita,
con l'alma insieme porta
Superbia, Ingegno e di perdono Oblio;
Inganno e Crudeltà le sono scorta,
E tal le dànno aita,[2]
che d'ogni impresa appaga el suo desio;
e, se sdegno aspro e rio
la muove, o gelosia, addopra e vede,[3]
e la sua forza mortal forza eccede.

ATTO QUARTO

Scena prima

CLEANDRO, EUSTACHIO

CLEANDRO   Come è egli possibile che mia madre sia stata sì poco avveduta, che la si sia rimessa a questo modo alla sorta [1] d'una cosa, che ne vadi in tutto l'onore di casa nostra?

EUSTACHIO   Egli è come io t'ho detto.

CLEANDRO   Ben sono sventurato! Ben sono infelice! Vedi s'i' trovai [2] appunto uno, che mi tenne tanto a bada, che si è, sanza mia saputa, concluso el parentado, e deliberate le nozze ed ogni cosa! E seguirà secondo el desiderio del vecchio! O Fortuna, tu suòi pure, sendo donna, essere amica de' giovani [3]: a questa volta tu se' stata amica de' vecchi! Come non ti vergogni tu, ad avere ordinato che sì dilicato viso sia da sì fetida bocca scombavato, sì dilicate carne da sì tremanti mani, da sì grinze e puzzolente membra tocche? [4] Perché, non Pirro, ma Nicomaco, come io mi stimo, la possederà. Tu non mi possevi fare la maggior ingiuria, avendomi con questo colpo tolto ad un tratto l'amata e la roba, perché Nicomaco, se questo amore dura, è per lasciare [5] delle sue sustanze più a Pirro che a me. E' mi par mille anni di vedere mia madre, per dolermi e sfogarmi con lei di questo partito.

EUSTACHIO   Confòrtati, Cleandro, ché mi parve che la

212

ne andassi in casa ghignando, in modo che mi pare essere certo che 'l vecchio non abbia ad avere questa pera monda, come e' crede. Ma ecco che viene fuora, egli e Pirro, e son tutti allegri.

CLEANDRO   Vanne, Eustachio, in casa: io voglio stare da parte, per intendere qualche loro consiglio,[6] che facessi per me.

EUSTACHIO   Io vo.

Scena seconda

NICOMACO, CLEANDRO, PIRRO

NICOMACO   Oh, come è ella ita bene! Hai tu veduto come la brigata sta malinconosa, come mogliama sta disperata? Tutte queste cose accrescono la mia allegrezza; ma molto più sarò allegro, quando io terrò in braccio Clizia, quando io la toccherò, bacerò, strignerò.[1] O dolce notte! giugnerovv'io mai? E questo obligo, che io ho teco, io sono per pagarlo a doppio!

CLEANDRO   O vecchio impazzato![2]

PIRRO   Io lo credo; ma io non credo già che voi possiate fare cosa nessuna questa sera, né ci veggo commodità[3] alcuna.

NICOMACO   Come?! Io ti vo' dire come io ho pensato di governare[4] la cosa.

PIRRO   Io l'arò caro.

CLEANDRO   Ed io molto più, ché potrei udir cosa, che guasterebbe e fatti d'altri, e racconcerebbe e mia.[5]

NICOMACO   Tu cognosci Damone, nostro vicino, da chi io ho tolto la casa a pigione per tuo conto?

PIRRO   Sì, cognosco.

NICOMACO   Io fo pensiero che tu la meni stasera in quella casa, ancora ch'egli vi abiti e che non l'abbia sgombera, perch'io dirò ch'io voglio che tu la meni in casa, dove l'ha a stare.

PIRRO   Che sarà poi?

CLEANDRO   Rizza gli orecchi, Cleandro!

NICOMACO   Io ho imposto[6] a mogliama che chiami Sostrata, moglie di Damone, perché gli aiuti ad ordina-

213

re queste nozze ed acconciare la nuova sposa; ed a Damone dirò che solleciti che la donna vi vadia. Fatto questo, e cenato che si sarà, la sposa da queste donne sarà menata in casa di Damone, e messa teco in camera e nel letto; ed io dirò di volere restare con Damone ad abbergo,[7] e Sostrata ne verrà con Sofronia qui in casa. Tu, rimaso solo in camera, spegnerai il lume, e ti baloccherai[8] per camera, faccendo vista di spogliarti; intanto io, pian piano, me ne verrò in camera, e mi spoglierò, ed entrerò allato a Clizia. Tu ti potrai stare pianamente in sul lettuccio. La mattina, avanti giorno, io mi uscirò del letto, mostrando di volere ire ad orinare, rivestirommi, e tu enterrai nel letto.

CLEANDRO   O vecchio poltrone! Quanta è stata la mia felicità intendere questo tuo disegno! Quanta la tua disgrazia ch'io l'intenda.

PIRRO   E' mi pare che voi abbiate divisata bene questa faccenda. Ma e' conviene che voi vi armiate in modo, che voi paiate giovane, perché io dubito che la vecchiaia non si riconosca,[9] al buio.

CLEANDRO   E' mi basta quel che io ho inteso: io voglio ire a raguagliare mia madre.

NICOMACO   Io ho pensato a tutto, e fo conto, a dirti il vero, di cenare con Damone, ed ho ordinato una cena a mio modo. Io piglierò prima una presa d'uno lattovaro, che si chiama satirionne.[10]

PIRRO   Che nome bizzarro è cotesto?

NICOMACO   Gli ha più bizzarri e fatti, perché gli è un lattovare, che farebbe, quanto a quella faccenda, ringiovanire uno uomo di novanta anni, nonché di settanta, come ho io. Preso questo lattovaro, io cenerò poche cose, ma tutte sustanzevole[11]: in prima, una insalata di cipolle cotte; dipoi, una mistura di fave e spezierie...

PIRRO   Che fa cotesto?

NICOMACO   Che fa? Queste cipolle, fave e spezierie, perché sono cose calde e ventose, farebbono far vela ad una caracca[12] genovese. Sopra queste cose si vuole uno pippione grosso arrosto, così verdemezzo,[13] che sanguini un poco.

PIRRO   Guardate che non vi guasti lo stomaco, perché

bisognerà, o che vi sia masticato, o che voi lo 'ngoiate intero: non vi vegg'io tanti o sì gagliardi denti in bocca!

NICOMACO   Io non dubito di cotesto, ché, bench'io non abbia molti denti, io ho le mascella che paiono d'acciaio.

PIRRO   Io penso che, poi che voi ne sarete ito, ed io entrato nel letto, che io potrò fare sanza toccarla, perché io ho viso[14] di trovare quella povera fanciulla fracassata.

NICOMACO   Bàstiti ch'io arò fatto l'ufficio tuo e quel d'un compagno.

PIRRO   Io ringrazio Dio, poiché mi ha dato una moglie in modo fatta, ch'io non arò a durare fatica né a 'mpregnarla, né a darli le spese.

NICOMACO   Vanne in casa, sollecita le nozze, ed io parlerò un poco con Damone, ch'io lo veggo uscir di casa sua.

PIRRO   Così farò.

Scena terza

NICOMACO, DAMONE

NICOMACO   Egli è venuto quello tempo,[1] o Damone, che mi hai a mostrare se tu mi ami. E' bisogna che tu sgomberi la casa, e non vi rimanga né la tua donna, né altra persona, perché io vo' governare questa cosa, come io t'ho già detto.

DAMONE   Io son parato a fare ogni cosa, purché io ti contenti.

NICOMACO   Io ho detto a mogliama che chiami Sostrata tua, che vadia ad aiutarla ordinare le nozze. Fa' che la vadia sùbito, come la chiama, e che vadia[2] con lei la serva, sopratutto.

DAMONE   Ogni cosa è ordinato: chiamala a tua posta.

NICOMACO   Io voglio ire infino allo speziale a fare una faccenda, e tornerò ora: tu aspetta qui, che mogliama eschi fuora, e chiami la tua. Ecco che la viene: sta' parato. Addio.

Scena quarta

SOFRONIA, DAMONE

SOFRONIA   Non maraviglia che 'l mio marito mi solleci-
tava ch'io chiamassi Sostrata di Damone! E' voleva
la casa libera, per potere giostrare a suo modo. Ecco
Damone di qua. O specchio di questa città, e colon-
na del suo quartieri, che accomoda la casa sua a sì
disonesta e vituperosa impresa! Ma io gli tratterò in
modo, che si vergogneranno sempre di loro medesimi. E voglio or cominciare ad uccellare [1] costui.

DAMONE   Io mi maraviglio che Sofronia si sia ferma, [2] e
non venga avanti a chiamare la mia donna... Ma ecco che la viene. Dio ti salvi, Sofronia!

SOFRONIA   E te, Damone! Ove è la tua donna?

DAMONE   La è in casa, ed è parata a venire, se tu la
chiami, perché el tuo marito me ne ha pregato. Vo
io a chiamarla?

SOFRONIA   No, no! la debbe avere faccenda.

DAMONE   Non ha faccenda alcuna.

SOFRONIA   Lasciala stare, io non le voglio dare briga: io
la chiamerò, quando fia tempo.

DAMONE   Non ordinate voi le nozze?

SOFRONIA   Sì, ordiniamo.

DAMONE   Non hai tu necessità di chi ti aiuti?

SOFRONIA   E' vi è brigata un mondo, [3] per ora.

DAMONE   Che farò ora io? Ho fatto uno errore grandis-
simo a cagione di questo vecchio impazzato, bavoso, cisposo, e sanza denti. [4] E' mi ha fatto offerire la
donna per aiuto a costei, che non la vuole, in modo
che la crederrà ch'io vadi mendicando un pasto, e
terrammi uno sciagurato.

SOFRONIA   Io ne rimando costui tutto inviluppato.
Guarda come ne va ristretto nel mantello! E' mi resta ora ad uccellare un poco el mio vecchio. Eccolo
che viene dal mercato. Io voglio morire, se non ha
comperato qualche cosa, per parere gagliardo o
odorifero! [5]

216

Scena quinta

NICOMACO, SOFRONIA

NICOMACO   Io ho comperato el lattovaro e certa unzione appropriata a fare risentire le brigate.[1] Quando si va armato alla guerra, si va con più animo la metà.[2] – Io ho veduto la donna: ohimè, che la m'arà sentito!

SOFRONIA   Sì, ch'io t'ho sentito, e con tuo danno e vergogna, s'io vivo insino a domattina!

NICOMACO   Sono ad ordine[3] le cose? Hai tu chiamata questa tua vicina, che ti aiuti?

SOFRONIA   Io la chiamai, come tu mi dicesti; ma questo tuo caro amico le favellò non so che nell'orecchio, in modo che la mi rispose che non poteva venire.

NICOMACO   Io non me ne maraviglio, perché tu se' un poco rozza, e non sai accomodarti con le persone, quando tu vuoi alcuna cosa da loro.

SOFRONIA   Che volevi tu, ch'io lo toccassi sotto 'l mento? Io non son usa a fare carezze a' mariti d'altri.[4] Va', chiamala tu, poiché ti giova andare drieto alle moglie d'altri, ed io andrò in casa ad ordinare il resto.

Scena sesta

DAMONE, NICOMACO

DAMONE   Io vengo a vedere,[1] se questo amante è tornato dal mercato. Ma eccolo davanti all'uscio. Io venivo appunto a te.

NICOMACO   Ed io a te, uomo da farne poco conto! Di che t'ho io pregato? Di che t'ho io richiesto? Tu m'hai servito così bene!

DAMONE   Che cosa è?

NICOMACO   Tu mandasti mogliata! Tu hai vòta la casa di brigata,[2] che fu un sollazzo! In modo che, alle tua cagione, io son morto e disfatto!

217

DAMONE Va', t'impicca! Non mi dices'tu, che mogliata chiamerebbe la mia?

NICOMACO La l'ha chiamata, e non è voluta venire.

DAMONE Anzi, che[3] gliene offersi! Ella non volle che la venissi; e così mi fai uccellare, e poi ti duoli di me. Che 'l diavolo ne 'l porti, te e le nozze ed ognuno!

NICOMACO Infine, vuoi tu che la venga?

DAMONE Sì, voglio, in mal'ora! ed ella, e la fante, e la gatta, e chiunque vi è! Va', se tu hai a fare altro: io andrò in casa, e, per l'orto, la farò venire or ora.

NICOMACO Ora, m'è costui amico! Ora, andranno le cose bene! – Ohilè! ohimè! che romore è quel che è in casa?

Scena settima

DORIA, NICOMACO

DORIA Io son morta![1] Io son morta! Fuggite, fuggite! Toglietele quel coltello di mano! Fuggitevi, Sofronia!

NICOMACO Che hai tu, Doria? Che ci è?

DORIA Io son morta!

NICOMACO Perché se' tu morta?

DORIA Io son morta, e voi spacciato!

NICOMACO Dimmi quel che tu hai!

DORIA Io non posso per lo affanno! Io sudo! Fatemi un poco di vento col mantello!

NICOMACO Deh! dimmi quel che tu hai, ch'io ti romperò la testa!

DORIA Ah! padron mio, voi siate troppo crudele!

NICOMACO Dimmi quel che tu hai, e qual romore[2] è in casa!

DORIA Pirro aveva dato l'anello a Clizia, ed era ito ad accompagnare el notaio infino all'uscio di drieto. Ben sai che[3] Clizia, non so da che furore mossa, prese uno pugnale, e, tutta scapigliata, tutta furiosa, grida: – Ove è Nicomaco? Ove è Pirro? Io gli voglio ammazzare! – Cleandro, Sofronia, tutte noi la vola-

vamo pigliare, e non potemo. La si è arrecata in uno
canto di camera, e grida che vi vuole ammazzare in
ogni modo, e per paura chi fugge di qua e chi di là.
Pirro si è fuggito in cucina, e si è nascosto drieto alla cesta de' capponi.[4] Io son mandata qui, per av-
vertirvi, che voi non entriate in casa.

NICOMACO   Io son il più misero di tutti gli uomini! Non
si può egli trarle di mano il pugnale?

DORIA   Non, per ancora.[5]

NICOMACO   Chi minacc'ella?

DORIA   Voi e Pirro.

NICOMACO   Oh! che disgrazia è questa! Deh! figliuola
mia, io ti prego che tu torni in casa, e con buone parole vegga, che se le cavi questa pazzia del capo, e
che la ponga giù il pugnale; ed io ti prometto ch'io ti
comperrò un paio di pianelle ed uno fazzoletto.[6]
Deh! va', amor mio!

DORIA   Io vo: ma non venite in casa, se io non vi chiamo.

NICOMACO   O miseria! O infelicità mia! Quante cose mi
si intraversano,[7] per fare infelice questa notte, ch'io
aspettavo felicissima! Ha ella posto giù il coltello?
Vengo io?

DORIA   Non, ancora! non venite!

NICOMACO   O Iddio! che sarà poi? Poss'io venire?

DORIA   Venite, ma non entrate in camera, dove ella è.
Fate che la non vi vegga. Andate in cucina, da Pirro.

NICOMACO   Io vo.

Scena ottava

DORIA, sola

DORIA   In quanti modi uccelliamo noi questo vecchio!
Che festa è egli vedere e travagli di questa casa![1] Il
vecchio e Pirro sono paurosi in cucina; in sala son
quelli, che apparecchiano la cena; ed in camera sono le donne, Cleandro, ed il resto della famiglia; ed
hanno spogliato Siro, nostro servo, e de' sua panni

vestita Clizia, e de' panni di Clizia vestito Siro, e vogliono che Siro ne vadia a marito in scambio di Clizia; e perché il vecchio e Pirro non scuoprino questa fraude, gli hanno, sotto ombra che Clizia sia cruciata,[2] confinati in cucina. Che belle risa! Che bello inganno! – Ma ecco fuora Nicomaco e Pirro.

Scena nona

NICOMACO, DORIA, PIRRO

NICOMACO   Che fai tu costì, Doria? Clizia è quietata?

DORIA   Messer sì, ed ha promesso a Sofronia di volere fare ciò che voi volete. Egli è ben vero che Sofronia giudica che sia bene che voi e Pirro non li capitiate innanzi, acciò che non se li riaccendessi la collera; poi, messa che la fia al letto, se Pirro non la saprà dimesticare, suo danno!

NICOMACO   Sofronia ci consiglia bene, e così faremo. Ora, vattene in casa; e, perché gli è cotto ogni cosa, sollecita che si ceni; Pirro ed io ceneremo a casa Damone [1]; e, come gli hanno cenato, fa' che la menino fuora. Sollecita, Doria, per l'amore d'Iddio, ché sono già sonate le tre ore, e non è bene stare tutta notte in queste pratiche.

DORIA   Voi dite el vero. Io vo.

NICOMACO   Tu, Pirro, riman' qui: io andrò a bere un tratto [2] con Damone. Non andare in casa, acciò che Clizia non si infuriassi di nuovo; e, se cosa alcuna accade, corri a dirmelo.

PIRRO   Andate, io farò quanto mi imponete. Poiché questo mio padrone vuole ch'io stia sanza moglie e sanza cena, io son contento. Né credo che in uno anno intervenghino tante cose, quante sono intervenute oggi; e dubito non ne intervenghino dell'altre,[3] perché io ho sentito per casa certi sghignazzamenti, che non mi piacciano. – Ma ecco ch'io veggo apparire un torchio [4]: e debbe uscir fuora la pompa,[5] la sposa ne debbe venire. Io voglio correre per il vec-

chio. O Nicomaco! O Damone! Venite da basso! La
sposa ne viene.

Scena decima

NICOMACO, SOFRONIA, SOSTRATA, DAMONE

NICOMACO Eccoci. Vanne, Pirro, in casa, perché io credo che sia bene la non ti vegga. Tu, Damone, pàramiti[1] innanzi, e parla tu con queste donne. Eccoli
tutti fuora.

SOFRONIA O povera fanciulla! la ne va piangendo. Vedi
che la non si lieva el fazzoletto dagli occhi.

SOSTRATA Ella riderà domattina! Così usano di fare le
fanciulle. Dio vi dia la buona sera, Nicomaco e Damone!

DAMONE Voi siate le ben venute. Andatevene sù, voi
donne, mettete al letto la fanciulla, e tornate giù. Intanto, Pirro sarà ad ordine[2] anche egli.

SOSTRATA Andiamo, col nome d'Iddio.

Scena undecima

NICOMACO, DAMONE

NICOMACO Ella ne va molto malinconosa. Ma hai tu veduto come l'è grande? La si debbe essere aiutata con
le pianelle.[1]

DAMONE La pare anche a me maggiore,[2] che la non
suole. O Nicomaco, tu se' pur felice! La cosa è condotta dove tu vuoi. Pòrtati bene, altrimenti tu non vi
potrai tornare più.

NICOMACO Non dubitare! Io sono per fare el debito,[3]
ché, poi ch'io presi il cibo, io mi sento gagliardo come una spada. – Ma ecco le donne, che tornano.

Scena duodecima

NICOMACO, SOSTRATA, DAMONE, SOFRONIA

NICOMACO   Avetela voi messa al letto?

SOSTRATA   Sì, abbiamo.

DAMONE   Bene sta; noi faremo questo resto. Tu, Sostrata, vanne con Sofronia a dormire, e Nicomaco rimarrà qui meco.

SOFRONIA   Andianne, ché par lor mille anni di avercisi levate dinanzi.

DAMONE   Ed a voi il simile.[1] Guardate a non vi far male.

SOSTRATA   Guardatevi pur voi, che avete l'arme: noi siamo disarmate.

DAMONE   Andiamone in casa.

SOFRONIA   E noi ancora. Va' pur là, Nicomaco, tu troverrai riscontro,[2] perché questa tua dama sarà come le mezzine da Santa Maria Impruneta.[3]

Canzona [1]

Sì suave è lo inganno,
al fin condotto immaginato e caro,
ch'altri spoglia d'affanno,
e dolce face ogni gustato amaro!
O remedio alto e raro,
tu monstri el dritto calle all'alme erranti;
tu, col tuo gran valore,
nel far beato altrui, fai ricco Amore;
tu vinci, sol con tua consigli santi,
pietre, veneni, e incanti.

ATTO QUINTO

Scena prima

DORIA *sola*

DORIA   Io non risi mai più tanto, né credo mai più ridere tanto; né, in casa nostra, questa notte si è fatto altro che ridere. Sofronia, Sostrata, Cleandro, Eustachio, ognuno ride. E si è consumata la notte in mi-
surare el tempo, e dicevàno[1]: – Ora entra in camera
Nicomaco, or si spoglia, or si corica allato alla sposa, or le dà battaglia, ora è combattuto gagliardamente. – E, mentre noi stavamo in su questi pensieri, giunsono in casa Siro e Pirro, e ci raddoppiorno
le risa; è, quel che era più bel vedere, era Pirro, che
rideva più di Siro: tanto che io non credo che ad alcuno sia tocco,[2] questo anno, ad avere il più bello,
né il maggiore piacere. Quelle donne mi hanno
mandata fuora, sendo già giorno, per vedere quel
che fa il vecchio, e come egli comporta[3] questa sciagura. – Ma ecco fuora egli e Damone. Io mi voglio tirare da parte, per vedergli, ed avere materia di ridere di nuovo.

Scena seconda

DAMONE, NICOMACO, DORIA

DAMONE Che cosa è stata questa, tutta notte? Come è ella ita? Tu stai cheto. Che rovigliamenti[1] di vestirsi, di aprire uscia,[2] di scender e salire in sul letto sono stati questi, che mai vi siate fermi? Ed io, che nella camera terrena vi[3] dormivo sotto, non ho mai potuto dormire; tanto che per dispetto mi levai, e truovoti, che tu esci fuori tutto turbato. Tu non parli? Tu mi par' morto. Che diavolo hai tu?

NICOMACO Fratel mio, io non so dove io mi fugga, dove io mi nasconda, o dove io occulti la gran vergogna, nella quale io sono incorso. Io sono vituperato[4] in eterno, non ho più rimedio, né potrò mai più innanzi a mogliama, a' figliuoli, a' parenti, a' servi capitare. Io ho cerco[5] il vituperio mio, e la mia donna me lo ha aiutato a trovare: tanto che io sono spacciato; e tanto più mi duole, quanto di questo carico tu anche ne participi, perché ciascuno saprà che tu ci tenevi le mani.[6]

DAMONE Che cosa è stata? Hai tu rotto nulla?

NICOMACO Che vuoi tu ch'io abbia rotto? che rotto avess'io el collo!

DAMONE Che è stato, adunque? Perché non me lo di'?

NICOMACO Uh! uh! uh! Io ho tanto dolore ch'io non credo poterlo dire.

DAMONE Deh! tu mi pari un bambino! Che domine[7] può egli essere?

NICOMACO Tu sai l'ordine dato,[8] ed io, secondo quell'ordine, entrai in camera, e chetamente mi spogliai; ed in cambio di Pirro, che sopra el lettuccio s'era posto a dormire, non vi essendo lume, allato alla sposa mi coricai.

DAMONE Orbè, che fu poi?

NICOMACO Uh! uh! uh! Accosta'migli. Secondo l'usanza de' nuovi mariti, vollile porre le mani sopra il petto, ed ella, con la sua, me le prese,[9] e non mi lasciò. Vollila baciare, ed ella con l'altra mano mi spinse el viso indrieto. Io me li volli gittare tutto addosso: ella mi

224

porse un ginocchio, di qualità che la m'ha infranto una costola. Quando io viddi che la forza non bastava, io mi volsi a' prieghi, e con dolce parole ed amorevole,[10] pur sottovoce, che la non mi cognoscessi, la pregavo fussi contenta fare e piacer' miei, dicendoli: – Deh! anima mia dolce, perché mi strazii tu? Deh! ben mio, perché non mi concedi tu volentieri quello, che l'altre donne a' loro mariti volentieri concedano? – Uh! uh! uh!

DAMONE Rasciùgati un poco gli occhi.

NICOMACO Io ho tanto dolore, ch'io non truovo luogo, né posso tenere le lacrime. Io potetti cicalare: mai fece segno di volerme, nonché altro, parlare. Ora, veduto questo, io mi volsi alle minacce, e cominciai a dirli villania, e che le farei, e che le direi. Ben sai che, ad un tratto, ella raccolse le gambe, e tirommi una coppia di calci, che, se la coperta del letto non mi teneva, io sbalzavo nel mezzo dello spazzo.[11]

DAMONE Può egli essere?

NICOMACO E ben che può essere! Fatto questo, ella si volse bocconi, e stiacciossi[12] col petto in su la coltrice, che tutte le manovelle dell'Opera[13] non l'arebbono rivolta. Io, veduto che forza, preghi e minacci non mi valevano, per disperato le volsi le stiene[14] e deliberai di lasciarla stare, pensando che verso el dì la fussi per mutare proposito.

DAMONE Oh, come facesti bene! Tu dovevi, el primo tratto,[15] pigliar cotesto partito, e, chi non voleva te, non voler lui!

NICOMACO Sta' saldo,[16] la non è finita qui: or ne viene el bello. Stando così tutto smarrito, cominciai, fra per il dolore e per lo affanno avuto, un poco a sonniferare. Ben sai che, ad un tratto, io mi sento stoccheggiare[17] un fianco, e darmi qua, sotto el codrione,[18] cinque o sei colpi de' maladetti. Io, così fra il sonno, vi corsi sùbito con la mano, e trovai una cosa soda ed acuta, di modo che, tutto spaventato, mi gittai fuora del letto, ricordandomi di quello pugnale, che Clizia aveva il dì preso, per darmi con esso. A questo romore, Pirro, che dormiva, si risentì; al quale io dissi, cacciato più dalla paura che dalla ragione, che corressi[19] per uno lume, ché costei era armata, per ammazzarci tutti a dua. Pirro corse, e, tornato con il lume, in scambio di Clizia vedemo Siro, mio famiglio, ritto sopra il letto, tutto ignudo, che per dispregio (uh! uh! uh!) e' mi faceva bocchi (uh! uh! uh!) e manichetto dietro.[20]

DAMONE   Ah! ah! ah!

NICOMACO   Ah! Damone, tu te ne ridi?

DAMONE   E' m'incresce assai di questo caso; nondimeno egli è impossibile non ridere.

DORIA   Io voglio andare a raguagliare di quello, che io ho udito, la padrona, acciò che se le raddoppino le risa.

NICOMACO   Questo è il mal mio, che toccherà a ridersene a ciascuno, ed a me piagnerne! E Pirro e Siro, alla mia presenzia, or si dicevano villania, or ridevano; dipoi, così vestiti a bardosso,[21] se n'andorno, e credo che sieno iti a trovare le donne, e tutti debbono ridere. E così ognuno rida, e Nicomaco pianga!

DAMONE   Io credo che tu creda che m'incresca di te e di me, che sono, per tuo amore, entrato in questo leccceto.[22]

NICOMACO   Che mi consigli ch'io faccia? Non mi abbandonare, per lo amor d'Iddio!

DAMONE   A me pare, che se altro di meglio non nasce, che tu ti rimetta tutto nelle mani di Sofronia tua, e dicale che, da ora innanzi, e di Clizia e di te faccia ciò che la vuole. La doverrebbe anch'ella pensare all'onore tuo, perché, sendo suo marito, tu non puoi avere vergogna, che quella non ne participi. – Ecco che la vien fuora. Va', parlale, ed io n'andrò intanto in piazza ed in mercato, ad ascoltare, s'io sento cosa alcuna di questo caso, e ti verrò ricoprendo[23] el più ch'io potrò.

NICOMACO   Io te ne priego.

Scena terza

SOFRONIA, NICOMACO

SOFRONIA   Doria, mia serva, mi ha detto che Nicomaco è fuora, e che egli è una compassione a vederlo. Io vorrei parlargli, per vedere quel ch'e' dice a me di questo nuovo caso.[1] – Eccolo di qua. O Nicomaco.

NICOMACO Che vuoi?

SOFRONIA Dove va' tu sì a buon'ora? Esci tu di casa sanza fare motto alla sposa? Hai tu saputo, come lo abbia fatto[2] questa notte con Pirro?

NICOMACO Non so.

SOFRONIA Chi lo sa, se tu non lo sai, che hai messo sottosopra Firenze, per fare questo parentado? Ora che gli è fatto, tu te ne mostri nuovo[3] e malcontento!

NICOMACO Deh, lasciami stare! Non mi straziare!

SOFRONIA Tu, se' quello che mi strazii, che, dove tu dovresti racconsolarmi, io ho da racconsolare te; e, quando tu gli aresti a provedere,[4] e' tocca a me, che vedi ch'io porto loro queste uova.

NICOMACO Io crederrei che fussi bene che tu non volessi il giuoco di me[5] affatto. Bastiti averlo avuto tutto questo anno, e ieri e stanotte più che mai.

SOFRONIA Io non lo volli mai, el giuoco di te; ma tu sei quello che lo hai voluto di tutti noi altri, ed alla fine di te medesimo! Come non ti vergognavi tu, ad avere allevata in casa tua una fanciulla con tanta onestade, ed in quel modo che si allevano le fanciulle da bene, di volerla maritare[6] poi ad uno famiglio cattivo e disutile, perché fussi contento che tu ti giacessi con lei? Credevi tu però avere a fare con ciechi o con gente, che non sapessi interrompere le disonestà di questi tuoi disegni? Io confesso avere condotti[7] tutti quelli inganni, che ti sono stati fatti, perché, a volerti fare ravvedere, non ci era altro modo, se non giugnerti in sul furto,[8] con tanti testimonii, che tu te ne vergognassi, e dipoi la vergogna ti facessi fare quello, che non ti arebbe potuto fare niuna altra cosa. Ora, la cosa è qui: se tu vorrai ritornare al segno,[9] ed essere quel Nicomaco, che tu eri da uno anno indrieto, tutti noi vi tornereno, e la cosa non si risaprà; e, quando la si risapessi, egli è usanza errare ed emendarsi.

NICOMACO Sofronia mia, fa' ciò che tu vuoi: io sono parato a non uscire fuora de' tua ordini, pure che la cosa non si risappia.

SOFRONIA Se tu vuoi fare cotesto, ogni cosa è acconcio.

NICOMACO   Clizia, dove è?

SOFRONIA   Manda'la,[10] sùbito che si fu cenato iersera, vestita con panni di Siro, in uno monistero.

NICOMACO   Cleandro, che dice?

SOFRONIA   È allegro che queste nozze sien guaste, ma egli è ben doloroso, che non vede come e' si possa avere Clizia.

NICOMACO   Io lascio avere ora a te il pensiero delle cose di Cleandro; nondimeno, se non si sa chi costei è, non mi parrebbe da dargliene.[11]

SOFRONIA   E' non pare anche a me; ma conviene differire il maritarla, tanto che [12] si sappia di costei qualcosa, o che gli sia uscita questa fantasia; ed intanto si farà annullare il parentado di Pirro.

NICOMACO   Governala come tu vuoi. Io voglio andare in casa a riposarmi, che per la mala notte, ch'io ho avuta, io non mi reggo ritto, ed anche perché io veggo Cleandro ed Eustachio uscir fuora, con i quali io non mi voglio abboccare. Parla con loro tu, di' la conclusione fatta da noi, e che basti loro avere vinto, e di questo caso più non me ne ragionino.

Scena quarta

CLEANDRO, SOFRONIA, EUSTACHIO

CLEANDRO   Tu hai udito come el vecchio n'è ito chiuso in casa; e debbe averne tocco una rimesta [1] da Sofronia. E' par tutto umile! Accostianci a lei, per intendere la cosa. Dio vi salvi, mia madre! Che dice Nicomaco?

SOFRONIA   È tutto scorbacchiato,[2] il povero uomo! Pargli essere vituperato; hammi dato il foglio bianco,[3] e vuole ch'io governi per lo avvenire a mio senno ogni cosa.

EUSTACHIO   E' l'andrà bene! Io doverrò avere Clizia!

CLEANDRO   Adagio un poco! E' non è boccone da te.

EUSTACHIO   Oh, questa è bella! Ora, che io credetti avere vinto, ed io arò perduto, come Pirro?

SOFRONIA   Né tu, né Pirro l'avete avere; né tu, Cleandro, perché io voglio che la stia così.

CLEANDRO   Fate almeno che la torni a casa, acciò ch'io non sia privo di vederla.

SOFRONIA   La vi tornerà, e non vi tornerà, come mi parrà. Andianne noi a rassettare la casa; e tu, Cleandro, guarda, se tu vedi Damone, perché gli è bene parlargli, per rimanere, come s'abbia a ricoprire il caso seguìto.[4]

CLEANDRO   Io sono mal contento.

SOFRONIA   Tu ti contenterai un'altra volta.

Scena quinta

CLEANDRO, DAMONE

CLEANDRO   Quando io credo essere navigato,[1] e la Fortuna mi ripigne nel mezzo al mare e tra più turbide e tempestose onde![2] Io combattevo prima con lo amore di mio padre; ora combatto con la ambizione di mia madre. A quello io ebbi per aiuto lei, a questo sono solo: tanto che io veggo meno lume[3] in questo, che io non vedevo in quello. Duolmi della mia mala sorte, poiché io nacqui, per non avere mai bene; e posso dire, da che questa fanciulla ci venne in casa, non avere cognosciuti altri diletti, che di pensare a lei; dove sono sì radi stati e piaceri, che i giorni di quegli si annoverrebbono facilmente. – Ma chi veggo io venire verso me? È egli Damone? Egli è esso, ed è tutto allegro. Che ci è, Damone, che novelle portate? Donde viene tanta allegrezza?

DAMONE   Né migliori novelle, né più felice, né che io portassi più volentieri potevo sentire!

CLEANDRO   Che cosa è?

DAMONE   Il padre di Clizia vostra è venuto in questa terra, e chiamasi Ramondo, ed è gentiluomo napolitano, ed è ricchissimo, ed è solamente venuto[4] per ritrovare questa sua figliuola.

CLEANDRO   Che ne sai tu?

DAMONE Sòllo,[5] ch'io gli ho parlato, ed ho inteso il tutto, e non c'è dubbio alcuno.

CLEANDRO Come sta la cosa? Io impazzo per la allegrezza.

DAMONE Io voglio che voi la intendiate da lui. Chiama fuora Nicomaco e Sofronia, tua madre.

CLEANDRO Sofronia! o Nicomaco! Venite da basso a Damone.

Scena sesta

NICOMACO, DAMONE, RAMONDO, SOFRONIA

NICOMACO Eccoci! Che buone novelle?

DAMONE Dico che 'l padre di Clizia, chiamato Ramondo, gentiluomo napolitano, è in Firenze, per ritrovare quella; ed hogli parlato, e già l'ho disposto di darla per moglie a Cleandro, quando tu voglia.

CLEANDRO Quando e' fia cotesto,[1] io sono contentissimo. Ma dove è egli?

DAMONE Alla "Corona"[2]; e gli ho detto ch'e' venga in qua. Eccolo che viene. Egli è quello che ha dirieto[3] quelli servidori. Facciànceli incontro.

NICOMACO Eccoci. Dio vi salvi, uomo da bene!

DAMONE Ramondo, questo è Nicomaco, e questa è la sua donna, ed hanno con tanto onore allevato la figliuola tua; e questo è il loro figliuolo, e sarà tuo genero, quando ti piaccia.

RAMONDO Voi siate tutti e ben trovati! E ringrazio Iddio, che mi ha fatto tanta grazia, che, avanti ch'io muoia, rivegga la figliuola mia, e possa ristorare[4] questi gentiluomini, che l'hanno onorata. Quanto al parentado, a me non può essere più grato, acciò che questa amicizia, fra noi per i meriti vostri cominciata, per il parentado[5] si mantenga.

DAMONE Andiamo dentro, dove da Ramondo tutto il caso intenderete appunto, e queste felice nozze ordinerete.

SOFRONIA Andiamo. E voi, spettatori, ve ne potrete an-

dare a casa, perché, sanza uscir più fuora, si ordine-
ranno le nuove nozze, le quali fieno femmine, e non
maschie, come quelle di Nicomaco.

Canzona [1]

Voi, che sì intente [2] e quete,
anime belle, essemplo onesto umile,
mastro [3] saggio e gentile
di nostra umana vita udito avete;
e per lui conoscete
qual cosa schifar dèsi, [4] e qual seguire,
per salir dritti al cielo,
e sotto rado velo [5]
più altre assai, ch'or fora lungo a dire:
di cui preghian tal frutto appo voi sia,
qual merta tanta vostra cortesia.

Note

Canzona

[1] Anche questo è un canto di ninfe e di pastori. Il metro è una variazione della canzone petrarchesca a endecasillabi e settenari alternati con rime alternate o baciate: ciascuna delle due strofe (di undici versi) reca il tradizionale verso chiave o di giuntura (il settimo verso, settenario). Eccone lo schema: a b C a b C c D d e E.

[2] *sien... celebrate*: rappresentate sulla scena e celebrate, affidate cioè alla memoria dei posteri.

[3] *in questa parte*: qui, nella villa dove si rappresenta la commedia, cioè "l'orto" di Jacopo Falconetti il Fornaciaio in Firenze, il 13 gennaio 1525.

[4] *giàm*: andiamo. Si tratta di una forma palatale del latino *ire*, cioè "gire". Al canto corale si alternava il canto monodico di una ninfa (*io ninfa e noi pastori*).

Prologo

[1] Il *Prologo* è recitato, secondo la consuetudine greco-latina, da un attore che lo personifica.

[2] *Se nel mondo... che ora*: è questo un tema caro a Machiavelli, che lo ha autorizzato a rendere attuale nei *Discorsi* la storia politica e civile di Roma antica. Cfr. lettera a Guicciardini del 16-20 ottobre 1525: "... tanto mi pare che tutti li tempi tornino, et che noi siamo sempre quelli medesimi" (cfr. *Lettere*, cit., p. 439). Anche nel *Prologo* della *Calandria* del Bibbiena (rappresentata nel 1513 ed edita nel 1521), scritto però da B. Castiglione, il *Prologo* in veste d'attore dichiara: "Che antiqua non sia dispiacer non vi dee, se di sano gusto vi trovate: per ciò che le cose moderne e nove delettano sempre e piacciono più che le antique e le vecchie; le quale, per longo uso, sogliono sapere di vieto". Cfr. pure Plutarco, *Vita di Sertorio*, cap. I: "le stesse cose possono accadere molte volte, perché sono mosse dagli stessi agenti".

[3] *già in Atene*: questo è il soggetto della *Casina* di Plauto, della quale, in questa sua commedia "fiorentina", Machiavelli ripete le vicende.

[4] *in uno tratto*: nel medesimo tempo.

[5] *concorrenzia*: concomitanza.

[6] *donna*: moglie. Cfr. *Mandragola*, v, 4 nota 5.

[7] *eletto*: scelto, dal latino *electus*, part. pass. di *eligere*.

[8] *per fuggire carico*: per sottrarsi alla responsabilità.

[9] *fitti*: finti, dal latino *fictus*, part. pass. di *fingere*.

[10] *persone*: personaggi.

[11] *suavi*: miti e gentili.

[12] *dama*: amante.

[13] *Ècci*: c'è. Il suffisso *ci* gemina la consonante iniziale.

[14] *mosterrà*: mostrerà. Si tratta della metatesi del gruppo *ra*, così come, nella lingua letteraria, "farnetico" per "frenetico", "dreto" o "drieto" per "dietro", "grillanda" per "ghirlanda" ecc. (latino *phreneticus, de-retro*, e provenzale *guirlanda*). Il personaggio che non si mosterrà è ovviamente Clizia.

[15] *che si combatte*: per la quale padre e figlio si combattono, sono rivali.

[16] *Sono trovate... alli spettatori*: può giovare che qui si stampino le osservazioni tratte dal *Discorso o dialogo intorno alla nostra lingua* attribuito a Machiavelli: "Di questa sorte sono le commedie: perché ancora che il fine d'una commedia sia proporre uno specchio d'una vita privata, nondimeno il suo modo del farlo è con certa urbanità e termini che muovino riso, acciò che gli uomini correndo a quella delettazione, gustino poi l'esempio utile che vi è sotto". Cfr. di Machiavelli le *Opere letterarie*, cit., p. 225. – *trovate*: inventate.

[17] *inducendo*: etimologicamente, dal latino *ducens in*, portando dentro, introducendo, dunque mettendo in scena.

[18] *essendosi rimasto*: essendosi astenuto. Si ricordi che al contrario il fine della Mandragola era il "dir male" ("dicendo mal di ciò che vede o sente" è il terzo verso della terzultima strofe del *Prologo*).

ATTO PRIMO

Scena prima

[1] *ho sempre... pratica tua*: ho sempre evitato di praticarti, frequentarti.

[2] *fantastico*: lunatico, bizzoso. Burchiello: "che mi contenti il mio capo fantastico", dal sonetto *Io non posso trovare ecclesiastico*.

[3] *Togli!*: to', guarda un po'! Cfr. *Mandragola*, iv, 9, nota 3.

[4] *mi racconci... in capo*: mi assesti il berretto in capo, cioè mi riordini le idee.

[5] *tu non sai... le messe*: non conosci la liturgia che a metà, cioè "non sai la metà delle cose che bisogna sapere" (Blasucci). Cfr. B. Varchi, *L'Ercolano*, cit., i, p. 102: "Quando alcuno fa o dice alcuna cosa sciocca o biasimevole [...] per mostrargli la sciocchezza e mentecattagine sua se gli dice in Firenze [...] 'tu non sai mezze le messe'".

[6] *per lo adrieto*: in passato. – *adrieto*: cfr. qui, *Prologo*, nota 14.

[7] *ut*: è il nome della prima nota della scala musicale istituita da Guido d'Arezzo (xi secolo) e valida sino al xvii secolo.

* *e' pone una vigna*: impone la sua vigna, noi diremmo oggi il suo orticello, e non permette che si parli d'altro. Cfr. B. Varchi, *L'Ercolano*, cit., I, p. 175: "quelli i quali, quando alcuno favella loro, non hanno l'animo quivi, e pensano a ogni altra cosa che a quella che dice colui, si chiamano 'porre ovvero piantare una vigna'".

⁹ *una cantoniera*: una donna che si mette ai cantoni delle strade, un prostituta. Cfr. B. Varchi, *La suocera* (IV, 5): "per far piacere a una donna pubblica, a una femmina di mondo, a una vil cantoniera".

¹⁰ *io userò... teco*: ti frequenterò. Cfr. *Decam.* III, 3, 8: "costui usava molto con un religioso". Il latino volgare *usare*, intensivo di *uti*, significava rendersi consueta una persona o una cosa.

¹¹ *uccellato*: schernito. È traslato di "uccellare", cacciare con le reti gli uccelli, ingannare. Cfr. *Decam.* III, 3, 33: "E partita la donna, non accorgendosi ch'egli era uccellato, mandò per l'amico suo".

¹² *sotto... di carità*: con il pretesto di compassionarti.

¹³ *in lato*: in questa situazione ingarbugliata, fuori della via diritta.

¹⁴ *re Carlo*: cfr. *Mandragola*, I, 1, nota 6.

¹⁵ *impresa del Regno*: la conquista del regno di Napoli, in questo tempo retto da Ferdinando I d'Aragona, ma già governato dalla dinastia francese degli Angiò.

¹⁶ *monsignor di Fois*: Jean de Foix, conte di Narbonne e di Étampes, che aveva sposato Maria d'Orléans, sorella del futuro re di Francia Luigi XII. Sarà lui il padre del celebre condottiero Gaston de Foix, duca di Nemours.

¹⁷ *riguardò*: tenne un comportamento rispettoso verso...

¹⁸ *avevano in casa*: che avevano in casa, ospitavano. Firenze nel 1494 tenne un atteggiamento non ostile a Carlo VIII e ai suoi e provvide a ospitarne l'esercito.

¹⁹ *perché 'l papa... contro*: il 31 marzo 1495 fu costituita la lega di Verona contro Carlo VIII, che aveva conquistato Napoli da lui considerata legittima eredità angioina (cfr. precedente nota 15), da parte dell'imperatore e dei principi italiani (neutrali si dichiararono soltanto Ferrara e Firenze).

²⁰ *per la via... in Lombardia*: Carlo VIII rinunciò a Napoli e con il suo esercito si aperse la via del ritorno in Francia lungo le valli della Magra (da Pisa a Pontremoli) e del Taro (per il valico della Cisa). Lo scontro con l'esercito alleato ebbe luogo a Fornovo (6 luglio 1495): Carlo VIII, sia pure a costo di gravi perdite, riuscì a raggiungere la Lombardia e quindi a rimpatriare.

²¹ *dubitando... con quelli*: temendo di essere coinvolto dalla battaglia. – *dubitando... non*: cifr. *Mandragola*, III, 9, nota 6.

²² *d'una bella aria*: di bell'aspetto.

²³ *a più... per lei*: finché in tempi più favorevoli avrebbe mandato a prenderla.

²⁴ *avermi... alle mani*: a sorvegliarmi a vista.

²⁵ *strettezza*: impedimento (l'implacabile sorveglianza).

²⁶ *nella giornata del Taro*: nella battaglia di Fornovo (presso il fiume Taro).

²⁷ *e' non se ne... una casa*: questo provocherà almeno la rovina di una casa. "Detto con ironia, giocando anche sull'omofonia con il precedente 'caso'" (Anselmi).

²⁸ *egli è... nostro*: i fatti nostri sono come le tresche, le danze popolari collettive, cioè pubbliche.

[29] *gliene accomunassi*: la mettesse in comune con lui. Nicomaco ne sarebbe stato l'amante a fianco del marito legale, consenzientemente cornuto.

[30] *per condursi*: per concludersi.

[31] *prima un pezzo*: già da tempo.

[32] *a guastare*: a mandare all'aria.

[33] *quello*: l'altro candidato alle nozze, Pirro.

[34] *in ponte*: in sospeso. Il significato iniziale traslato è "passaggio", e chi passa sta sempre in una situazione provvisoria. Nella lettera di Machiavelli a Ricciardo Becchi del 9 marzo 1498: "volendosi fare un ponte alla seguente predica". Cfr. *Lettere*, cit., p. 32.

[35] *ci serra forte*: ci incalza, ci mette alle strette.

[36] *a dispetto... di vento*: sfidando il mare battuto dai venti.

[37] *la meni*: la conduca in sposa. Si tratta ovviamente di Pirro, che Nicomaco aveva candidato a sposare Clizia.

[38] *ribaldello*: briccone. "Si tratta di un diminutivo spregiativo" (Anselmi).

Scena seconda

[1] *soldato*: s'intenda, nelle vesti di un soldato.

[2] *su per muricciuoli*: di dove essi amanti guardano verso la casa dell'amata e le cantano stornelli.

[3] *per la oscura... verno*: L. Vanossi osserva che un'immagine affine si legge nel *Principe*, incentrata sulle parole *notte* e *verno*: "Non traevano la notte alle terre; quelli delle terre non traevano alle tende; non facevano intorno al campo né steccato né fossa; non campeggiavano el verno". Cfr. *Principe*, cit., XII, p. 82, e Vanossi 1970.

[4] *la dama*: la stampa reca "la donna". *Dama* è la lezione del codice Colchester, preferita da Ridolfi, e quindi adottata dagli editori venuti dopo, nel nostro caso da Martelli, ma sarebbe per certi versi preferibile *donna*, in quanto quest'ultimo termine è più confidenziale e colloquiale, visto che Clizia abita nella casa di Cleandro e ha con lui dimestichezza.

[5] *infino iersera*: fin da ieri sera.

Scena terza

[1] *appalesato*: fatto palese, mostrato.

[2] *altrimenti fatte*: ben diverse.

[3] *tocco*: berretto.

[4] *sétolati*: spazzolati i panni con la setola.

[5] *per porco*: in quanto sudicio, appunto come un maiale nel brago.

[6] *rimbiondirmi*: "tirarmi a lustro" (Anselmi). Il "biondo" e il tingersi in biondo erano simboli di bellezza, un po' come oggi è la *fairness* britannica.

⁷ *el vecchio*: il padre di Cleandro, Nicomaco. Fino a qui la commedia si svolge del tutto indipendente dal testo plautino della *Casina*.

Canzona

¹ Salvo lievi varianti, questa *Canzona* è la medesima che conclude il primo atto della *Mandragola*.

ATTO SECONDO

Scena prima

¹ *Che domine*: letteralmente, qual signore! Così spesso nel *Decamerone* e nelle altre prose antiche. Oggi potrebbe essere sostituito da "che diamine!", incastro di *diabolus* e di *dominus*.

² *con ogni... mendo!*: con tutti i cattivi vizi. In latino *menda* e *mendum*, difetto, anche in italiano "menda".

³ *rompessi una lancia*: facessi all'amore. Cfr. M. Bandello, *Novelle* XL: "su quello lettuccio si mise a seder Cocco, attendendo che Nardella si levasse di cucina e ne venisse a la camera, con animo di corcarla su quel lettuccio e romper due o tre lancie". Cfr. anche P. Aretino, *Talanta*, IV, 8: "sa ben la sua signoria che la mi può far rompere due lance in terra".

⁴ *e' non mi va... diritto*: "andare diritto il solco, riuscir bene checchessia" (Tommaseo-Bellini). Variante proverbiale: ascoltando le ragioni di uno solo dei due contendenti, non si può giudicare rettamente. Cfr. L. Pulci, *Morgante*, III, 59, 7-8: "Con un sol bue io non son buon bifolco; / ma s'io n'ho due, andrà dritto il solco". Un primo punto di contatto, qui, con il testo plautino della *Casina*, 276-278: "ego discrucior miser amore, illa autem quasi ob industriam – mi advorsatur. Subolet hoc iam uxori quod ego machinor; – propter eam rem magis armigero dat operam de industria".

Scena seconda

¹ *merrò*: menerò, condurrò in sposa. Cfr. quanto alla sincope *Mandragola*, II, 1, nota 2.

² *A cosa... 'l Mirra*: ogni cosa al momento giusto. Così ripeteva Mirra o altrove Mirrancia, personaggio fittizio o immaginario, dicitore di motti.

³ *varrò... loro*: sarò più forte di loro, me li mangerò tutti.

⁴ *chi vuole... ingrogni!*: chi vuole imbronciarsi, lo faccia. Cfr. A.F. Doni, in *Novelle*, Milano 1863, p. 88: "il marito cominciò la prima cosa a ingrugnare e dar certi bottoni alla donna".

⁵ *presto*: pronto (alla mia chiamata).

⁶ *arà*: avrà. Le forme *arò* e *arà*, "forse con influsso di 'sarò'", si

trovano già negli antichi dialetti toscani del XIII secolo. Cfr. Rohlfs 1966-1969, 587.
  [7] *ne lo pagherò!*: gliela farò pagar cara.

Scena terza

  [1] *l'ha posto... intorno*: le ha posto intorno un campo trincerato, l'ha assediata.
  [2] *Ed è... carnesciale*: e siamo ancora a carnevale.
  [3] *in quelli tempi che*: nei tempi nei quali. Anacoluti di questa sorta sono frequenti nei casi di pronomi relativi retti da preposizione: "di quelle foglie che la materia e tu mi farai degno" (*Par.* I, 27), "in quel medesimo appetito cadde che cadute erano le sue monacelle" (*Decam.* III, 1, 35).
  [4] *noi ci facciamo... lato!*: "incominciamo dalla parte sbagliata, incominciamo male" (Davico Bonino). L'allusione è, come vedremo, all'infausto matrimonio di Pirro con Clizia.
  [5] *ghiotto*: fannullone, che si affanna soltanto a gozzovigliare. Cfr. *Decam.* IV, 2, 56: "dicendogli le più vituperose parole e la maggior villania che mai ad alcun ghiotton si dicesse".
  [6] *un'arte... una mosca*: l'arte, il mestiere di barbiere non darebbe da vivere neppure a una mosca.
  [7] *tre gran parte*: tre buone qualità. Quanto al plurale in *e* cfr. *Mandragola*, III, 3, nota 3.
  [8] *per metterliene*: s'intenda, per metter su a suo favore (*li*) con questi fiorini (*ne*) una, come dirà poi, bottega.
  [9] *non sono... guardarvi*: sono disposto a non risparmiare spese. "Tutto questo scambio di battute è basato sull'ambiguità di quel *mettere*, che in uno dei due usi ha valore di metafora erotica" (Davico Bonino).
  [10] *partito strano*: partito stravagante, proposito assurdo.
  [11] *che la faccia di cotestui*: che dia Clizia in moglie a costui, a Eustachio. "Forme usate in origine solo per i casi obliqui e in seguito estese anche al soggetto sono 'costui, cotestui, colui' col femminile 'costei, cotestei, colei'" (Rohlfs 1966-1969, 492). Esse forme hanno assunto via via una sfumatura sprezzante.
  [12] *E con Pirro... nello Altopascio*: si contrappongono qui Eustachio e Pirro, mentre nella corrispondente commedia plautina i due servi si equivalgono dal punto di vista etico. Ancora si contrappongono qui gli oziosi uomini di città e gli alacri lavoratori della campagna. Cfr. *Discorsi* I, 11 (in *Il teatro e tutti...*, cit., p. 162): "E sanza dubbio chi volesse ne' presenti tempi fare una repubblica, più facilità troverrebbe negli uomini montanari, dove non è alcuna civiltà, che in quelli che sono usi a vivere nelle cittadi dove la civiltà è corrotta". Cfr. pure *Arte della guerra* I (in *Il teatro e tutti...*, cit., p. 345): "Questi che ne hanno scritto, tutti s'accordano che sia meglio eleggergli [gli uomini d'arme] del contado, sendo uomini avvezzi a' disagi, nutriti nelle fatiche, consueti stare al sole, fuggire l'ombra, sapere adoperare il ferro, cavare una fossa, portare un peso, ed essere sanza astuzia e sanza malizia". – *viverebbe in su l'acqua*: analogia trasparente, saprebbe cavarsela anche nelle situazioni più difficili. – *cacapensieri*: uno che si perde in parole oziose. Cfr. "cacastecchi" in *Man-*

dragola, II, 3 e qui sopra "ghiotto", nota 5. – *nello Altopascio*: nel territorio della Lucchesia, ricco di terre fertili.

[13] *ragiona... con la maschera*: copriti il viso nel dire tante scempiaggini. Riprende la battuta immediatamente precedente: "non so come tu ti alzi el viso", non so come per la vergogna puoi guardare in faccia la gente.

[14] *dargliene*: dar Clizia in moglie a Pirro.

[15] *fa' ch'io non dica*: non farmi parlare.

[16] *bagatelle*: "erano i giuochi di mano fatti dai giocolieri. Qui Nicomaco allude ai maneggi di Sofronia" (Blasucci).

[17] *le madre*: le madri. Cfr. *Mandragola*, III, 3, nota 3.

[18] *tenere... disonestà*: evidente allusione a Cleandro, per il quale parteggia la madre.

[19] *Ognuno... san Biagio*: tutti sanno il giorno in cui cade la festa di san Biagio, locuzione popolare per dire che "tutti sappiamo come stanno le cose". La festa di san Biagio era infatti popolarissima e ricorreva il 3 febbraio.

[20] *entriamo in cetere*: ci mettiamo a parlare di cose inutili. Cfr. *Mandragola*, III, 12, nota 6.

[21] *soffiona*: boriosa, che si gonfia d'aria come un soffietto. "Quasi un gioco verbale con Sofronia" (Anselmi).

[22] *raccapezzare*: accomodare, traslato dal significato originario di "venire a capo di...".

[23] *tristi*: malvagi. Cfr. *Decam.* VII, 8, 43: "si mise a giacere con alcuna sua trista" e *ivi*, IX, 5, 8: "tristo" è il Mangione, uomo di malaffare.

[24] *ci sgarereno*: ci caveremo d'inganno, ci smagheremo" (Davico Bonino). Cfr. dello stesso Machiavelli le *Istorie fiorentine*, libro II, cap. 30: "tanta sete aveva [Castruccio Castracani] di gastigare i Pistoiesi, e i Fiorentini sgarare!", cioè di toglier loro l'illusione di vincerlo. Altra lezione: "ci sgannereno".

[25] *bandire*: annunciare per bando.

[26] *santerello*: quasi un santo o, scherzosamente, un santo a metà (detto con ironia).

[27] *Non sai tu... ingravidare ella!*: l'ironia è qui beffarda, a cominciare dal "santerello". Nicomaco crede o finge di credere negli effetti magici o provvidenziali delle orazioni del frate santerello, e Sofronia gli ribatte che non è un miracolo che un frate ingravidi una donna, lo sarebbe se la ingravidasse una monaca.

[28] *rimettere... in persona*: affidare le faccende mie a mani altrui. Quanto a *persona* cfr. *Mandragola*, III, 10, nota 1.

Scena quarta

[1] *respettivo*: prudente, ragionevole. Cfr. *Mandragola*, II, 2, nota 12.

[2] *si riduceva con...*: s'intratteneva con... Il significato originario era quello di rifugiarsi sotto la protezione di qualcuno. Cfr. *Decam.* X, 6, 6: "non si volle altrove che sotto le braccia del re Carlo ridurcere".

[3] *scrittoio*: studio, camera riservata alla lettura, alla scrittura e alla contabilità.

[4] *raguagliava... scritture*: "si diceva così del mercante che tra-

sportava le partite dal giornale o altro libro, dove si registravano la prima volta, al libro dei debitori e dei creditori" (Blasucci).

⁵ *si straccurano*: si trascurano. È metatesi popolare arcaica, da cui "straccuraggine, straccuranza, straccurataggine". Si ricordi che l'etimo latino basso di "trascurare" è *trans-curare*.

⁶ *dubita di fare*: esita a fare (cfr. *Mandragola*, II, 6, nota 18: qui il dubitare è affermativo). Il *dubito* invece che viene subito dopo significa "temo" (temo che la nostra povera casa rovini). Cfr. *Mandragola*, III, 9, nota 6.

Scena quinta

¹ *trista cosa*: persona sciagurata. Il termine *cosa*, anziché persona, accentua il disprezzo. "È questa la prima scena della *Clizia* che risente di echi plautini, dalla *Casina*, dove leggiamo (98): 'Quid in urbe reptas, vilice haud magni preti?'" (Davico Bonino). "Ma, si è visto, in verità, che questo è il secondo riscontro." Cfr. infatti II, I, nota 4.

² *razzimato*: azzimato. Ovviamente l'accento è di scherno.

³ *drieto*: dietro. È l'abituale metatesi di *r*. Cfr. qui, *Prologo*, nota 14.

⁴ *se e' non si rimuta*: se non decide altrimenti.

⁵ *Pure... tirano*: cfr. *Mandragola*, III, 3, nota 3.

⁶ *Ed anche... murava*: proverbio toscano che significa: s'inganna chi si ritiene sicuro dei propri privilegi. Il riferimento storico è al duca di Atene Gualtieri di Brienne, che sperò di rinforzare la propria signoria facendo fortificare inutilmente i palazzi pubblici. B. Varchi però, in *L'Ercolano*, cit., I, p. 188, dà di questo proverbio altro significato: non si presta fede a chi la vuol dare a intendere.

⁷ *la sarà... su' muricciuoli*: come i mendicanti che chiedono l'elemosina accovacciati e rattrappiti sui muricciuoli.

⁸ *del primo*: primo è forma neutra avverbiale, cioè se sarà costretta a prostituirsi.

⁹ *per uno... pappataci*: un becco che pappa e tace, dunque un becco contento.

¹⁰ *ferruzzi*: gli strumenti, cioè gli artifici dell'ingegno (s'intenda: per spuntarla sull'avversario).

¹¹ *a non uscire di franchigia*: "in chiesa i malfattori non potevano esser perseguiti: vigeva il diritto d'asilo" (Gaeta).

Canzona

¹ È formata di una strofe di sette versi: sei endecasillabi e un settenario. La strofe è introdotta da una ripresa di due endecasillabi e di un settenario. Eccone lo schema: A b A C D C D E e A. Si può pensare a un modello polizianesco, per esempio al rispetto "Prendi bel tempo innanzi che trapassi, / gentil fanciulla, el fior degli anni tuoi..." (cfr. ediz. Barbera 1863, p. 194).

² *degli anni... il fiore*: cfr. Petrarca, *Rer. vulg. fragm.* CCLXVIII, 39: "Che qui fece ombra al fior de gli anni suoi".

³ *agli anni uguale*: in proporzione agli anni dell'amante.

⁴ *al suo signor*: ad Amore.

ATTO TERZO

Scena prima

[1] *tanto el dì*: tanto è lungo il giorno.

[2] *dài carico*: letteralmente, fai pesare su Clizia la tua presenza, cioè ne comprometti l'onore.

[3] *fare al calcio*: giocare al calcio. Questo gioco si praticò in Toscana in era medioevale, ma ebbe il suo periodo di splendore soprattutto nella Firenze medicea. Si giocava abitualmente nella piazza di Santa Croce dalle calende di gennaio sino al carnevale.

[4] *guarda dove l'aveva!*: guarda che risposta pronta! Ovviamente la battuta è ironica.

[5] *per non... a te*: per non doverti comandare, e dunque per non avere bisogno di te.

[6] *O lei, o altri*: può essere che sia la madre a condurci in rovina, ma può anche essere che altri vi ci conduca (allusione a lui, al padre).

[7] *Vedi... capitamo*: guarda come si finisce con il cascar sempre (sull'argomento di Clizia).

[8] *Io son chiaro!*: è aggettivo verbale riflessivo, mi sono chiarito, vedo chiaro come stanno le cose. Infiniti sono gli esempi letterari: Dante, *Inf.* xxvi, 45 ("caduto sarei giù sanz'esser urto") e Boccaccio, *Decam.* iii, 6, 48 ("io non mi veggio vendica di ciò che fatto m'hai" – *vendica*, vendicata). Cfr. Rohlfs 1966-1969, 627.

[9] *trafugarlo*: farlo scomparire, nasconderlo. Il significato "sottrarre segretamente" si spiega con l'etimo della parola che è l'incrocio di "trafurare" e "fugare".

[10] *Stinche*: le carceri di Firenze.

[11] *ch'e paperi... l'oche*: che i paperi, gli ochetti, siano loro a guidare le oche madri all'abbeveratoio, cioè che gli sciocchi comandino ai saggi.

[12] *non farà... e casi suoi*: non provvederà (in questo modo) alla propria fortuna.

Scena seconda

[1] *qualunque*: chiunque. L'aggettivo indefinito ha qui, come spesso anche nella tradizione letteraria colta, valore pronominale.

[2] *gagliardamente*: arditamente. Cfr. B. Castiglione, *Il cortegiano*, Utet, Torino 1955, p. 252: "Son bene alcuni, i quali, conoscendosi avere eccellenzia in una cosa, hanno principal professione d'un'altra, della qual però non sono ignoranti; ma ogni volta che loro occorre mostrarsi in quella dove si senton valere, si mostran gagliardamente".

[3] *lascerebbe... china*: lascerebbe che le cose andassero per il loro verso, cioè, considerando che a ogni modo Clizia sarebbe stata sacri-

ficata a un marito fasullo, Eustachio o Pirro che fosse, non si sarebbe più opposta alla volontà del marito.

Scena terza

[1] *Sèvvi... tuttavia*: ci sei stato per tutto questo tempo? Il suffisso pronominale *vi* provoca la geminazione.

[2] *Una ne pensa... el tavernaio*: cliente e oste gareggiano l'uno nel bere e l'altro nel dar da bere, cioè padre e figlio, secondo che ne pensa Sofronia, gareggiano a far peggio l'uno dell'altro.

[3] *non si farà per voi*: non sarà per l'utile vostro, le cose vostre andranno male.

[4] *Io non so... la ami*: la battuta è ironica.

[5] *il tuo amore... cancellare*: "il tuo amore [per Clizia] possa essere cancellato da parte della tua sposa" (Blasucci).

[6] *dìesili*: gliela si dia.

[7] *arebbono... obligo*: ne avrebbero poco di obbligo, si mostrerebbero irritati.

[8] *aliare*: aggirarsi quasi a volo, svolazzare.

Scena quarta

[1] *berteggiare*: dare la berta, sbeffeggiare. È a cominciare da questa scena che la *Clizia* si tiene più vicina al testo plautino.

[2] *malinconosa*: cfr. *Casina*, 228: "Tristem astare aspicio".

[3] *cotto*: cotto ubriaco. Cfr. L. Pulci, *Morgante* XIX, 133, 3: "E quando egli era ubriaco e ben cotto..."

[4] *Bembè.. riesci!*: embè, ci riesci a convincermi. La battuta è ironica.

[5] *Onde... odori*: come ti sei profumato? Cfr. *Casina*, 240: "Senecta aetate unguentatus per vias, ignave, incedis?"

[6] *gli trassinai*: mi sfregai contro di lui. Altra lezione: "gli tramenai", cioè li maneggiai.

[7] *Usi sempre... sanza modo*: cfr. *Casina*, 244-245: "Te sene omnium senem neminem esse ignaviorem – Unde is, nihili? Ubi fuisti? Ubi lustratus? Ubi bibisti?". – *con sei giovanetti*: tutti i testimoni recano questa non perspicua lezione, il che prova che tutti sono partiti da un apografo. Ridolfi congettura la correzione "bei", Perocco (1979, p. 18) propone "dei". – *in casa femmine*: nelle case di donne di malaffare. Sulla soppressione della preposizione specificativa cfr. *Mandragola*, II, 6 nota 29.

[8] *dispone el suo*: convince il suo uomo, o Pirro o Eustachio, a sposare Clizia.

Scena quinta

[1] *vadia*: cfr. *Mandragola*, IV, 10, nota 3.

[2] *fare... cuore*: farmi coraggio.

[3] *una carta*: "una pagina intera, una gran quantità" (Blasucci).

[4] *anguinaia*: anche "inguinaia", dolore all'inguine.

⁵ *rappresentare*: presentare.

⁶ *desso*: cioè la peste.

⁷ *Non del tristo*: non della tua tristizia, ossia malizia.

⁸ *è ragionevole*: è ragionevole supporre che...

⁹ *lo aviamento*: il tuo lavoro già avviato, i frutti di questo tuo lavoro.

¹⁰ *Or tira*: or tira via, vattene.

¹¹ *muterò... verso*: muterò il mio modo di agire con te.

¹² *A me... nulla*: niente mi dà fastidio, mi turba. Cfr. *Decam.* VI, 9, 11 "Andiamo a dargli briga".

Scena sesta

¹ *Prima ch'io... scorticare!*: questa battuta di Pirro è indirizzata a Sofronia, che sta all'interno della casa.

² *dubito... mal fatto*: è l'abituale costruzione latina, temo di aver fatto male.

³ *Sta' bene... de' santi*: proverbio popolare toscano: se sei amico di Cristo, puoi anche lasciar perdere i santi, cioè curati di chi conta e lascia perdere gli altri. Cfr. *Casina*, 331-332: "Unus tibi hic dum propitius sit Juppiter! – Tu istos minutos cave deos flocci feceris".

⁴ *Ti farò tal parte... con Clizia*: cfr. *Casina*, 335-339: "Responde [chiede il servo Olimpione a Lisidamo]: si tu Iuppiter sis mortuos, – cum ad deos minoris redierit regnum tuum, – quis mihi subveniet tergo aut capiti aut cruribus?" E qui risponde Lisidamo: "Opinione melius res tibi habeat tua, – si hoc impetramus, ut ego cum Casina cubem".

⁵ *Io dubito... contro la donna*: temo che non possiate far nulla, tanto Sofronia è adirata con voi.

⁶ *farnetico*: pazzia, o anche soltanto, qui, impiccio, pasticcio. Cfr. *Decam.* VIII, 3, 43: "e noi ha lasciati nel farnetico d'andar cercando le pietre nere giù per lo Mugnone".

⁷ *tenga le mani*: si faccia complice. Ovviamente questa battuta è detta da Pirro fra sé e sé, e si rivolge al pubblico per far sapere che il vecchio non lo ha udito.

Scena settima

¹ *pigliare verso*: imprimere un movimento o una direzione a un affare, a una pratica. L'avvio di questa scena si riconduce ai versi 373-380 della *Casina* (II, 6).

² *polizza*: scheda. Insomma due schede con i nomi dei due *competitori*, e due schede "femminili", l'una con il nome di Clizia, l'altra bianca.

³ *enterrò*: entrerò. Metatesi di *tr*: cfr. qui, *Prologo*, nota 14.

⁴ *le sorte*: le schede. Cfr. *Casina*, 358-359: "Adsunt quae imperavisti omnia: – uxor, sortes, situla atque egomet".

⁵ *non ci andassi... in capperuccia*: cfr. *Mandragola*, V, 2, nota 10.

⁶ *giucare di macatelle*: giocare di marachelle. Originariamente le *macatelle* erano polpette di carne tritata, poi passarono a significare trucchi, inganni, artifici. Il *Vocabolario della Crusca* segna sotto *mac-*

catelle ribalderie e opere fatte con fraude, ritrascrivendo la definizione che ne dà G.M. Cecchi nella sua *Dichiarazione de' proverbi toscani* (Firenze 1820). Infine cfr. la *Spiritata* di A.F. Grazzini, I, 3: "... la balia e' l medico che giocavano di maccatelle" (cfr. *Teatro*, Laterza, Bari 1953, p. 132).

[7] *O santa Apollonia*: "per capire quest'invocazione bisogna tener presente che Apollonia era considerato proverbialmente un nome di ruffiane (forse per un gioco di parole con 'pollo', in quanto delle ruffiane si diceva che 'portano i polli'" (Blasucci). Come mezzana essa ricorre nella *Sporta* di G.B. Gelli (V, 2), in *Lo errore* dello stesso (II, 1), in *L'Assiuolo* di G.M. Cecchi (II, 5) e ancora è una dei protagonisti della *Commedia in versi* di L. Strozzi.

[8] *la messa del congiunto*: "la messa che propiziava, qualche giorno prima, le nozze" (Davico Bonino).

[9] *La messa della fava!*: la prima delle tre metafore sessuali di Nicomaco. La *fava* è il membro virile.

[10] *le perdonanze*: l'assoluzione. Il plurale si spiega con il ricorso al confessionale periodico e costante.

[11] *Io dubito... delle donne*: temo che non abbia ancora iniziato il ciclo mestruale. Quanto al *dubito... non* cfr. come al solito *Mandragola*, III, 9, nota 6.

[12] *lo strasordinario*: di nuovo, il membro virile.

[13] *non fia da calze*: non le recherà piacere [*questa imbasciata*]. "Era uso antico di donare calze a chi portava una buona notizia" (Blasucci).

Canzona

[1] Si tratta di una strofa di canzone di nove endecasillabi e settenari preceduta da una ripresa di un settenario e due endecasillabi. Eccone lo schema: a B B C d E D c E e B B.

[2] *le danno aìta*: le danno aiuto, la soccorrono.

[3] *addopra e vede*: "agisce e provvede" (Gaeta).

ATTO QUARTO

Scena prima

[1] *alla sorta*: in balìa. S'intenda in balìa della Fortuna (cfr. III, 7).

[2] *Vedi s'i' trovai...*: vedi se dovevo proprio trovare, imbattermi...

[3] *suòi... de' giovani*: cfr. *Principe* XXV: "E però sempre, come donna, è amica de' giovani, perché sono meno respettivi, più feroci, e con più audacia la comandano" (ed. cit., p. 133). – *suòi*: suoli, sei solita. "Certe forme verbali di uso frequente subiscono talune abbreviazioni a causa dell'indebolimento dell'accentazione dovuto alla posizione proclitica" (cfr. Rohlfs 1966-1969, 320). Così per la lingua letteraria moderna "vuoi" (vuoli), "può" (puote), e per quella antica "duoi" (duoli), "diè" (diede), "fè" (fece) ecc.

⁴ *non ti vergogni... tocche?*: cfr. *Casina*, 550-554: "propter operam illius irqui improbi, edentuli, – qui hoc mihi contraxit; operam uxoris polliceor foras – quasi catillatum. Flagitium hominis, qui dixit mihi – suam uxorem hanc arcessituram esse; ea se eam – negat morarier". – *scombavato*: sbavato. Anche Damone (IV, 4) calcherà fortemente le parole sulla decrepita vecchiezza di Nicomaco, "vecchio impazzato, bavoso, cisposo, e sanza denti". Ancora bava e denti rosi dalla vecchiezza in una lettera a Vettori del 4 febbraio 1514: "E' mi pare vedere il Brancaccio raccolto in su una seggiola a seder basso per considerar meglio il viso della Gostanza, et con parole et con cenni, et con atti et con risi, et dimenamento di bocca et di occhi et di spurghi, tutto stillarsi, tutto consumarsi, et tutto pendere dalle parole, dallo anhelito, dallo sguardo et dallo odore et da' soavi modi et donnesche accoglienze della Gostanza" (cfr. *Lettere*, cit., p. 321). E in *Decam.* IX, 5, 37: "Oh – disse Bruno – tu te la griferai: e' mi par pur vederti morderle con cotesti tuoi denti fatti a bischeri quella sua bocca vermigliuzza e quelle sue gote che paion due rose..."

⁵ *è per lasciare*: finirà con il lasciare.

⁶ *consiglio*: deliberazione.

Scena seconda

¹ *quando io terrò... strignerò*: cfr. *Casina*, 471: "Iam hercle amplexari, iam osculari gestio". La battuta di Lisidamo è meno erotica e appassionata di quella di Nicomaco. Tutta questa scena riprende e rielabora liberamente i vv. 467-486 della *Casina*. Cfr. anche la *Calandria* del Bibbiena, II, 6: "Calandro: – Tu dì il vero. E' mi par mille anni succiar quelle labra vermigliuzze e quelle gote vino e ricotta".

² *O vecchio impazzato!*: ovviamente questa battuta e le altre di Cleandro sono dette a se stesso.

³ *commodità*: opportunità.

⁴ *governare*: condurre (l'affare).

⁵ *racconcerebbe e mia*: sistemerebbe i miei affari.

⁶ *Io ho imposto...*: anche in questa lunga battuta di Nicomaco si riscontrano affinità con la scena prima dell'atto secondo della *Casina*. Cfr. i vv. 481-486: "Mea uxor vocabit huc eam ad se in nuptias, – ut hic sit secum, se adiuvet, secum cubet. – Ego iussi, et dixit se facturam uxor mea. – Illa hic cubabit, si vir aberit faxo domo. – Tu rus uxorem duces; id rus hic erit, – tantisper dum ego cum Casina faciam nuptias".

⁷ *ad abbergo*: alloggiato come ospite. La geminazione o assimilazione labiale o d'altro suono si verifica facilmente in seguito ad allungamento compensativo nel caso di caduta di sillaba o di consonante singola. L'etimo di "albergo" è il gotico *hari-bairg*, riparo per truppa in marcia.

⁸ *ti baloccherai*: ti darai da fare in cose di poco conto.

⁹ *dubito... si riconosca*: è l'abituale costruzione latina, temo che la tua vecchiaia si riconosca anche al buio.

¹⁰ *lattovaro... satirionne*: elettuario, sciroppo a base di miele, estratto dal satirio, che è un'orchidea da cui si traeva un succo afrodisiaco.

¹¹ *sustanzevole*: sostanziose, nutrienti. Quanto al plurale in *e*, cfr. *Mandragola*, V, 1, nota 3.

[12] *caracca*: dall'arabo *harrāqa*, grossa nave da carico.

[13] *uno pippione... verdemezzo*: un grosso piccione arrostito a metà (tra cotto e crudo). Il tema culinario in Plauto è ancor più festoso e ilare: "... Coquos equidem nimis demiror, tot qui utuntur condimentis, – eos eo condimento uno non utier, omnibus quod praestat" (*Casina*, 219-220). Vincitore nel sorteggio, Lisidamo manda il servo Olimpione a comprare le vivande più prelibate, tali da esser degne della soave morbidezza delle carni di Casina: "... Tene marsuppium. – Abi atque obsona, propera; sed lepide volo, – molliculas escas ut ipsa mollicula est" (*ivi*, 490-491).

[14] *ho viso*: prevedo. È una forma, oggi caduta in disuso, di participio passato di "vedere". Talvolta acquista il significato del *visum est* latino, parve, sembrò. Cfr. Dante, *Par.* VII, 4-5: "Così, volgendosi alla nota sua / fu viso a me cantare essa sustanza". Quanto al participio forte in *so*, esso è prevalente nei verbi dal tema dominante in d o in t: "acceso, appeso, difeso, diviso, evaso" ecc., accanto ad altre forme similari, quali "valso, rimaso, parso, cosso (cotto), resso (retto), visso (vissuto), volso (volto) e dolso (doluto)".

Scena terza

[1] *Egli è venuto... tempo*: di qui, sino alla scena settima di questo atto, il testo di Machiavelli più aderisce al testo plautino della *Casina*. Questa scena risponde alla scena prima del terzo atto, vv. 515-530.

[2] *vadia*: cfr. *Mandragola*, IV, 10, nota 3.

Scena quarta

[1] *uccellare*: beffare.

[2] *ferma*: fermata. Quanto all'aggettivo verbale con funzione di participio cfr. *Mandragola* II, 5, nota 4.

[3] *E' vi è... un mondo*: c'è molta gente (ad aiutarmi).

[4] *questo vecchio... sanza denti*: cfr. qui, IV, 1, nota 4.

[5] *Io ne rimando... odorifero!*: anche nella *Casina* il vecchio amante Lisidamo vien così deriso dalla moglie Cleostrata: "Iam hic est lepide ludificatus. Miseri ut festinant senes! – Nunc ego illum nihili, decrepitum, meum virum veniat velim, – ut eum ludificem vicissim, postquam hunc delusi alterum. – Nam ego aliquid contrahere cupio litigi inter eos duos. – Sed eccum incedit; at quom aspicias tristem, frugi censeas" (559-562). – *inviluppato*: tutto impacciato.

Scena quinta

[1] *a fare... le brigate*: a far risvegliare dal torpore. Questa scena ha evidenti affinità tematiche con la terza scena del terzo atto della *Casina*.

[2] *si va... la metà*: mezza impresa è già compiuta in virtù dello spirito con cui si fa.

[3] *Sono ad ordine...*: "Lysidamus: ...Iamne ornata res? – Iamne

hanc traduxti huc ad nos vicinam tuam, – Quae te adiutaret? Cleostrata: ...Arcessivi ut iusseras; – Verum hic sodalis tuos, amicus op-
tumus, – Nescio quid se sufflavit uxori suae; – Negavit posse, quo-
niam arcesso, mittere. – Lys.: Vitium tibi istuc maxumum est; blan-
da es parum. – Cleostr.: Non matronarum officiumst, sed meretri-
cium, – Viris alienis, mi vir, subblandirier. – I tu atque arcesse illam;
ego intus quod factost opus – Volo accurare, mi vir" (cfr. *Casina*,
578-588).
    [4] *Io non son usa... d'altri*: si noti l'antitesi fra "fare carezze a' ma-
riti d'altri" e "andare drieto alle moglie d'altri". – *drieto*: quanto alla
metatesi in *drieto* cfr. qui, *Prologo*, nota 14.

Scena sesta

    [1] *Io vengo a vedere...*: cfr. *Casina*, III, 4, 591-620.
    [2] *Tu hai... di brigata*: hai vuotato la tua casa di gente. La battuta
è ironica.
    [3] *Anzi, che*: che anzi, al contrario.

Scena settima

    [1] *Io son morta...*: cfr. *Casina*, III, 5, 621-629 e 631: Pardalisca:
Nulla sum, nulla sum; tota, tota occidi. – Cor metu mortuomst,
membra miserae tremunt. – Nescio unde auxili, praesidi, perfugi, –
mi aut opis copiam comparem aut expetam, – tanta factu modo mira
miris modis – intus vidi, novam atque integram audaciam. – Cave tibi, Cleostrata; apscede ab ista, opsecro, – ne quid in te mali – faxit ira
percita – eripite isti gladium, quae suist impos animi [...] Perii; unde
meae usurpant aures sonitum?"
    [2] *qual romore*: "che razza di baccano" (Davico Bonino).
    [3] *Ben sai che...*: è bene che tu sappia che...
    [4] *Pirro... de' capponi*: cfr. *Casina*, 664-665: "Ita omnes sub arcis,
sub lectis latentes – metu mussitant".
    [5] *per ancora*: per ora.
    [6] *ti comperrò... uno fazzoletto*: cfr. *Casina*, 708-709: "Si effexis
hoc, soleas tibi dabo, et anulum in digitum – aureum et bona pluri-
ma". – *comperrò*: cfr. qui, *Prologo*, nota 14.
    [7] *mi si intraversano*: mi si parano di traverso.

Scena ottava

    [1] *è egli... casa*: è che lui veda con i suoi occhi i travagli di questa
casa!
    [2] *sotto ombra... sia cruciata*: facendo credere loro che Clizia sia
corrucciata. – *ne vadia a marito*: "vada a nozze, nei panni della sposa" (Davico Bonino). Anche nella *Casina* l'ancella narra al pubblico
come si sono svolti i comici fatti in casa di Lisidamo: "Nec pol ego
Nemeae credo, neque ego Olympiae – neque usquam ludos tam festi-
vos fieri – quam hic intus fiunt ludi ludificabiles – seni nostro et nostro Olympioni vilico. – Omnes festinant intus totis aedibus, – senex
in culina clamat, hortatur coquos..." (759-764).

Scena nona

¹ *a casa Damone*: a casa di Damone. Cfr. *Mandragola*, II, 6, nota 29.

² *un tratto*: un sorso.

³ *e dubito... dell'altre*: come al solito la costruzione latina del *dubito... non*, temo che ne accadano altre.

⁴ *un torchio*: una torcia. Cfr. *Decam.* I, *Conclusione*, 22: "e fatti i torchi accendere".

⁵ *la pompa*: il corteo nuziale. Le scene 9-12 di questo atto sono originali rispetto al modello plautino.

Scena decima

¹ *pàramiti*: fatti avanti e tienimi riparato.

² *sarà ad ordine*: sarà pronto, cioè vestito di tutto punto.

Scena undecima

¹ *le pianelle*: le scarpe rialzate, a tacco.

² *maggiore*: più alta.

³ *fare el debito*: assolvere al mio dovere.

Scena duodecima

¹ *Ed a voi il simile*: anche voi donne non vedete l'ora che ci si levi dai piedi.

² *troverai riscontro*: avrai il corrispettivo che ti meriti.

³ *le mezzine... Impruneta*: "le mezzine (rocche o anfore da bere, di terracotta o di rame) dell'Impruneta (borgo tra la Greve e l'Ema a 14 chilometri a sud di Firenze) erano caratteristiche per il bocciolo o cannello che si alzava diritto dalla pancia" (Guerri). Codesto cannello è simbolo del pene: dunque "ti troverai, invece che una donna, un giovane gagliardo". Cfr. A.F. Doni, *I marmi*, cit., vol. I, Parte I, Ragionamento VII, p. 161: "Lascia star quella fanciulla che tu vagheggi, perché tu hai preso un sonaglio per un'anguinaia, perché la ti riuscirà alle strette come le mezzine dell'Impruneta e avverratti come a' zufoli di montagna".

Canzona

¹ Ha la medesima struttura strofica della canzone a conclusione del terzo atto della *Mandragola*.

ATTO QUINTO

Scena prima

¹ *dicevàno*: dicevamo. Cfr. *Mandragola*, III, 2, nota 7. Cfr. *Casina*, V, 1, 854-872.

² *tocco*: toccato. Cfr. *Mandragola*, ii, 5, nota 4. Cfr. *Decam.* vii, 1, 16: "pare che l'uscio nostro sia tocco".
³ *comporta*: sopporta.

Scena seconda

¹ *rovigliamenti*: tramestii, rimestamenti. Cfr. *Casina*, v, 2, 873-937.
² *ùscia*: "questo tipo di plurale, usato soltanto in parole che al singolare hanno oggi genere maschile e terminano in *o*, mostra la prosecuzione del plurale latino dei neutri della seconda declinazione" (Rohlfs 1966-1969, 368). Così nell'italiano antico, "ossa, legna, carra, mulina, vasa, uscia, ferra, castella, prata" ecc.
³ *vi*: s'intenda, a voi due amanti.
⁴ *vituperato*: disonorato. E più sotto *vituperio*: disonore. Cfr. *Decam.* viii, 9, 112: "Il medico cominciò [...] a pregargli per Dio che nol dovessero vituperare" (infamare).
⁵ *cerco*: cercato. Si tratta del solito aggettivo verbale in luogo del participio passato.
⁶ *tu ci... le mani*: tu eri mio complice.
⁷ *Che domine*: che diavolo.
⁸ *l'ordine dato*: il piano che si era prestabilito.
⁹ *con la... le prese*: con la sua mano prese le mie.
¹⁰ *dolce... amorevole*: il plurale in *e*. Cfr. *Mandragola*, iii, 3, nota 3.
¹¹ *spazzo*: pavimento. In Dante (*Inf.* xiv, 13 e *Purg.* xxiii, 70-71): "Lo spazzo era una rena arida e spessa" e "E non pur una volta questo spazzo / girando..." Dal latino *spatium*, luogo dove si passeggia.
¹² *stiacciossi*: si schiacciò, si compresse. "Nel dialetto toscano volgare *ski* passa con facilità a *sti*: "stiuma, stiaffo, stioppo, stiavo, stiatta" ecc. Cfr. Rohlfs 1966-1969, 190. "Stirra" e "stiavo" in Machiavelli: cfr. lettere a Becchi del 9 marzo 1498 e di Vettori del 16 gennaio 1515 (cfr. *Lettere*, cit., pp. 29-33 e pp. 370-372).
¹³ *le manovelle dell'Opera*: le leve o le stanghe per il lavori dell'Opera del duomo.
¹⁴ *le stiene*: la schiena. Cfr. la precedente nota 12.
¹⁵ *el primo tratto*: subito, per prima cosa. Cfr. *Decam.* ii, 5, 77: "s'avvisò di farsi innanzi tratto la parte sua".
¹⁶ *Sta' saldo*: aspetta.
¹⁷ *stoccheggiare*: colpire da uno stocco.
¹⁸ *sotto el codrione*: sotto il coccige. *Codrione* o *codione* è tuttora termine in uso, a indicare il coccige degli uccelli e in gergo popolare anche dell'uomo. L'etimo ci dà "coda" integrata in "postrione" (parte posteriore del corpo).
¹⁹ *che corressi*: che corresse. Sono antiche forme toscane "contassi, cercassi, portassi" per la terza persona del congiuntivo imperfetto, e così le forme con le desinenze *asseno* e *assino* in luogo di *assero*. Cfr. Rohlfs 1966-1969, 561.
²⁰ *mi faceva... dietro*: mi faceva per ischerno boccacce e gesti di scherno con i pugni chiusi. Cfr. B. Varchi, *L'Ercolano*, cit., i, p. 186: "Quando alcun uomo iroso [...] vuol sopraffare l'avversario, e mostrare che non lo stimi, egli, serrate ambo le pugna, e messo il braccio sinistro in sulla snodatura del destro, alza il gomito verso il cielo,

'e gli fa un manichetto'". Cfr. *Casina*, V, 2, nella quale scena è affidato al servo Olimpione il compito di narrare la sua avventura, e Lisidamo viene da lui schernito, e gli toccherà alla fine soltanto la via d'uscita del ravvedimento. Inoltre Olimpione recita in una posizione anche esternamente teatrale, tanto da rivolgersi direttamente al pubblico (879): "Operam date dum mea facta itero".

[21] *vestiti a bardosso*: vestiti alla men peggio. *A bardosso* o a *bisdosso* significa cavalcare senza sella, il che provoca lo scompiglio degli abiti.

[22] *entrato... lecceto*: mi sono cacciato in questo ginepraio. Cfr. *Mandragola*, II, 1, nota 3.

[23] *ricoprendo*: difendendo, proteggendo, nel senso di sviare e di spegnere le eventuali maldicenze.

Scena terza

[1] *nuovo caso*: strano, insolito caso.

[2] *come... fatto*: come siano andate le cose.

[3] *nuovo*: ignaro, ma anche a un tempo stranito.

[4] *quando... provedere*: quando avresti tu, dovresti tu provvedere loro.

[5] *il giuoco di me*: le beffe contro di me; che tu non volessi schernirmi.

[6] *di volerla maritare*: allo scopo di maritarla.

[7] *avere condotti*: aver diretti.

[8] *se non... sul furto*: se non cogliendoti sul fatto, in flagrante.

[9] *al segno*: al punto di partenza, a ritornare a essere quello che eri prima.

[10] *Manda'la*: la mandai.

[11] *non mi... da dargliene*: non mi pare conveniente dare a Cleandro per sposa Clizia.

[12] *tanto che*: fintantoché.

Scena quarta

[1] *averne... una rimesta*: essersi buscata una strapazzata. – *tocco*: toccato. Cfr. *Mandragola*, II, 5, nota 4.

[2] *scorbacchiato*: svergognato. *Corbacchio* è il corvo, schernito e svergognato a causa delle sue velleità canore.

[3] *hammi... bianco*: anche oggi si dice: "mi ha data carta bianca".

[4] *per rimanere... seguito*: per accordarci sul come celare, non rendere pubblico questo caso.

Scena quinta

[1] *essere navigato*: aver conclusa la mia navigazione, ed essere arrivato in porto.

[2] *mi ripigne... onde!*: cfr. L. Ariosto, *Orlando furioso* XLIV, 21-22, dove si dice dell'Austro: "il fiero e turbido austro / [...] ch'uscir di mezzodì suol con tal rabbia, / che muove a guisa d'onde e leva in su-

so / e ruota fin in ciel l'àrrida sabbia..." (v. 8 e vv. 2-4 rispettivamente). Cfr. anche Petrarca, *Rer. vulg. fragm.* CLI, I: "Non d'atra e tempestosa onda marina".

[3] *meno lume*: minor lume di speranza (di avere Clizia).

[4] *solamente venuto*: è venuto soltanto per questo, per ritrovare la figlia.

[5] *Sòllo*: lo so. Il suffisso pronominale (latino *ullus*) provoca, come al solito, la geminazione. Cfr. Rohlfs 1966-1969, 1084.

Scena sesta

[1] *Quando... cotesto*: "se le cose stanno così" (Davico Bonino).

[2] *Alla "Corona"*: s'intenda, alla locanda della "Corona".

[3] *drieto*: più comunemente "drieto", dietro. Cfr. qui, *Prologo*, nota 14.

[4] *ristorare*: ricompensare.

[5] *per il parentado*: attraverso i vincoli del parentado.

Canzona

[1] Canzone monostrofica di undici endecasillabi e settenari alternati secondo questo schema: a B b A a C d d C E E.

[2] *Voi, che sì intente...*: vi si colgono reminiscenze soprattutto petrarchesche: "essemplo onesto umile", "mastro saggio e gentile", "per salir dritti al cielo", "sotto rado velo", "tanta vostra cortesìa".

[3] *mastro*: apposizione di *essemplo*, cioè ammaestramento. La commedia ha dunque insegnato a praticare le oneste virtù.

[4] *schifar dèsi*: si deve evitare. È caduta la *vi* di "devesi". Cfr. qui, IV, I, nota 3. Nel toscano popolare antico: "pensao, cantao, aanza" ecc. Cfr. Rohlfs 1966-1969, 215.

[5] *sotto rado velo*: appunto, sotto il velo trasparente della commedia.

Bibliografia essenziale

Edizioni di tutte le opere

Due sono le maggiori edizioni settecentesche, quella veneziana (Cosmopoli) del 1769 e quella per cura di G. BARETTI (che comprende anche *Il frate* del Lasca) edita a Londra (T. Davies) nel 1772.

Fra le diverse edizioni ottocentesche indichiamo la fiorentina (Le Monnier) del 1843 e quella pure fiorentina, per cura di P. FANFANI e L. PASSERINI in 6 voll., edita dalla tipografia Cenniniana tra il 1873 e il 1877.

Edizioni novecentesche

Tutte le opere storiche e letterarie di Niccolò Machiavelli, a cura di G. MAZZONI e M. CASELLA, Barbera, Firenze 1929.

Tutte le opere di Niccolò Macchiavelli, a cura di F. FLORA e C. CORDIÈ, Mondadori, Milano 1949-1950, 2 voll. (e rist.).

Opere di Niccolò Machiavelli, a cura di S. BERTELLI, Milano, Salerno. Edizione per il v centenario della nascita (1469-1969), voll. 11, 1968-1982 (il vol. IV, 1969, contiene gli scritti letterari).

Tutte le opere di Niccolò Machiavelli, a cura di M. MARTELLI, Sansoni, Firenze 1971 (il vol. è unico; le pp. 868-890 contengono la *Mandragola*).

Edizioni delle opere teatrali e degli scritti letterari

La Mandragola, a cura di S. DEBENEDETTI, Biblioteca Romanica, Strassburg s.a. [ma 1910].

La Mandragola - La Clizia - Belfagor arcidiavolo, a cura di V. OSIMO, Formiggini, Genova 1914.

Operette satiriche, a cura di L. FOSCOLO BENEDETTO, Utet, Torino 1926.

Le opere maggiori, a cura di P. Carli, Le Monnier, Firenze 1928 (e rist.).

Le commedie: La Mandragola e Clizia, a cura di D. Guerri, Utet, Torino 1932 (e rist. 1944).

Commedie e Favola, a cura di L. Russo, Sansoni, Firenze 1943.

La Mandragola, Introduzione di P. Gobetti, e Note per la regia di L. Lucignani e M. Pagliero, Cappelli, Bologna 1954.

La Mandragola e Clizia, a cura di A. Borlenghi, Rizzoli, Milano 1959 (rist. 1963).

Lettere, a cura di F. Gaeta, Feltrinelli, Milano 1961.

Opere letterarie, a cura di L. Blasucci, Adelphi, Milano 1964.

Teatro (Andria - Mandragola - Clizia), a cura di G. Davico Bonino, Einaudi, Torino 1964 (ediz. riveduta 1977 e 1979).

La Mandragola, edizione critica a cura di R. Ridolfi, Olschki, Firenze 1965.

Il teatro e tutti gli scritti letterari, a cura di F. Gaeta, Feltrinelli, Milano 1965 e 1977.

Opere a cura di E. Raimondi, Mursia, Milano 1967.

Opere scelte, a cura di G.F. Berardi, Editori Riuniti, Roma 1969 (l'*Introduzione* è di G. Procacci).

La Mandragola, Introduzione e note a cura di G. Sasso, e Note al testo di G. Inglese, Rizzoli, Milano 1980.

Opere a cura di diversi studiosi, Utet, Torino 1971-1989 (il vol. IV, *Scritti letterari*, a cura di L. Blasucci e A. Casadei, alle pp. 113-169, contiene la *Mandragola*).

Mandragola - Clizia, a cura di G.M. Anselmi, Mursia, Milano 1984 (l'*Introduzione* è di E. Raimondi).

Interventi filologici sui testi e notizie diverse

Gerber, A. (1912-1913), *Niccolò Machiavelli: die Handschriften Ausgaben und Übersetzungen seiner Werke*, Gotha, e ora Torino 1962 (cfr. vol. I, pp. 101-102 dell'ediz. italiana).

Ridolfi, R. (1965), *Introduzione* alla *Mandragola*, edizione critica cit. A questo saggio del Ridolfi hanno opposto alcune obiezioni soprattutto tre studiosi:

Chiappelli, F. (1965), *Sulla composizione della "Mandragola"*, in "L'Approdo letterario", XI, pp. 79-84.

Tissoni, R. (1966), *Per una nuova edizione della "Mandragola"*, in "Giorn. st. d. lett. ital.", CXLIII, pp. 241-258.

Romano, V. (1966), recens. all'ediz. critica della *Mandragola* a cura di R. Ridolfi (1966), in "Belfagor", XXI, pp. 614-623.

Ridolfi ha replicato a questi tre studiosi:

Ridolfi, R. (1965), *Tradizione manoscritta della "Mandragola"*, in "La Bibliofilia", LXII, pp. 1-15.

RIDOLFI, R. (1968), *Ritorno al testo della "Mandragola"*, in *Studi sulle commedie del Machiavelli*, pp. 103-134 (vedi il paragrafo *Studi sul Teatro di Machiavelli*).

BERTELLI, S. (1971), *When did Machiavelli write the "Mandragola"?*, in "Renaissance Quarterly", autunno, pp. 317-328.

MARTELLI, M. (1971), *Nota ai testi*, in *Tutte le opere di Niccolò Machiavelli*, Sansoni, Firenze, pp. LI-LX.

PEROCCO, D. (1975-1976), *Sulla tradizione testuale della "Mandragola"*, in "Atti dell'Ist. veneto di sc. lett. e arti", CXXXIV.

INGLESE, G. (1979), *Contributo al testo critico della "Mandragola"*, in "Annali dell'Ist. italiano per gli studi storici", VI, pp. 168-173.

INGLESE, G. (1980), *Note al testo*, in *La Mandragola*, Rizzoli, Milano.

Sull'edizione della *Clizia*

RIDOLFI, R. (1960), *Novità sulla "Clizia"*, in "Il Veltro", IV, pp. 135-142.

CORRIGAN, B. (1961), *An Unrecorded Manuscript of Machiavelli's "La Clizia"*, in "La Bibliofilia", LXIII, pp. 73-87.

RIDOLFI, R. (1967), *Contributo a un'edizione critica della "Clizia"*, in "La Bibliofilia", LXIX, pp. 91-101. (Anche i due saggi sulla *Clizia* di Ridolfi sono compresi nei cit. *Studi sulle commedie del Machiavelli*, rispettivamente pp. 135-142 e 147-164).

PEROCCO, D. (1979), *Per una edizione critica della "Clizia"*, in Aa.Vv., *Medioevo e rinascimento veneto - Studi in onore di Lino Lazzarini*, Antenore, Padova, vol. II, pp. 15-37.

Lo spettacolo e la scenografia

SUMBERG, TH. A. (1961), *"La Mandragola": an Interpretation*, in "The Journal of Politics", XXIII, pp. 320-340.

PARRONCHI, A. (1962), *La prima rappresentazione della "Mandragola" - Il modello per l'apparato - L'allegoria*, in "La Bibliofilia", LXIV, pp. 37-86.

PIRROTTA, N., POVOLEDO, E. (1969), *Li due Orfei - Da Poliziano a Monteverdi*, Eri, Torino; cfr. sulle obiezioni alle tesi del Parronchi soprattutto pp. 216 (nota 12) e 441 (nota 20).

Biografie di Machiavelli

VILLARI, P. (1877-1882, 1927), *Niccolò Machiavelli e i suoi tempi*, Le Monnier, Firenze, 3 voll. (e 4ª edizione a cura di M. SCHERILLO, Hoepli, Milano, 2 voll.).

TOMMASINI, O. (1882-1911), *La vita e gli scritti di Niccolò Ma-*

chiavelli nella loro relazione col machiavellismo, Loescher, Torino-Roma, 2 voll. (si tratta della *Mandragola* nel vol. II, pp. 384-412).

RIDOLFI, R. (1954), *Vita di Niccolò Machiavelli*, Belardetti editore, Roma (poi Sansoni, Firenze 1978; si tratta della *Mandragola* alle pp. 261-271 e 532-538); (tr. inglese a cura di C. GRAYSON, *The Life of Niccolò Machiavelli*, Routledge and Kegan Paul, London 1963.

"Estravaganti" e a loro modo ideologicamente faziose *La vita di Niccolò Machiavelli fiorentino*·e *Machiavelli Anticristo* di G. PREZZOLINI (Milano 1928 e Roma 1954).

Studi sul teatro di Machiavelli

Cfr. le *Introduzioni* di D. GUERRI, di L. RUSSO, di N. BORSELLINO, L. BLASUCCI, R. RIDOLFI, di E. RAIMONDI, di G. DAVICO BONINO, di G. SASSO (rispettivamente 1932, 1943, 1962, 1964, 1965, 1969, 1979, 1980) alle edizioni da loro stessi curate.

DE SANCTIS, F. (1870), *Storia della letteratura italiana*. Fra le molte edizioni si consiglia quella a cura di N. GALLO, Einaudi, Torino 1958 e rist. succ., vol. II, pp. 597-604. Cfr. anche dello stesso *Saggi critici*, Laterza, Bari 1952, vol. II, pp. 309-338.

GRAF, A. (1878), *La Mandragola*, in *Studi drammatici*, Torino.

MONDOLFO, U.G. (1897), *La genesi della "Mandragola" e il suo contributo estetico e morale*, Teramo.

PARODI, T. (1912), *La Mandragola*, in "La Cultura", XXXI, poi in *Poesia e letteratura*, Laterza, Bari 1916, pp. 97-107.

BORGOGNONI, A. (1913), *La Mandragola e le lettere familiari di Niccolò Machiavelli*, in *Disciplina e spontaneità dell'arte*, Laterza, Bari, pp. 109-123.

LEVI, G.A. (1925), *In difesa di Madonna Lucrezia*, in "Giorn. st. d. lett. ital.", LXXXVI e poi in *Da Dante a Manzoni*, Firenze 1935.

BUSETTO, N. (1927), *La Mandragola - Ricerche e osservazioni*, in *Miscellanea in onore di Vincenzo Crescini*, Cividale.

LEVI, E. (1927), *"La Mandragola" di Machiavelli*, in "Convegno", VIII, ora in *Il comico di carattere da Teofrasto a Pirandello*, Einaudi, Torino 1959, pp. 48-62.

CROCE, B. (1930), *Intorno alla commedia italiana del Rinascimento*, in "Critica", XXVIII, ora in *Poesia popolare e poesia d'arte*, Laterza, Bari 1932 (1952³), pp. 244-248.

MARCAZZAN, M. (1931), *Appunti per un approfondimento della "Mandragola"*, in "Civiltà moderna", III.

GUERRI, D. (1931), *Dal gergo di Alighiero a fra' Timoteo*, in "Nuova Italia", II.

GENTILE, G. (1936), *L'etica del Machiavelli*, in *Studi sul Rinascimento*, Sansoni, Firenze.

RUSSO, L. (1937), *"La Mandragola" e il teatro minore del Machiavelli*, in "Rivista ital. del dramma", I.

RUSSO, L. (1938), *L'arte drammatica e mimetica del Machiavelli*, in "Rivista ital. del dramma", II: i due saggi sono stati poi ordinati nella monografia su Machiavelli.

SINGLETON, C.S. (1942), *Machiavelli and the Spirit of Comedy*, in "Modern Language Notes", LVII, pp. 585-592.

RUSSO, L. (1945-1949³), *Machiavelli*, Laterza, Bari, pp. 89-118.

MORAVIA, A. (1950), *Ritratto di Machiavelli*, in "Quaderni dell'Ass. cult. ital.", III e poi in *L'uomo come fine e altri saggi*, Bompiani, Milano 1964.

HOUVINEN, L. (1956), *Der Einfluss des theologischen Denkens der Renaissancezeit auf Machiavelli - Machiavelli, die Scholastiker und Savonarola*, estr. dal "Bulletin de la Société Néophilologique de Helsinki", LVII.

BACCHELLI, R. (1962), *"Istorico comico e tragico" ovvero Machiavelli artista* (1960), ora in *Saggi critici*, Mondadori, Milano, pp. 678-702.

BARBERI SQUAROTTI, G. (1966), *La forma tragica del "Principe" ed altri saggi sul Machiavelli*, Olschki, Firenze (cfr. *La struttura astratta delle commedie*, pp. 43-102).

RIDOLFI, R. (1968), *Studi sulle commedie del Machiavelli*, Nistri Lischi, Pisa. (Il volume comprende i saggi: *Composizione, rappresentazione e prima edizione della "Mandragola"*, in "La Bibliofilia", LXIV [1962], pp. 285-300; *La seconda edizione della "Mandragola" e un codicillo sopra la prima, ivi*, LXVI [1964], pp. 49-62; *Introduzione al testo rinnovato della "Mandragola"* [è il testo parziale della cit. *Introduzione* all'edizione critica del 1965]; e ovviamente il cit. *Ritorno al testo della "Mandragola"* [rispett. pp. 11-36, 37-62, 63-102, 103-134].)

MARTELLI, M. (1968), *La versione machiavelliana dell'"Andria"*, in "Rinascimento", II serie, VIII, pp. 203-274.

BOUGHNER, D.C. (1968), *The Devil's Disciple*, Phil. Library, New York (discorre del rapporto fra il *Discorso o dialogo intorno alla nostra lingua* e la *Clizia*).

BORSELLINO, N. (1970), *Per una storia delle commedie di Machiavelli*, in "Cultura e scuola", IX, pp. 229-241, e poi con il titolo *L'Esperienza comica* in *Rozzi e Intronati*, Bulzoni, Roma 1974 e 1976.

PADOAN, G. (1970), *La "Mandragola" del Machiavelli nella Venezia cinquecentesca*, in "Lettere italiane", XXII, pp. 161-186.

FIGURELLI, F. (1970), *L'opera letteraria e poetica del Machiavelli*, in *Studi in onore di Antonio Corsano*, Lacaita, Bari, pp. 273-286.

257

VANOSSI, L. (1970), *Situazione e sviluppo del teatro machiavelliano*, in *Lingua e strutture del teatro italiano nel Rinascimento*, a cura di G. FOLENA, Liviana, Padova, pp. 3-57.

AQUILECCHIA, G. (1976), *"La favola Mandragola si chiama"* (1971), in *Schede di italianistica*, Loescher, Torino, pp. 97-126.

RAIMONDI, E. (1972), *Politica e commedia - Dal Beroaldo al Machiavelli*, il Mulino, Bologna, pp. 173-233 e 253-264.

FERRONI, G. (1972), *"Mutazione" e "riscontro" nel teatro del Machiavelli e altri saggi sulla commedia del Cinquecento*, Bulzoni, Roma, pp. 19-137.

PEROCCO, D. (1973), *Il rito finale della "Mandragola"*, in "Lettere italiane", xxv, pp. 531-536.

BORSELLINO, N. (1973), *L'Anonimo sovversivo o il teatro della storia*, in *Letteratura e critica - Studi in onore di N. Sapegno*, Roma, vol. I, pp. 323-340 (questo saggio, il precedente del 1970 e l'*Introduzione* alle *Commedie del Cinquecento* del 1962 costituiscono il vol. *Rozzi e Intronati* [cfr.]).

SASSO, G. (1973), *Qualche osservazione sui "ghiribizzi" di Machiavelli al Soderini*, in AA.Vv., *Letteratura e critica*, Roma, pp. 159-199.

BORSELLINO, N. (1974, 1976), *Rozzi e Intronati - Esperienze e forme di teatro dal "Decameron" al "Candelaio"*, Bulzoni, Roma, pp. 51-88 e 121-160.

BARATTO, M. (1975), *La commedia del Cinquecento*, Neri Pozza, Vicenza, pp. 112-129.

BARDAZZI, G. (1976), *Tecniche narrative del Machiavelli scrittore di lettere*, in "Annali della Scuola normale superiore di Pisa", XLIII, pp. 1443 e sgg.

BALDAN, P. (1978), *Sulla vera natura della "Mandragola" e dei suoi personaggi*, in "Il ponte", XXXIV, pp. 387-407.

BALDAN, P. (1979), *La presenza di Svetonio nel Machiavelli maggiore*, in "Atti d. Acc. naz. dei Lincei - Rendiconti d. Classe di scienze mor. st. e filol.", s. VIII, XXXIII, pp. 9-34.

DE PANIZZA LORCH, M. (1980), *Confessore e Chiesa in tre commedie del Rinascimento: "Philogenia", "Mandragola" e "Cortigiana"*, in *Il teatro del Rinascimento*, Edizioni di Comunità, Milano, pp. 301-348.

SASSO, G. (1980), *Considerazioni sulla "Mandragola"*, ora con gli altri saggi su Machiavelli in *Machiavelli e gli antichi e altri saggi*, Ricciardi, Milano-Napoli 1988, pp. 47-122.

PADOAN, G. (1981), *Il tramonto di Machiavelli*, in "Lettere italiane", XXXIII, pp. 457-481.

GUIDOTTI, A. (1982), *Su alcune soluzioni tipologiche ed espressive della "Mandragola"*, in "Lettere italiane", XXXIV, pp. 157-175.

DIONISOTTI, C. (1984), *Appunti sulla "Mandragola"*, in "Belfagor", XXXIX, pp. 621-644.

D'Amico, J. (1987), *Power and Perspective in "La Mandragola"*, in "Machiavel-Studies", i, pp. 5-16.

Inglese, G. (1992), *"Mandragola" di Niccolò Machiavelli*, in *Letteratura italiana - Le opere*, vol. i, Einaudi, Torino, pp. 1009-1031.

Politica e società nel teatro di Machiavelli

Fido, F. (1969), *Machiavelli 1469-1969: politica e teatro nel "badalucco" di messer Nicia*, in "Italica", xlvi, pp. 359-375, e poi in *Le metamorfosi del Centauro*, Bulzoni, Roma 1977, pp. 91-108.

Badaloni, N. (1969), *Natura e società in Machiavelli*, in "Studi storici", x, pp. 675-708.

La lingua delle commedie. Sul "Discorso o dialogo intorno alla nostra lingua"

Chiappelli, F. (1952), *Studi sul linguaggio del Machiavelli*, Le Monnier, Firenze.

Chiappelli, F. (1969), *Nuovi studi sul linguaggio del Machiavelli*, Le Monnier, Firenze.

Chiappelli, F. (1969), *Considerazioni di linguaggio e di stile sul testo della "Mandragola"*, in "Giorn. st. d. lett. ital.", cxli, pp. 252-259.

Sul *Discorso o dialogo intorno alla nostra lingua*

Rajna, P. (1893), *La data del Dialogo intorno alla lingua di Niccolò Machiavelli*, in "Rendiconti della R. Accademia dei Lincei - Classe di scienze mor. st. e fil.", s. v, ii, pp. 203-222.

Baron, H. (1951), *Machiavelli on the Eve of the Discourses: the Date and Place of his Dialogo*, in "Bibliothèque d'Humanisme et Renaissance", xiii, pp. 449-475.

Migliorini, B. (1958), *Storia della lingua italiana*, Sansoni, Firenze 1961[3], pp. 351-352.

Quaglio, A.E. (1970), *Dante e Machiavelli*, in "Cultura e scuola", ix (gennaio-giugno), pp. 160-173.

Chiappelli, F. (1970), *Ipotesi di ricerca sullo stile del Machiavelli*, in "Cultura e scuola" (gennaio-giugno 1970), pp. 252-253.

Baldelli, I. (1970), *Il Dialogo sulla lingua*, in "Cultura e scuola", ix (gennaio-giugno), pp. 255-259.

GRAYSON, C. (1971), *Machiavelli and Dante*, in *Renaissance - Studies in Honor of Hans Baron* (1969), Sansoni, Firenze, pp. 361-384.

GRAYSON, C. (1971), *Nota sull'attribuzione del Dialogo*, in "La Bibliofilia", LXXIII, pp. 235-242 (replica a Ridolfi: insiste sulla non paternità machiavelliana del *Discorso o dialogo* ecc.).

CHIAPPELLI, F. (1974), *Machiavelli e la lingua fiorentina*, Massimo Boni editore, Bologna.

MARTELLI, M. (1978), *Una giarda fiorentina - Il Dialogo della lingua attribuito a Niccolò Machiavelli*, in "Quaderni di filologia e critica", Salerno editrice, Roma.

La fortuna del teatro di Machiavelli

DOLCI, G. (1939), *Il processo a Machiavelli - Lineamenti della storia della fortuna di Machiavelli*, Trevisini, Milano.

RUSSO, L. (1949³), *La critica machiavellica dal Cuoco al Croce*, in *Machiavelli*, Laterza, Bari, pp. 263-306.

SANTONASTASO, G. (1962), *Studi sul Machiavelli nel secondo dopoguerra*, La Bodoniana, Bolzano.

FIDO, F. (1965), *Machiavelli*, Palumbo, Palermo (fa parte della collana "Guide bibliografiche").

PROCACCI, G. (1965), *Studi sulla fortuna del Machiavelli*, Ist. stor. it. per l'età moderna e cont., Roma.

PUPPO, M. (1970), *Machiavelli e gli scrittori italiani*, in "Cultura e scuola", IX (gennaio-giugno), pp. 148-159.

GOFFIS, C.F. (1970), *Gli studi machiavelliani nell'ultimo ventennio*, in "Cultura e scuola", IX (gennaio-giugno), pp. 34-55.

GAMBARDELLA, S. (1976), *Studi recenti sul teatro del Machiavelli*, in "Italianistica" V, pp. 150-155.

BERTELLI, S.-INNOCENTI, P. (1979), *Bibliografia machiavelliana*, Verona, pp. XXIII-XXIV.

PEROCCO, D. (1987), *Rassegna di studi sulle opere letterarie di Machiavelli (1969-1986)*, in "Lettere italiane", XXXIX, pp. 559-569.

Libri sussidiari

Testi letterari

BOCCACCIO, G. (1951-1952), *Decameron*, a cura di V. BRANCA, Le Monnier, Firenze, 2 voll.

Commedie del Cinquecento, a cura di A. BORLENGHI, Rizzoli, Milano 1959.

Commedie del Cinquecento, a cura di N. BORSELLINO, Feltrinelli, Milano 1962-1967.

Storie letterarie e del teatro

TOFFANIN, G. (1927), *Il Cinquecento*, Vallardi, Milano 1965[7], pp. 427-430.

MOMIGLIANO, A. (1936), *Storia della letteratura italiana*, Principato Messina, Milano, pp. 203-206.

APOLLONIO, M. (1938-1950), *Storia del teatro italiano*, Sansoni, Firenze, vol. II, *Il teatro nel Rinascimento*.

D'AMICO, S. (1950), *Storia del teatro drammatico*, Garzanti, Milano, vol. II, *Il teatro del Rinascimento*.

SANESI, I. (1954), *La commedia*, Vallardi, Milano.

BLASUCCI, L. (1966), *Le opere letterarie di Niccolò Machiavelli*, in AA.VV., *Storia della letteratura italiana*, Garzanti, Milano, vol. IV, pp. 54-79.

Della stampa fiorentina nel XVI secolo

RIDOLFI, R. (1958), *La stampa in Firenze nel XVI secolo*, Olschki, Firenze.

Grammatiche e repertori

ROHLFS, G. (1966-1969), *Grammatica storica della lingua italiana e dei suoi dialetti*, Einaudi, Torino, 3 voll. (prima ediz. tedesca, A. FRANCKE, Bern 1949-1954).

Ci siamo valsi, quanto ai repertori linguistici, di VARCHI, B., *L'Ercolano* (1570), Società tipografica dei Classici italiani, Milano 1804, vol. I, e di PICO LURI DI VASSANO (LUIGI PASSARINI), *Modi di dire proverbiali*, Tipogr. Tiberiana, Roma 1875.

Teatro e spettacolo del Rinascimento

HERRICK, M.T. (1964), *Comic Theory in the Sixteenth Century*, University of Illinois Press, Urbana.

AA.VV. (1964), *Le lieu théâtral à la Renaissance*, Cnrs, Paris.

FIDO, F. (1968), *Reflections on Comedy by some Italian Renaissance Playwrights*, in *Medieval Epic to the "Epic Theater" of Brecht*, University of S. Calif. Press, Los Angeles.

AA.VV. (1968), *Dramaturgie et société - Rapports entre l'œuvre théâtrale, son interprétation et son public aux xvi et xvii siècles*, Cnrs, Paris.

Pandolfi, V. (1969), *Il teatro del Rinascimento e la commedia dell'arte*, Lerici, Roma.

Marotti, F. (1974), *Lo spettacolo dall'Umanesimo al Manierismo*, Feltrinelli, Milano.

Angelini, F. (1986), *Teatro e spettacolo nel Rinascimento*, in *Letteratura italiana - Teatro, musica, tradizione dei classici*, Einaudi, Torino, pp. 69-86.

Indice

Ultimi volumi pubblicati in
"Universale Economica" – I CLASSICI

Platone, *Simposio o Sull'Amore*. Introduzione di U. Galimberti. Traduzione e cura di F. Zanatta. Testo originale a fronte

William Shakespeare, *Amleto*. Traduzione e cura di A. Lombardo. Testo originale a fronte

Virgilio, *Eneide*. Prefazione di B. Placido. Traduzione e cura di E. Oddone. Testo originale a fronte

Voltaire, *Trattato sulla tolleranza*. Introduzione di S. Veca. Traduzione e cura di L. Bianchi

François Villon, *Poesie*. Prefazione di F. De André. Traduzione, introduzione e cura di L. de Nardis. Testo originale a fronte

Franz Kafka, *America o Il disperso*. Introduzione di M. Brod. Traduzione e cura di U. Gandini

Shelley, Keats e Byron, *I ragazzi che amavano il vento*. Traduzione e cura di R. Mussapi. Testo originale a fronte

William Shakespeare, *Otello*. Traduzione e cura di A. Lombardo. Testo originale a fronte

Charles Dickens, *America*. Introduzione di M. Slater. Traduzione di M. Buitoni, G. Corsini e G. Miniati

Jean-Jacques Rousseau, *Le passeggiate del sognatore solitario*. Traduzione e cura di B. Sebaste

Kohèlet/Ecclesiaste. Traduzione e cura di E. De Luca

Mark Twain, *3000 anni fra i Microbi*. Introduzione di C. Pagetti. Traduzione di L. Portoghese

Jonathan Swift, *I viaggi di Gulliver*. Traduzione e cura di G. Celati

Giuseppe Mazzini, *Pensieri sulla democrazia in Europa*. Cura di S. Mastellone. Nuova edizione

Jerome K. Jerome, *Tre uomini in barca (per non parlar del cane)*. Introduzione di F. Piccolo. Traduzione di K. Bagnoli

William Shakespeare, *Macbeth*. Traduzione e cura di A. Lombardo. Testo originale a fronte

Fëdor Dostoevskij, *La mite*. Introduzione di P. Di Stefano. Traduzione di P. Parnisari

Oscar Wilde, *Salomè*. Prefazione di R. Montanari. Introduzione di G. Servadio. Traduzione di G. Servadio e R. Montanari. Doppio testo a fronte

Gustave Flaubert, *Bouvard e Pécuchet*. Introduzione, traduzione e cura di F. Rella

Voltaire, *L'ingenuo. L'uomo dai quaranta scudi*. Prefazione di S. Nata. Traduzione e cura di L. Bianchi

Fëdor Dostoevskij, *L'idiota*. Traduzione e cura di G. Pacini

Edgar Allan Poe, *Racconti*. Traduzione e cura di M. Mancuso